José Luis Martín Nogales

Los cuentos de Ignacio Aldecoa

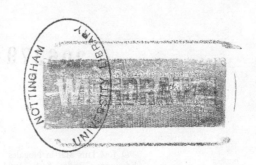

EDICIONES CATEDRA

CRITICA LITERARIA

306379

© José Luis Martín Nogales
Ediciones Cátedra, S.A., 1984
Don Ramón de la Cruz, 67. Madrid-1
Depósito legal: M-22.720-1984
ISBN: 84-376-0475-3
Printed in Spain
Impreso en Anzos, S.A. Fuenlabrada (Madrid)
Papel: Torras Hostench, S.A.

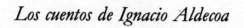

Los cuentos de Ignacio Aldecoa

Índice

El último telediario del sábado 15 de noviembre de 1969 dio la noticia por primera vez: Ignacio Aldecoa había muerto. De repente. A la una y media de la tarde. De un ataque al corazón. Tenía entonces cuarenta y cuatro años.

Prólogo

Jesús Fernández Santos

Íbamos por el valle del Lozoya, ese valle que para mí no es alegre con sus pueblos que poco a poco se van muriendo, que año tras año van siendo parcelados y vendidos. Íbamos, digo, por ese valle del Lozoya que se hace gris, frío y opaco al atardecer cuando parece que las montañas se vienen encima. En esa hora precisamente, Ignacio empezó a ponerse taciturno. No recuerdo quién de los dos conducía, pero sí que le miré de través y parecía triste. Le pregunté qué le pasaba y él, como siempre, respondió: «Nada, nada.» Pero el coche seguía su paso, andábamos aún más y a él aquella preocupación le seguía rondando. Le volví a preguntar y entonces me respondió que tenía miedo. «¿Miedo de qué?» «De la muerte», me dijo.

Yo hasta entonces nunca le había oído hablar así. Por eso me sorprendió y por eso lo recuerdo más vivamente. Luego llegamos a la general y en Buitrago, con unas copas, sus palabras y el temor se olvidaron.

Sin embargo, ya estaban lejos los buenos tiempos del río —del río de Madrid—, aquellos del Ignacio eufórico, a pesar de que el mundo en torno fuera tan duro, y poco amigo. Pero nosotros sí que lo éramos. Acababan de aparecer nuestros primeros libros y ése es el mejor acontecimiento, la mejor edad de cualquier escritor, cualquiera que sea más tarde su destino.

Aquello era poco después de los 50, después que coincidiéramos en la Facultad de Letras, Ignacio que venía de Salamanca, Sánchez Ferlosio que llegaba, si no recuerdo mal, de Arquitectura, Medardo Fraile que venía de Arte Nuevo, y yo, en lo que pudiéramos llamar escritores de prosa, aparte de los puramente teatrales. Ante aquella Universidad de entonces, como es fácil de imaginar, no había hileras de coches. Tan sólo el autobús de profesores, bastante viejo y repintado, por cierto. Si una chica se maquillaba demasiado, se la criticaba, y los extranjeros eran como bichos raros que nos miraban con la misma extrañeza que nosotros a ellos. Aún había alumnos de promociones anteriores a la guerra y una mayoría total de alumnado femenino que mataba su tiempo a la espera de un futuro matrimonio.

La Facultad, para muchos de nosotros, consistió en asistir a algunas clases, aprobar dos o tres cursos, tertulias en el bar y amistad con unos cuantos amigos.

13

Lo que para nosotros supuso el paso por ella es difícil de calcular, mas la verdad es que allí nacimos a la literatura, si no en nuestras obras que por entonces comenzábamos a escribir, sí al menos en nuestro afán por conseguir un puesto en la vida del país, algo que tan lejano aparecía. Leíamos cosas que valían la pena y que —al menos en lo que a mí respecta— sonaban vagamente a lo que andábamos buscando.

En lo que siempre estuvimos de acuerdo los dos fue en que, sin pasar por allí, sin poner en marcha aquel teatro, sin aquellos primeros contactos, aquellas vueltas al atardecer y el recuerdo de algunos profesores, yo no sería quien ahora soy ni tampoco Ignacio tal como fue y perdura todavía.

Así pues, por allí andábamos estudiando mal y escribiendo mejor, hasta que cierto día, y con gran esfuerzo por mi parte, dejé de bajar por la Facultad y dejé de ver a Ignacio por una temporada. Yo comprendía que para la carrera no servía y, además, aunque la terminara tal como las cosas estaban entonces, no me iba a solucionar económicamente la vida. De modo que la dejé y al cabo de unos meses volví a encontrarme con él en el Gijón. Me pidió un cuento para una revista que estaba para lanzar Antonio Rodríguez Moñino. Yo se lo di, y como Ignacio siempre arrastraba consigo a los amigos, me vi de nuevo incorporado a ellos, y las tardes del Gijón se prolongaron casi siempre en su casa, a la orilla del río, hasta bien entrada la noche.

Revista Española acabó a los pocos números, como era de rigor, pero sirvió para reunirnos, de igual modo que Ignacio tenía la virtud de juntar a futuros y dispares amigos. En la época de nuestra aparición, de nuestros primeros libros, los editores se resistían a publicar novelas de autores jóvenes españoles; otros hablaban de redimir al escritor como de alguna mala vida, otros lo hacían con cierta prevención, y otros, en fin, a base de premios y más premios. Por entonces comenzó lo que algunos se empeñaron en llamar realismo social y otros un poco menos vagamente realismo objetivo. Cualquier palabra poco usual arrastraba tras sí la etiqueta del tremendismo, cualquier personaje no claramente definido olía a lo que entonces se entendía por mensaje. Por entonces Goytisolo se marchaba a París y en España se comenzaba a hablar de Hemingway y Faulkner. Azorín y Baroja vivían todavía, recibiendo visitas, a solas con sus memorias, que en ocasiones aparecían en forma de libro.

Ser joven, como ahora, era un grave problema, el problema de esperar, un problema que sólo el tiempo era capaz de solucionar, y sin embargo, para nosotros, eran tiempos buenos. Por la tarde discutir en el Gijón y después, al anochecer, vagabundeo por Madrid y recalada final, inevitable, en la casa de Ignacio.

A la salida —muchas veces casi de madrugada— el frío del Manzanares traspasaba el abrigo y la garganta, en tanto el cielo se iba, poco a poco, volviendo violeta. Una parte de mi vida está allí y la recuerdo bien; lo que no alcanzo a recordar es de dónde sacábamos el tiempo para hacer nuestros libros. Y sin embargo, paulatinamente, fueron saliendo: *El fulgor y la sangre*, *Los Bravos* y *El Jarama*.

Y como todo, esos años del río un día se acabaron, en parte porque Ignacio se fue a vivir más al centro de Madrid, y en parte fuimos cambiando nosotros mismos. Unos antes, otros después, nos fuimos casando la mayoría o marchando fuera, no dejándonos de ver salvo en algún que otro acto literario en el que nos reconocíamos, abrazábamos y volvíamos a perder como esos parientes que se reencuentran por Navidad y desaparecen luego hasta el próximo año.

Ignacio marchó a Norteamérica. De ese viaje guardaba tan buen recuerdo que siempre estaba deseando volver. Hay una foto suya en no sé qué ciudad, en un parque o en una avenida, con un gran edificio al fondo, donde se le ve en uno de los mejores momentos —pienso yo— de su vida.

Madrid había cambiado, como digo. Ya no eran aquellos tiempos primeros del final de la guerra, difíciles para quien no era capaz de opositar, para quien no tenía un oficio concreto y también cuesta arriba por muchas otras causas. Ahora ya los estudios de doblaje no convertían en las películas a los amantes en hermanos y besar a una chica en un parque no traía tan funestas consecuencias. Ignacio ya se pasaba prácticamente todo el año en Ibiza y digo prácticamente porque en verano y en alguna que otra semana siempre acababa allí, y cuando estaba en Madrid, Ibiza y sus amigos de la isla constituían su tema favorito.

Otro día íbamos por no sé qué carretera y hablábamos de libros como tantas veces; de los que cada uno sería capaz de hacer todavía. «Verdaderamente, qué poco dura la vida», dijo Ignacio, y lo decía en un tono que a mí me impresionó como aquella otra vez en el valle de Lozoya. Yo intenté animarle contestando que aquello ya se le había ocurrido antes a Jorge Manrique, pero la verdad es que Ignacio estaba taciturno otra vez, no sé por qué, pero lo estaba y mucho.

Y finalmente, desde Ibiza, Ignacio se pasó al planeta de los toros. De pronto comenzó a interesarse por plazas, apoderados y toreros. Supongo que para escribir algo, porque en Ignacio la vida siempre apuntaba hacia lo mismo. Ahora nos veíamos muy poco, pero muchas veces nos llamábamos por teléfono para charlar un poco, para hablar de un artículo o para pedirnos una dirección simplemente. A veces nos veíamos por la noche en un bar o cenábamos juntos, aunque en eso de cenar, él cenaba bien poco. Así llego el día en que un amigo llamó a casa diciendo que Ignacio estaba muerto. Fui corriendo a su casa y estaba allí en la cama, tranquilo, firme y serio. Creo que fue en el entierro de un amigo común cuando me dijo, en ese tono suyo, particular, a medias socarrón y a medias temeroso: «Jesús, estamos entrando en la línea de fuego.» Y yo, con el recelo que siempre me causaban tales bromas, le contesté que no, que en absoluto, que la vida empieza a los cuarenta. Se echó a reír. «Sí —respondió a su vez—, lo malo es que se acaba a los cuarenta y tres.»

Para su propio mal, esta vez fue buen profeta. Sólo se equivocó en un año.

Allí, serio, tranquilo, con un perfil solemne, estaba Ignacio, a quien yo conocí en la Facultad un día, rodeado de poetas, altivo, cordial, simpático, terco, alegre, inteligente, conocedor de aquello que era para él su vida, fácil para olvidar agravios y capaz de encresparse por una nimia cosa. Allí estaba, en la penumbra de una alcoba donde yo nunca le había visto enfermo, él que de tantos males se quejaba. Y viéndole así se sentía esa ira que viene siempre contra todo lo que es injusto, irremediable, arbitrario, absurdo.

Luego vino ese epílogo, parecido a tantos en esa tarde tan fría, bajo ese cielo tan bajo y oscuro. Y era como si parte de nuestra vida quedara allí, al otro lado del rojo muro de ladrillos.

De hecho, quedaba. Yo ya supongo que esto se ha dicho con otras palabras, muchas veces, en ocasiones parecidas; puede que incluso con estas mismas palabras. Tal vez, sea un tópico, pero hay tópicos que son verdad y es verdad que allí, tras aquellos ladrillos sobre los cuales asomaba un mar de cerros desolados, la Meseta de sus primeros libros, quedaba uno de nuestros mejores compañeros, quedaba una de las mejores épocas de nuestra vida. De la mía, al menos.

Capítulo primero

Vida de Ignacio Aldecoa*

1. Vitoria

José Ignacio de Aldecoa Isasi nació en Vitoria el 24 de julio de 1925. Fue el primer hijo de una familia de artesanos industriales, y le seguiría dos años más tarde su única hermana, María Teresa. Su padre poseía un negocio de pintura industrial, restauración, decoración, etc., fundado por el abuelo en mil ochocientos y pico. En ese ambiente de desahogo económico y burguesía provinciana transcurrieron los primeros años de su vida.

Estudió en el colegio de los marianistas y ya desde estos años dio muestras de su carácter independiente. El propio escritor rememoraba en 1955, con ironía crítica, aquella época en la que tenía apenas catorce años y una actitud burlona[1].

En otros relatos recuerda también con nostalgia aquellos años escolares. «Lluvia de domingo» refiere el atardecer festivo de un muchacho adolescente (él mismo, sin duda), que estudia un poco, que se distrae, que empieza a escribir algo, que sale a dar una vuelta solo bajo la lluvia. Es su adolescencia, dominada sobre todo por un vago sentimiento de insatisfacción: el desasosiego, el predominio de la imaginación, la búsqueda de sensaciones, el gusto por la aventura.

Durante esta época transcurrió la guerra civil. Su padre, Simón de Aldecoa, perteneció a la Acción Vasca, un grupo nacionalista que se mantuvo aliado a las fuerzas republicanas. Ignacio siguió mientras tanto su formación escolar, en ese ambiente enrarecido que describe en «Patio de armas». Son escenas de niños colegiales durante la guerra civil: en el recreo, en

---

* La base de este estudio es una tesis doctoral dirigida por el catedrático de Literatura Ángel Raimundo Fernández González, a quien agradezco su inestimable ayuda; a los catedráticos Jesús Cañedo Fernández, Andrés Amorós Guardiola, Leonardo Romero Tovar y Manuel Casado Velarde les debo profundas observaciones como miembros del tribunal. Agradezco también a Josefina Rodríguez de Aldecoa su imprescindible ayuda para la realización de este trabajo y la colaboración de Jesús Fernández Santos en esta edición.

[1] Cfr. «Aldecoa se burla», *Cuentos completos 1,* edición de Alicia Bleiberg, Madrid, Alianza Editorial, 1973, págs. 361-366.

casa haciendo los deberes, en el aula y en el camino hacia el cementerio, acompañando el cadáver del padre militar de uno de los muchachos. El fantasma de la guerra está presente como una amenaza, como una crueldad que trae la muerte, la cárcel, la orfandad. Y esa guerra está vivida desde la conciencia de los niños, víctimas inocentes de la situación[2].

Ana María Matute comenta con estas palabras los relatos de Aldecoa que reflejan el ambiente de aquellos años:

> Dos de estos cuentos me producen especial impresión: «Patio de armas» y «Seguir de pobres». Porque, a mi entender, en estas dos narraciones Aldecoa resume el clima en que crecimos toda su generación. La particular atmósfera de un mundo en crisis, donde nos tocó abrir los ojos —niños asombrados, como me permití adjetivar a los que entonces teníamos diez años, más o menos— de cara al aspecto menos grato de la vida. Cuando, tan jóvenes aún, asistimos a la tragedia de una guerra entre hermanos.
>
> (...) Entre la ruina de las viejas enseñanzas, entre bombardeados muros, los que luego fuimos escritores, difícilmente nos desprenderemos de ese recuerdo.
>
> (...) Los muchachos de «Patio de armas» podríamos ser nosotros. Y la angustiosa pobreza, soledad y desesperanza de «Seguir de pobres», el cotidiano paisaje que tantas veces se ofreció a nuestra atónita mirada de adolescentes, a nuestra rebeldía de jóvenes[3].

De sus años de infancia solía destacar Aldecoa la influencia que supuso en su aprendizaje de narrador las historias que le contaba su abuela materna María Pedruzo. Recordándola escribió el año 53 el cuento titulado «...y aquí un poco de humo»:

> Las historias de doña Ricarda eran de guerra, de miedo y de resignación. Hablaba de las guerras carlistas; de las de África, Cuba y Filipinas; de la de los alemanotes y los soldados del Tigre. Hablaba de la muerte; de cómo la muerte llama a las casas cuando quiere entrar o deslizarse tal que un gato o que el viento. Hablaba de la resignación que hay que tener si a uno le salen mal las cosas o nunca le toca la Lotería o pierde un ser muy querido[4].

Desde entonces se arraigó también en él la afición por la lectura, iniciándose en los conocidos libros de Julio Verne o de Salgari. Y a esta época hemos de remontarnos para detectar sus inicios de escritor: «A los once años escribió una novela de aventuras en el mar. Comenzaba: "¡Terciad la vela del trinquete! ¡Cortad la del bauprés!..." (...) Su primer trabajo, una

---

[2] Las vivencias de aquellos años de gurra civil constituyen uno de los elementos narrativos básicos de su primera novela, *El fulgor y la sangre*, y son el motivo inspirador de algunos de los relatos.

[3] Matute, Ana María, prólogo a *La tierra de nadie y otros relatos*, Barcelona, Salvat Editores, 1970, pág. 9.

[4] *Cuentos completos 1*, cit., pág. 368.

crónica de toros, se publicó cuando aún tenía quince años, en el diario *El Pensamiento Alavés*»[5].

De esta primera etapa de su vida, transcurrida en Vitoria, hay que señalar por último la influencia que ejerció sobre él el ambiente artístico que le rodeaba. En el estudio de decoración solían reunirse con su tío Adrián Aldecoa, pintor postimpresionista, otros pintores como Díaz Olano, Gustavo de Maeztu y Echevarría. De sus conversaciones sobre el oficio y sobre sus andanzas bohemias de pintores, Aldecoa fue aprendiendo a mirar la vida como artista y a desear vivirla conforme a esa bohemia trashumante.

2. SALAMANCA, PARADA Y FONDA

En la Universidad de Salamanca inició Aldecoa sus estudios de Filosofía. El primer año de Comunes estaban matriculados dieciséis alumnos. Se sentía aún muy cercano el final de la guerra civil y más allá de las fronteras sonaban los últimos cañonazos de la guerra mundial. Eran años de reconstrucción, de ruinas, de escasez, de aislamiento internacional, de cartillas de racionamiento.

> Si la situación económica del país era penosa, a las privaciones materiales de todo orden, alimentos, ropas, zapatos, utensilios, a la escasez y el racionamiento se unía la privación intelectual. No había libros, no había revistas, no había cine ni teatro que valiese la pena. La prensa era de un marcado matiz oficial. El aislamiento era total. El mundo estaba en guerra y del extranjero no llegaba nada. Vivíamos encerrados en nuestros propios problemas nacionales: el miedo, el desconcierto, la desesperación de la posguerra[6].

Para Aldecoa estos años transcurrieron entre fugaces apariciones por clase, tomar contacto con los primeros amigos de su generación literaria, escribir los primeros versos e iniciarse en la bohemia estudiantil que describe en «Maese Zaragosí y Aldecoa, su huésped» o en el «Cuento del hombre que nació para actor».

Carmen Martín Gaite recordaba aquellos años en un artículo que escribió pocos días después de la muerte de Ignacio. En él se refiere a sus amigos no universitarios de aquella época, «una colección de gentes (...) en cuya compañía se formaba y de la que sacaba savia para sus historias».

> Ignacio aparecía poco por clase, pero lo curioso es que tampoco le veíamos mucho fuera de ella. En una ocasión vino y nos arrastró a una pelea de bolas de nieve delante de la Catedral, a los que queríamos hacer novillos como a los que no, razón por la cual durante mucho tiempo le he estado asociando a la impresión de fiesta que producen las nevadas;

---

[5] «Entrevista con Ignacio Aldecoa», *El español*, 20-26 de marzo de 1955.

[6] Rodríguez, Josefina, prólogo a los cuentos de Aldecoa, Madrid, Cátedra, 1977, páginas 17-18.

otra vez fui de espectadora a un partido de fútbol de aficionados que jugó por las eras. De cuando en cuando aparecía en el paseo de la una en la Plaza Mayor y se nos acercaba a otra amiga y a mí con conocidos suyos que nos presentaba, generalmente vascos y casi siempre de Medicina, «chicos fuertes y guapos —como decía él— que es lo que necesitáis y no tantos gafitas». Pero esto era solamente una pequeña muestra de su gama de amistades. Por ejemplo, iba bastante con hombres maduros e incluso viejos. Y con esto queda apuntada otra de sus características: la de que nunca se sintió determinado por las barreras exclusivas de su tiempo ni enclaustrado en generación alguna. Sentía una gran solidaridad y simpatía por la gente mayor, sobre todo si sabía conversar. Con el catedrático de Historia del Arte, don Ángel de Apraiz, que era de Vitoria como él y amigo de su padre, se le veía paseando con frecuencia y sentado en cafés de la Plaza, hablando y venga a hablar. Pero este señor, a quien yo supongo que el padre de Ignacio debía escribir alguna vez pidiéndole noticias de su hijo, perdía su pista tantas veces como nosotros y nos preguntaba muchos días en clase si alguno le había visto. No; cuando uno le había dejado de ver, los demás tampoco le habían visto. Le echábamos de menos mucho, yo creo que sobre todo las chicas, y sus reapariciones eran algo muy alegre. En el casino, donde se bailaba los jueves y los domingos, no ponía los pies, a nadie llamó nunca por teléfono para pedirle unos apuntes o cosas por el estilo, no tenía parientes en Salamanca. ¿Dónde se metía? Y él se reía y hacía la comedia del hombre disipado y misterioso: había estado por ahí de crápula con gente fascinante y viciosa, con marqueses venidos a menos, con meretrices, con bufones, con ladrones de guante blanco perseguidos por la justicia, con tahúres, ralea que se oculta, animales de noche. Y sólo de tarde en tarde acababa hablándonos un poco de verdad de sus amigos no universitarios: una colección de gente que a nosotros apenas nos interesaba entonces, embebidos como estábamos en el descubrimiento de la cultura escrita; gente de carne y hueso, en cuya compañía se formaba y de la que sacaba savia para sus historias[7].

Antonio Tovar, profesor entonces de la Universidad de Salamanca, recuerda también sus ausencias de clase y el deambular callejero de Aldecoa:

> Se sumía, me imagino, en la pobre, a menudo miserable vida de entonces, y aprendía, no en los libros, lo que era de veras la humanidad que nos rodeaba, la epopeya de la gente pobre, del «hombre cualquiera que trabaja por unas pocas pesetas» y que acaba muchas veces por convertirse en lo que él llama «un hombre mamotreto, insensible, pesado, sucio de polvo, lleno de números, reventado de trabajar tontamente»[8].

[7] Martín Gaite, Carmen, «Un aviso: Ha muerto Ignacio Aldecoa», *La Estafeta Literaria*, diciembre de 1969.

[8] Tovar, Antonio, «Mi cuento de Ignacio Aldecoa», *Gaceta Ilustrada*, 1973.

3. Madrid

«Aprobados los dos primeros cursos de comunes, a base de apretar un poco en Mayo, Aldecoa desapareció de Salamanca»[9]. Marchó a Madrid con el propósito de continuar la carrera de Letras en la especialidad de Historia de América, pero sus apariciones por clase fueron también excepcionales. En la pensión Garde, situada en el Pasaje de la Alhambra, muy cerca del café Gijón, continuó su vida bohemia de estudiante. «La Facultad, para muchos de nosotros —recuerda Jesús Fernández Santos— consistió en asistir a algunas clases, aprobar dos o tres cursos, tertulias en el bar y amistad con unos cuantos amigos»[10].

En Madrid coincidió con un grupo de jóvenes de su edad, que estaban entonces empezando a formarse como escritores: Jesús Fernández Santos, Rafael Sánchez Ferlosio, Medardo Fraile, Alfonso Sastre, Alfonso Paso, José María de Quinto, Carmen Martín Gaite, que se trasladó más tarde para hacer el doctorado, y Josefina Rodríguez, que sería su mujer desde marzo de 1952. Forman el grupo de escritores denominado por muchos como generación del medio siglo, generación intermedia o generación de los años 50. «El común denominador de estos muchachos, entre los que me contaba yo —escribe Josefina Rodríguez—, era que habíamos vivido la guerra de niños, con ocho, nueve o diez años, y que teníamos de aquella tragedia una experiencia desconcertante y bastante definitiva»[11].

Aldecoa asistió a las tertulias del café Gijón y del Abra y del Castilla. Eran largas tardes de conversación que «se prolongaban casi siempre en la casa de Ignacio, a la orilla del río, hasta bien entrada la noche a veces»[12].

Durante esta época empieza a dedicarse fundamentalmente a su oficio de escritor. Ya antes, en Salamanca, había publicado artículos en diarios y revistas de Castilla la Vieja y León. Ahora se da a conocer en revistas juveniles, universitarias y culturales: *Correo literario, Juventud, Alcalá, La Hora.* Cuando Linares-Rivas le preguntaba en 1958 sobre su verdadero principio, Aldecoa le respondió: «En 1950, en *La Hora,* formada por un grupo en el que todos creíamos que ser escritor era un oficio digno, exactamente igual que para otras personas puede serlo el de ingeniero de caminos»[13].

---

[9] Martín Gaite, Carmen, art. cit.
[10] Fernández Santos, Jesús, «Ignacio y yo», *Insula,* marzo de 1970, pág. 11.
[11] Rodríguez, Josefina, *op. cit.,* pág. 17.
[12] Fernández Santos, Jesús, art. cit. Antonio Hernández recordaba a Aldecoa en actitud evadida durante estas tertulias: «Yo lo he visto muchas veces en el café Gijón con mirada indolente, recalcado en las patas traseras de su silla, con gesto de matador añejo, meditando, o libre, o evadido. Sin compás con los demás. Lejano como un dulce tormento adolescente. Dividido en él y sus memorias», Hernández, Antonio, «El escritor, al día: Ignacio Aldecoa», *La Estafeta Literaria,* 1 de junio de 1969, págs. 10 y 11.
[13] Linares-Rivas, Álvaro, «Ignacio Aldecoa», *Crítica,* 4 de enero de 1958.

En 1953 Antonio Rodríguez Moñino, que dirigía la editorial Castalia, creó *Revista Española*, encargándoles la redacción a Alfonso Sastre, Rafael Sánchez Ferlosio e Ignacio Aldecoa. Cuando salió el primer número, Ignacio Aldecoa estaba en Salamanca, haciendo las prácticas de la milicia universitaria. *Revista Española* acabó a los pocos números. En la última página del último ejemplar figuraba: «Al cabo de un año de vida no se han conseguido más que veintisiete suscripciones, ni se ha logrado vender más de ochenta ejemplares.»

La década de los 50 es para Ignacio la más productiva como escritor. Anteriormente había publicado dos libros de poemas: *Todavía la vida,* en diciembre de 1947, y *Libro de las algas,* en 1949, de los que tuvo que pagarse él mismo la edición. En 1953 obtuvo su primer premio, del semanario *Juventud,* por el relato «Seguir de pobres». En 1954 fue finalista de «La novela del sábado» con *El mercado;* y finalista también del premio Planeta, con su primera novela *El fulgor y la sangre,* enfrentada con *Pequeño teatro,* de Ana María Matute, que sería ese año el número uno por un voto más[14]. En febrero del 56 aparece en las librerías *Con el viento solano* y al año siguiente *Gran Sol,* premio Virgen del Carmen para novelas del mar y Premio de la Crítica el año 1958. Hasta nueve años más tarde no volvería a editar otra novela, la última, en junio de 1967: *Parte de una historia.*

Mientras tanto, Aldecoa escribió abundantes relatos cortos. Fueron apareciendo en diversas revistas, desde el lejano 1948 hasta el mismo año de su muerte; algunos todavía quedaron inéditos. Excepto once de los primeros cuentos, todos los demás se editaron en años posteriores en las seis antologías que preparó Ignacio Aldecoa: *Espera de tercera clase* (1955), *Vísperas del silencio* (1955), *Arqueología* (1961), *Caballo de pica* (1961), *Pájaros y espantapájaros* (1963), *Los pájaros de Baden-Baden* (1965).

Ignacio Aldecoa se dedicaba sólo a su quehacer de escritor: leer, escribir, viajar, documentarse. Su posición económica quedó consolidada cuando, a finales de los cincuenta, Josefina Rodríguez fundó un colegio, «Estilo», para alumnos entre dos y diecisiete años[15]. Ya definitivamente podía

---

[14] En las votaciones previas, la novela ganadora fue siempre *El fulgor y la sangre.* La reacción de Aldecoa ante el fallo final puede comprobarse en el desahogo con sus amigos Juan Cortázar y Elías Aguirrezábal, en una carta del 18 de octubre de 1954: «Las quinielas del fútbol *(sic)* y los premios literarios los ganan aquéllos, no se sabe por qué, que menos se espera. En fin, otra vez será. El libro saldrá dentro de unos dos meses. Lo importante es que la gente lo compre, por aquello que uno vive de esto *(sic)* y no de jugar a la lotería. Yo he encajado bien el golpe —llevaba coquille— y sigo tan amigo del Boss Lara como antes de la pelea. El contrato va a ser bueno y mi disgusto, al compás del contrato, se ha hecho nulo. Son cosas del ring. Estoy trabajando en otra novela y prefiero no acordarme del «Fulgor», tan traído *(sic)* estos días últimos. Tengo la satisfacción que la prensa de Madrid, en lo que ha podido, se ha inclinado a mi favor *(sic),* y que los tres únicos escritores del jurado me votaron a mí.»

[15] Josefina Rodríguez e Ignacio Aldecoa se conocieron a finales de 1950; se casaron en marzo de 1952. En octubre del 54 nació la única hija, Susana.

dedicarse sin más al oficio de escribir... y a viajar. Ignacio Aldecoa fue un gran aficionado a recorrer mundo. Uno de sus pasatiempos predilectos era mirar mapas e imaginar viajes. Su constante actividad viajera le llevó a recorrer varios trayectos de la Península Ibérica y del extranjero. Estuvo dos veces en Estados Unidos y visitó Inglaterra, Francia, Alemania, Holanda y Polonia. Viajó en los balleneros, en los bacaladeros y en los barcos de pesca de bajura (*Gran Sol*, «La noche de los grandes peces»). Pasó largas estancias en Ibiza, donde convivía «toda la golfería artística y literaria»[16]. De este ambiente marinero, de pescadores, turistas, golfos y hombres de mar, tomaría algunos personajes protagonistas de sus narraciones («Amadís», «Ave del Paraíso», *Parte de una historia...*), y de sus días en las islas Canarias, el material necesario para publicar más tarde un libro de viajes: *Cuaderno de godo* (1961).

Para Aldecoa viajar era una necesidad; una necesidad de oficio, porque en esos viajes recogía experiencias que después habrían de convertirse en narraciones; pero también una necesidad psicológica. De carácter aventurero, era por necesidad hombre de viaje, de mar, de islas, de andar caminos; la ciudad le encerraba. Le aburría lo anodino, lo provinciano, todo lo que era vulgar. En varios cuentos testimonia contra la clase media o contra la burguesía este rechazo suyo del provincialismo, del estancamiento en un mundo reducido. Y en una carta abierta al director de *La Estafeta Literaria* dejó constancia en 1956 de estos impulsos viajeros:

> A mi mujer y a mí, antes de que nos multiplicáramos felizmente, nos solía dar de vez en vez la pampurria de los caminos, que es un cafard modesto, y nos largábamos por ahí a hacer leguas de vagón de tercera, leguas de autobús de quinta, leguas de coche de San Fernando. Era una risa. Íbamos, veníamos, cantábamos, nos cansábamos, y cuando los cuartos estaban en marea baja nos volvíamos a casa[17].

El 15 de noviembre de 1969 emprendió su último viaje. «Estoy al comienzo, en los primeros pasos, temblando y dudoso —declaraba algunos años antes de su muerte. Creo que hasta los cuarenta y cinco no se consigue la plena madurez y entonces, sí; el que tiene madera, a esa edad puede ser un buen novelista»[18]. Aldecoa tenía madera; no llegó a esa plena madurez que él citaba, pero alcanzó a ser un buen novelista. El sábado 15 de noviembre estaba en casa de Domingo Dominguín. Iban a salir al campo a ver una tienta taurina. «Esto es un aviso», fueron sus últimas palabras al sentir aquella opresión en el pecho. Era la una y media de la tarde.

---

[16] Umbral, Francisco, «Ignacio Aldecoa gran escritor», *La Estafeta Literaria*, 1 de diciembre de 1969, pág. 12.
[17] «Carta abierta al director de *La Estafeta Literaria*», 5 de mayo de 1956.
[18] Linares-Rivas, art. cit.

4. Un boceto de Aldecoa

Por encima de cualquier otra característica, hay que hablar de Aldecoa como escritor, como un hombre volcado en su quehacer diario de escribir. El hombre se identifica en Aldecoa con el escritor. Así resumía él sus ambiciones: «cumplir como escritor o, lo que es lo mismo, cumplir mi quehacer como hombre»[19]. Josefina Rodríguez lo señalaba también en el diario *El Español:* «Ignacio es escritor. Escritor de oficio. De escribir vivimos. Ignacio es escritor desde que tiene uso de razón, seguramente desde antes. Casi me atrevería a decir que lo es fisiológicamente»[20].

A esta tarea de escribir dedicaba Aldecoa su actividad diaria. Siempre estaba ideando algún proyecto, perfilando un artículo, acabando de escribir un nuevo relato. Era un quehacer ordenado, sujeto siempre a una planificación. Por eso le gustaba acometer su trabajo de novelista agrupando las narraciones en trilogías. Con éstas se propuso reflejar sistemáticamente la epopeya de los grandes oficios: los pescadores, los trabajadores del hierro... En las entrevistas que le hicieron en la prensa diaria, se refería siempre a sus proyectos, a futuros títulos, a su trabajo actual, a su tarea sistemática de narrador.

> Me cuesta empezar la jornada y la obra. No escribo durante la noche, sino de diez de la mañana a diez de la noche. No puedo ser un empleado de la novela sujeto a horario. Escribo hasta que me canso. Hago esquemas que luego no me sirven para nada, aunque tengo que saber lo que va a pasar. La aventura a que uno se convoca cuando escribe, no es la de entretenerse. La novela construida —o destruida— me preocupa demasiado. No me gustaría hacer una novela por casualidad[21].

Quienes le trataron coinciden en definirlo con una adjetivación que refleja significativos contrastes. He recopilado, como más significativos, los juicios de tres autores de su generación. Ana María Matute le describe como «anguloso y delicado, irónico y altivo, despojado de huera vanidad». Jesús Fernández Santos habla de él como «altivo, cordial, simpático, terco, alegre, inteligente, conocedor de aquello que era para él su vida, fácil para olvidar agravios, tímido a veces y capaz de encresparse por un fútil motivo». Y Medardo Fraile escribe: «Aldecoa fue un escritor con vocación, sen-

[18] Linares-Rivas, *art. cit.*

[19] *Juventud,* 10 de agosto de 1957.

[20] Rodríguez, Josefina, «Algunos datos sobre Ignacio», *El Español,* 20-26 de marzo de 1955.

[21] Sastre, Luis, «La vuelta de Ignacio Aldecoa», *La Estafeta Literaria,* 15 de mayo de 1959. En este sentido es también revelador el testimonio de su mujer Josefina Rodríguez: «Antes de empezar a escribir tenía incluso pensado hasta los diferentes capítulos. Luego, claro, cambiaba algunas cosas, pero pocas por lo general. Tomaba continuamente notas, aunque sin pensar para qué iba a utilizarlas.» Berasategui, Blanca, «Ignacio en el recuerdo de Josefina Rodríguez», *ABC,* 16 de noviembre de 1979, pág. 25.

cillo, bueno, revoltoso en el diálogo, amigo de costumbres y de gentes humildes, mal educado en apariencia, respetuoso en realidad, con un fondo de ternura que ocultaba siempre —mal, a veces—...»[22].

He querido recoger estas definiciones de su carácter porque más adelante, en el análisis de los cuentos, veremos hasta qué punto el escritor se refleja en sus escritos; o —lo que es lo mismo— hasta qué punto los escritos revelan el modo de ser de su autor. Esta capacidad de ironía y de mordacidad contra lo que le exasperaba, la ternura hacia los hombres sencillos de sus cuentos, su agudeza para captar detalles reveladores, serán características destacadas de sus narraciones. Junto a esto, su actitud decididamente independiente le llevará a sentir admiración por los hombres que viven libres, sin ataduras, sin compromisos, vagabundos, caminantes, trotadores («Los bienaventurados»).

En su modo de ser destaca especialmente el contraste entre vitalidad y fatalismo. Aldecoa fue un hombre de vivir intenso, de carácter viajero, inclinado a la aventura, apasionado por el mar, atraído por la lucha agitada contra la naturaleza:

> Cuando yo era niño, vivía en Vitoria, y de vez en vez me llevaban a los pueblos de la costa vasca y de Santander, donde tenía unos parientes. Me gustaban más los puertos que las playas y me pasaba las horas contemplando los barcos de la bajura, los boniteros y los barcos de altura, que iban a Gran Sol o a los veriles franceses. De todo aquello tengo imágenes muy borrosas, pero gratas sensaciones. Olfateo y casi paladeo los guisos de a bordo, oigo el ululo de las sirenas, veo entrar lenta y majestuosamente los pesqueros en puerto, siento en mis manos las abrillantadas y suaves maniguetas de los remos.
> Cuando fui muchacho el mar era mi desazón permanente, y creo que siempre estaba contemplando un horizonte marino más allá de los libros de texto de mis estudios. Luego me embarqué por diferentes pesquerías y algunas veces escribo historias cortas y novelas de los tipos que conocí y de los trabajos a que se dedicaban. Hoy no sé si la mecanización de la pesca tachará unas formas de vida y unos modos de ser que a mí me entusiasmaban. Tengo la esperanza de que no ocurra del todo y de que si sucede sea para que los hombres de la mar, los trabajadores de los barcos de pesca de la bajura o de la altura, vivan vidas mejores, sin perder demasiado sus características forjadas en la lucha diaria y difícil contra la naturaleza[23].

Por ese vitalismo quizá, Ignacio Aldecoa estaba rodeado siempre de amigos dispares. Así lo recuerdan Carmen Martín Gaite y Jesús Fernández Santos y García Luengo.

---

[22] Cada una de las opiniones anteriores aparecen publicadas, sucesivamente, en los siguientes textos: Matute, Ana María, *op. cit.*, pág. 10; Fernández Santos, Jesús, art. cit., pág. 11; Fraile, Medardo, *Ignacio Aldecoa. A collection of critical essays*, University of Wyoming, 1977, pág. 129.

[23] Texto inédito, citado por García Viñó, Manuel, *Ignacio Aldecoa*, Madrid, E.P.E.S.A., 1972, págs. 32 y 33.

Era el punto de reunión de muchas conversaciones, el centro de conversación de muchas reuniones. Nos encontrábamos los amigos y preguntábamos: «¿Has visto a Ignacio?», y comenzábamos a hablar de él, como él lo hiciera quizá, como él acaso hablase de nosotros; le imitábamos; repetíamos sus dichos, sus frases, sus motes, sus burlas; llamábamos a los amigos como él quería que los llamásemos. Se imponía[24].

Pero a Ignacio Aldecoa le gustaba también el silencio y la vida apacible. Frente al vitalismo surgían entonces los nubarrones grises de la fatalidad. «Soy por naturaleza nihilista», declaró al *Diario SP*. Y en otra ocasión manifestaba:

—¿Es usted pesimista?
—Por ahora no soy optimista. Espero llegar a la serenidad, nunca al optimismo. Llegaré a la serenidad, distinta de la resignación para con uno mismo y con lo que pasa en torno[25].

Este ambiente fatalista constituye el trasfondo de gran parte de los relatos de Aldecoa. Por eso se ha destacado en los estudios monográficos sobre su obra el tono existencial de sus narraciones.

La muerte era una de sus máximas preocupaciones; casi una obsesión. Y en sus cuentos uno de los temas fundamentales. La muerte está presente en sus relatos como una espera, tantas veces sin sentido. La muerte fue también su propia espera. Jesús Fernández Santos recuerda aquella tarde en el valle de Lozoya, en la que, viéndole preocupado, le preguntó qué le pasaba. Aldecoa le respondió que tenía miedo. «¿Miedo de qué?» «De la muerte —me dijo»[26].

5. Su generación

Ignacio Aldecoa está incluido, por edad y por sus características literarias, en el grupo de escritores que ha sido denominado como Generación del Medio Siglo[27]. Con algunas discrepancias, en general la mayoría de los críticos reconoce la existencia de esta generación y le aplica características comunes. Sin embargo, surgen las diferencias al estudiar las tendencias existentes y al fijarse en un escritor concreto, como ocurre con Ignacio Al-

[24] García Luengo, Eusebio, «Una tarde con Ignacio Aldecoa», *El Urogallo*, núm. 0, Madrid, diciembre de 1969, pág. 20.
[25] Sastre, Luis, art. cit.
[26] Cfr. Fernández Santos, Jesús, art. cit.
[27] Otras denominaciones de esta generación que han tenido menos fortuna son «Generación de los niños asombrados», «Generación herida», «Generación intermedia», «Generación de la revista *Juventud*»,«Generación de 1954» y «Generación capullar».

decoa. Un repaso rápido a la bibliografía más destacada confimará esta afirmación, apuntando las diferencias en el enfoque de cada crítico.

Eugenio G. de Nora escribía en 1970:

> Las fechas de nacimiento de estos novelistas se escalonan pues, para nosotros, entre 1922 (L. Olmo) y 1935 (Goytisolo-Gay); el orden en que aparecen (teniendo en cuenta para ello su primera novela publicada) es el siguiente: en primer término A. M. Matute (1948); Sánchez Ferlosio (1951); M. Lacruz (1953); Fernández Santos, J. Goytisolo e I. Aldecoa (1954);sucesivamente, C. Martín Gaite (1955); J. López Pacheco, L. Olmo y L. Goytisolo-Gay (1958); García Hortelano y A. Ferres (1959); y, cerrando por hoy el grupo, A. López Salinas (1960)[28].

Como rasgos comunes a todos ellos, señala Eugenio de Nora su orientación realista, la intención crítica y la incorporación, con prudencia, de las nuevas técnicas de la narrativa extranjera. Destaca como nombres fundamentales de esta generación a cinco novelistas: por orden de aparición, Ana María Matute, Rafael Sánchez Ferlosio, Jesús Fernández Santos, Juan Goytisolo e Ignacio Aldecoa.

Gonzalo Sobejano, en su estudio global sobre la novela de posguerra, distingue dos directrices fundamentales: la novela existencial y, posteriormente, la novela social. Entiende que el camino seguido por la narrativa a partir de la guerra en España es una apertura progresiva a la preocupación por el entorno social del escritor. De ahí que el título completo de su obra sea significativamente: *Novela española de nuestro tiempo. (En busca del pueblo perdido)*[29]. En esta corriente de la novela social incluye a los escritores del Medio Siglo, destacando entre ellos a Rafael Sánchez Ferlosio, Jesús Fernández Santos y Juan Goytisolo. Ignacio Aldecoa aparece incluido en el grupo de novelistas sociales que dirigen sus obras hacia el pueblo trabajador. En ellas el trabajo es el elemento que está en un primer plano, como un testimonio en defensa de esas gentes.

Más tarde, Sanz Villanueva pretende una clasificación exhaustiva del panorama novelístico actual[30]. Los criterios de clasificación que adopta se refieren a aspectos temáticos y técnicos, por lo que los escritores de la Generación del Medio Siglo aparecen rotos como conjunto. Alguno de ellos queda incluido finalmente en un grupo heterogéneo, entre los que se encuentra precisamente Ignacio Aldecoa.

Corrales Egea estudia en su obra *La novela española actual*[31] los determinantes concretos que influyeron en la evolución de la narrativa de esta épo-

---

[28] Nora, Eugenio G. de, *La novela española contemporánea (1939-1967)*, Madrid, Gredos, 1973, pág. 264.

[29] Sobejano, Gonzalo, *Novela española de nuestro tiempo. (En busca del pueblo perdido)*, Madrid, Prensa Española, 1970.

[30] Sanz Villanueva, S., *Tendencias de la novela española actual*, Madrid, Edicusa, 1972.

[31] Corrales Egea, J., *La novela española actual*, Madrid, Edicusa, 1971.

ca. Clasifica a Ignacio Aldecoa en una tendencia literaria divergente del realismo.

En un sentido más remarcado aún, Manuel García Viñó[32] sitúa toda la producción literaria de Ignacio Aldecoa «al margen del realismo». Si Corrales Egea manifestaba su partidismo al omitir cualquier referencia al grupo de los escritores metafísicos, éste reacciona enconadamente contra la novela social, en una actitud contraria no menos parcial. Esto le lleva a señalar frecuentes excepciones en lo que se refiere al valor artístico de algunos escritores incluidos en ese grupo. Jesús Fernández Santos, Ana María Matute e Ignacio Aldecoa son ejemplos que señala Manuel García Viñó de este carácter excepcional.

Poco después de que Manuel García Viñó publicase su estudio, se editó *La novela social española,* de Gil Casado[33]. En esta obra se propuso estudiar sólo una de las tendencias de la narrativa española de la época: la novela social, en la que se incluyen los nombres citados de la Generación del Medio Siglo.

Resulta concluyente de este panorama descrito la confusión en la bibliografía respecto a las tendencias literarias que existen en la Generación del Medio Siglo y cuál es la situación que ocupa en ellas Ignacio Aldecoa. Es clarificador el estudio publicado por Hipólito Esteban Soler, «Narradores españoles del Medio Siglo»[34].

Esteban Soler se remonta a considerar la conveniencia del término «generación» aplicado a este grupo de escritores. Partiendo de los estudios sobre el problema generacional de los teóricos Ortega y Gasset, Julián Marías, Petersen, Pedro Salinas, Dámaso Alonso y Monner Sans, concluye que, para delimitar una generación, la actividad de sus hombres ha de centrarse «en un espacio acotado, en un tiempo acotado y con un talante unitario». Veamos cada uno de estos elementos.

La época en que vivieron limitó el espacio vital de los hombres de esta generación, hasta reducirlo a los límites exactos del país. En cuanto a la acotación temporal, se distingue tradicionalmente entre el tiempo cronológico y el tiempo histórico. El tiempo cronológico de una generación fue señalado ya por Ortega y Gasset como periodos aproximados de quince años. Entre los escritores de este grupo, la fecha de nacimiento del primero al último ni siquiera abarca tal amplitud. Ocupa desde el nacimiento en 1924 de Luis Martín Santos hasta el nacimiento de Luis Goytisolo en 1935. Entretanto están los nacimientos de Aldecoa, López Salinas, Ferres y Carmen Martín Gaite en 1925; Fernández Santos, Ana María Matute, Bosch y Caballero Bonald en 1926; Sánchez Ferlosio, y Juan Benet en 1927; García

[32] García Viñó, Manuel, *Novela española actual,* Madrid, Guadarrama, 1967.

[33] Gil Casado, Pablo, *La novela social española,* Barcelona, Seix Barral, 1968.

[34] Esteban Soler, Hipólito, «Narradores españoles del Medio Siglo», *Miscellanea di Studi Ispanici,* Universidad de Pisa, 1971-1973, págs. 217-370.

Hortelano, Grosso, Rojas, García Viñó y Mario Lacruz en 1928; López Pacheco, Martínez Menchén, Antonio Prieto y Manuel San Martín en 1930; Juan Goytisolo y Daniel Sueiro en 1931; Jorge Cela Trulock en 1932; Juan Marsé en 1933; y en 1934 Ramón Nieto y Francisco Umbral.

Es evidente la mezcla indiscriminada de autores y tendencias que resulta de la simple aplicación de un criterio cronológico. Es más clarificador señalar el tiempo histórico determinado que les correspondió vivir a los hombres de esta generación.

Cuando estalló la guerra civil todos ellos eran aún niños; y después, la posguerra les trajo signos de un mundo dolorido: muertes absurdas, odios inútiles, pobreza material. En ese ambiente, primero de destrucción y más tarde de lenta reconstrucción, crecieron ellos como niños asombrados.

La actividad cultural empezó a rehacerse en su juventud, después del corte brusco de la guerra. Jesús Fernández Santos resumía en un artículo de la revista *Ínsula* el decrépito panorama literario de entonces: Azorín y Baroja vivían al margen de la nueva generación; comenzaba el realismo social; en España empezaba a hablarse de Hemingway y de Faulkner[35]. En el mismo sentido se ha expresado Carmen Martín Gaite: en aquellos momentos, en Madrid.

> Vicente Aleixandre ponía en contacto a los poetas dispersos, les brindaba nombres de publicaciones, señas, noticias: (...) la poesía se reanudaba después de la guerra, tomaba el rumbo que fuera, pero se reanudaba. Muy diferente era la situación de los prosistas: andaban a tientas, partiendo de cero, hechos un puro tanteo, (...) descubriendo por libre, por separado y las más de las veces por casualidad, a narradores acreditados en otros países: (...) Kafka, Steinbeck, Dos Passos, Sartre, Pavese, Hemingway, Melville, Conrad, Svero y Camus[36].

En este ambiente, fueron importantes ciertos elementos directivos de la vida literaria, en distintos niveles: en el plano editorial influyeron algunas personas y editoriales que dieron cohesión a diversos grupos; en el plano teórico fue significativa la labor promotora de ciertos críticos, que airearon insistentemente los supuestos en los que ellos consideraban que debía basarse la renovación de la novelística contemporánea; en el plano creador, algunas obras sirvieron como modelos aceptados por los demás escritores[37].

La censura que impuso el régimen político nacido de la guerra civil limitó también las posibilidades de esta generación: les quedaron vedadas obras importantes del pasado literario, extranjero o nacional, mientras los catálogos de las editoriales se llenaban de traducciones de obras de dudosa calidad literaria. La censura les cortó además las conexiones con autores de

---

[35] Cfr. Fernández Santos, J., art. cit.
[36] Martín Gaite, C., art. cit.
[37] Sobre estos aspectos puede consultarse el estudio más detallado de Esteban Soler, H., *op. cit.*, págs. 249-253.

la literatura extranjera del momento e hizo imposible una expresión artística en libertad[38].

En este tiempo histórico, los escritores antes citados manifiestan un talante unitario —no uniforme—, que es el tercer elemento que formula Esteban Soler como característico de una generación. Es consecuencia natural en unos hombres que vivieron un tiempo y un espacio comunes, y se manifiesta en contactos personales —a través de las revistas en las que publicaron, de tertulias o de otras actividades— y en unos similares planteamientos de la tarea del escritor y de los presupuestos estéticos.

Sin embargo, no todos los escritores de esta generación forman un grupo compacto. Se diversifican en tendencias matizadas, que le ha llevado a Esteban Soler a distinguir cuatro grupos: el neorrealismo, el realismo social, la novela metafísica y el realismo crítico.

En el neorrealismo se incluyen escritores como Jesús Fernández Santos, Medardo Fraile, Ana María Matute, Rafael Sánchez Ferlosio, Carmen Martín Gaite e Ignacio Aldecoa. Empiezan a publicar entre los años 1948 y 1954, atendiendo siempre en sus novelas a los aspectos sociales y personales de la experiencia humana. Prestan atención a los temas de la intimidad y se preocupan, en lo formal, por las innovaciones técnicas.

Al realismo social pertenecen Juan Goytisolo, Antonio Ferres, Armando López Salinas, Alfonso Grosso, Jesús López Pacheco y Juan García Hortelano. Impulsados por las complejas circunstancias sociales que asolaban entonces al país, estos autores promovieron una literatura acuñada con un marcado sello político. Era una literatura similar en la forma a la de derechas de la inmediata posguerra, pero ideológicamente opuesta. En las novelas les interesaba el protagonista colectivo, personaje-clase sin autonomía individual, como una consecuencia del esquematismo ideológico con el que se planteaban los temas y de la superficialidad en el tratamiento de ideas trascendentes. Volcada sobre los condicionantes sociales, esta narrativa se despreocupa por el mundo interior de los personajes y presta una atención mínima a los aspectos técnicos del trabajo literario. Lo literario quedaba subordinado a lo social y el valor artístico a la eficacia del testimonio.

Como reacción a esta corriente, surge a finales de la década la novela metafísica. Manuel García Viñó, Antonio Prieto, Carlos Rojas y Andrés Bosch son los autores más destacados de esta narrativa. Rechazan lo que ellos consideran una concepción novelística superficial y estéril de la realidad concreta y se interesan por un tipo de ficción más intelectual, con

---

[38] Ignacio Aldecoa tuvo conciencia del letargo al que se vio abocada su generación y de los obstáculos que tuvo que sortear. Tenía el proyecto de escribir una novela sobre su propia generación, como una recopilación del tiempo pasado desde la niñez —en la guerra— de los protagonistas, hasta la época contemporánea. *Años de crisálida* —éste iba a ser su título— sería «el problema de una generación nacida y educada en tales circunstancias que, cuando pasen sus años de crisálida, se transformará en nada. La llamo a esta generación "Capullar", una especie de generación entre paréntesis, a la que pertenecemos muchos», *Diario S.P.,* 5 de junio de 1968.

planteamientos abstractos y temas trascendentes. Su postura es decididamente contraria a la del grupo anterior y en ocasiones tan extrema: interesados fundamentalmente por la intimidad del individuo, olvidan consideraciones sociales que son a veces influyentes; y preocupados por recuperar la expresión lingüística, abandonada por la novela social, se desvían a un lenguaje barroquizante, tantas veces inadecuado y vacío.

Finalmente, el grupo del realismo crítico está formado por escritores nuevos, de aparición tardía, como Luis Martín Santos y Juan Benet, a los que se unen otros autores del realismo social, como Juan Goytisolo, Alfonso Grosso o Daniel Sueiro. Estos escritores recogen el legado del neorrealismo, en la indagación de las circunstancias pretéritas para entender situaciones presentes, y dan a sus obras un tratamiento más culto, con enfoques críticos personales. Su preocupación técnica y estilística se ve enriquecida por la aceptación de las innovaciones promovidas por la novela extranjera, y especialmente por la narrativa hispanoamericana.

En este contexto, entre los cuatro grupos apuntados, Esteban Soler concede una especial importancia al neorrealismo, tendencia en la que podemos clasificar la obra de Ignacio Aldecoa, y a la que dedicaremos por eso una especial atención:

> Si conviene representar gráficamente el camino seguido por los narradores de la Generación del Medio Siglo, una figura geométrica muy apropiada sería la del rombo. En el ángulo superior habría que situar al grupo neorrealista. Dos lados partirían de él en línea continua hasta los vértices laterales que ocuparían el realismo social y la novela metafísica, a izquierda y derecha respectivamente. El ángulo inferior, en disposición de enlazar con una futura e incógnita ruta, estaría reservado al realismo crítico; a éste llegarían la diagonal vertical, directa y continua, del neorrealismo y los lados inferiores del rombo trazados con línea discontinua, para indicar cierta relación pero de forma más indirecta, procedentes de los vértices laterales[39].

La denominación como grupo neorrealista se debe a la decisiva influencia en sus novelas del neorrealismo italiano en el cine y en la literatura. Junto a éstas, son importantes también las huellas del realismo y naturalismo francés, y de algunas obras teóricas, especialmente de Sartre *(Qu'est-ce la littérature)* y de Claude-Edmonde Magny *(L'âge du roman américain)*, escritas ambas en 1948. También será básica la influencia de la tradición literaria española, desde Galdós a Baroja; y sobre todo el talante innovador de la novelística norteamericana. Carmen Martín Gaite recuerda con viveza todo este intrincado conjunto de influencias en desorden:

---

[39] Esteban Soler, H., *op. cit.*, pág. 370.

Por libre, por separado y casi siempre por casualidad, fuimos tomando contacto los amigos de entonces, según iba pudiendo ser, con Sartre, con Hemingway, con Pavese, con Truman Capote, con Italo Calvino, con Tennessee Willians, con Dos Passos, con Kafka, con Priestley, con Joyce, con Ciro Alegría. Las voces desparejadas y lejanas de aquellos escritores eran como un rescoldo en torno al cual necesitábamos agruparnos para enlazar con algo, para no sentir que se partía de cero, y el hecho de pasarnos unos a otros, con los libros, la mención de sus autores, de si vivían acá o allá, de si habían muerto de tal o cual manera, fue lo que convirtió en un humus propio aquel montón de heterogéneas sugerencias[40].

1954 es un año clave para este grupo porque supone su irrupción pública. En este año aparece *Los bravos* y se concede el tercer premio Planeta a *Pequeño teatro,* de Ana María Matute; *El fulgor y la sangre,* de Ignacio Aldecoa, quedaría finalista, a pesar de haber ido por delante en todas las votaciones excepto en la última y decisiva. Anteriormente habían entrado en contacto los escritores de este grupo a través de sus actividades académicas:

> Allí en la Universidad se encontró Ignacio con un grupo de jóvenes de su edad que como él, empezaban a escribir y enviaban a las revistas universitarias sus primeros trabajos. Fue un grupo bastante amplio, que coincidió casualmente en los mismos años, en las mismas aulas[41].

Carmen Martín Gaite recuerda tantas tardes —vino y café— en las que el grupo recorría «los locales modestos y sobre todo sin televisión, que no existía. Había muchos por los alrededores de la calle de San Marcos, que es donde estaba la pensión de Ignacio; aquél era nuestro barrio»[42].

Y Jesús Fernández Santos traza un balance positivo y decisorio de lo que supuso para ellos la estancia de aquellos años en la Universidad:

> Allí comenzamos a influir unos en otros, si no en nuestras obras, en lo que entonces comenzábamos a hacer, sí al menos en nuestro afán de lucha ante la vida, por conseguir un puesto en la vida del país (...).

> Sin pasar por allí, sin poner en marcha aquel teatro, sin aquellos primeros contactos, aquellas vueltas al atardecer y el recuerdo de algunos profesores accesibles, yo no sería el que ahora soy y tampoco Ignacio el que fue y es todavía»[43].

---

[40] Martín Gaite, C., prólogo a la edición de *Los bravos,* Madrid, Salvat, 1971, pág. 9.

[41] Rodríguez, Josefina, en el prólogo a la antología de cuentos de Ignacio Aldecoa, publicada en Cátedra, Madrid, 1977, pág. 17. Sin embargo, no fue precisamente el triunfo en la universidad lo que les caracterizó a todos ellos. Cuando Carmen Martín Gaite se dirige a Madrid para hacer la tesis doctoral sobre los cancioneros del siglo XVIII, «Aldecoa no había acabado la carrera. Y también sus amigos, Sastre, Ferlosio, Fernández Santos, Medardo Fraile, estaban atrasados o repetían curso, cosa que ni a él ni a los demás parecía preocuparles nada. Creo que casi ninguno acabó la carrera». Martín Gaite, C., art. cit.

[42] Martín Gaite, C., *ibíd.*

[43] Fernández Santos, J., art. cit.

La influencia de unos en otros, se tradujo en una serie de características comunes, definitorias de los escritores neorrealistas. En primer lugar su objetivismo en la consideración serena de las circunstancias: sin ánimos exaltados, sin afán de venganza o encubación de rencores. También sin un *a priori* ideológico partidista:

> El escritor se halla comprometido, ante todo, con la verdad; con la verdad enfrentada a la problemática del tiempo que le ha tocado vivir. Y no debe aceptar consignas[44].

Junto a esto, destaca la importancia relevante que conceden al mundo interior de los protagonistas. Sus problemas íntimos son materia clave de la novela. Ésta adquiere así universalidad, porque el tema está tratado con un planteamiento trascendente.

> Hay siempre como un movimiento en los personajes novelescos que va de fuera adentro en la percepción de toda su problemática, un difícil *equilibrio* entre su entorno, su colectividad y su individualidad, sus cavilaciones a solas, sus anhelos personales, aunque coincidentes en general con los de su clase[45].

Personajes que serán habitualmente anodinos y vulgares, que viven el drama de la cotidianidad, de los actos monótonamente repetidos todos los días. Por eso el tiempo, en ese afán de transcribir trivialidades, va reduciéndose hasta el ideal novelístico de hacer coincidir el tiempo real con el tiempo de lectura. El narrador refleja sin más el comportamiento, la conducta humana, lo que hacen o dicen los personajes, como el único modo para reflejar la interioridad de estos hombres. El diálogo y la propiedad en la expresión de los protagonistas cobra entonces una importancia decisiva.

Por último, un rasgo claramente diferenciador del grupo neorrealista es la atención que prestan al tema de la infancia. Esta fue una etapa clave de su vida, que estuvo marcada por el asombro de la guerra, en un mundo que cada vez se les hacía más mezquino. La experiencia de esos años será uno de los motivos que inspire gran parte de sus narraciones[46].

Dentro de este grupo de escritores neorrealistas, muchos críticos han señalado el papel directivo de la figura de Ignacio Aldecoa. No sólo como aglutinante humano —«era el punto de reunión de muchas conversaciones, el centro de conversación de muchas reuniones»[47]—, sino también en el

---

[44] González-Ruano, C., «Una tarde con Ana María Matute», *Correro Literario*, noviembre de 1954, pág. 8.

[45] Esteban Soler, H., *op. cit.*, pág. 286.

[46] Cfr. la antología de cuentos preparada por Josefina Rodríguez, *Los niños de la guerra*, Salamanca, Anaya, 1983.

[47] García Luengo, Eusebio, art. cit., pág. 20.

aspecto narrativo. Eugenio de Nora, José Domingo y Gonzalo Torrente Ballester le consideran uno de los hombres fundamentales de su promoción[48]. González López habla de él como «el novelista más representativo de esta segunda generación de escritores de la posguerra»; mientras que Sáinz de Robles no duda en calificarle como «el mejor y más fecundo». Y Martínez Ruiz, sintéticamente, escribe:

> Se trataba, según unos, del mejor novelista de su generación; según otros, del mejor estilista; para todos —en cualquier caso— era el más representativo[49].

[48] Nora, E., *op. cit.,* pág. 285; Domingo, José, *La novela española del siglo XX,* II, Barcelona, Labor, 1973, pág. 99; Torrente Ballester, Gonzalo, *Panorama de la literatura española contemporánea,* Madrid, Guadarrama, 1965, pág. 487.

[49] González López, Emilio, «Las novelas de Ignacio Aldecoa», *Revista Hispánica Moderna,* XXVI (1960), pág. 112; Sáinz de Robles, F. C., *La novela española en el siglo XX,* Madrid, 1957, pág. 234; Matínez Ruiz, Florencio, «Nueva lectura de Ignacio Aldecoa», *ABC,* 4 de diciembre de 1973.

CAPÍTULO II

Producción literaria

1. POESÍA

Desde muy joven Ignacio Aldecoa estuvo centrado en la literatura. A pesar de las dificultades, a pesar de que el ambiente no era especialmente propicio:

> La verdad es que en mi adolescencia no ha habido muchos estímulos para intentar la aventura de las letras. Vivía en mi ciudad, en el norte de España; llovía demasiado, el colegio era siniestro, las películas de algún interés sufrían la censura; quedaban los libros —no muchos—, y yo tenía ciertas dosis de rebeldía. Así que, distraído de los estudios, me puse a escribir cuentos, poemas, fragmentos de novelas[1]...

Sus dos primeras publicaciones son libros en verso. Aldecoa vivía en Madrid e iniciaba su oficio de escritor. Tenía veintidós años cuando editó el primer libro: *Todavía la vida*. Era 1947 y la edición fue muy limitada: «50 ejemplares en papel tela, numerados del 1 al 50, y 250 en papel pergamino»[2]. Consta de 19 sonetos, escritos según la corriente garcilasista predominante en la época. Se manifiesta en la estrofa clásica y en los temas religiosos («Versos sedientos») y descriptivos («Sonetos de la tierra vasca», «Sonetos desde cubierta»). Otros poemas están dedicados a alguno de sus amigos o a la intrascendencia festiva del vino. Son versos joviales, alegres, plenos de entusiasmo, con una poética primeriza, que manifiesta su condición de tanteos literarios.

La segunda obra de poesía de Aldecoa, *Libro de las algas,* se editó en 1949, financiada también por él mismo[3]. En esta obra reafirma su preferencia por las formas tradicionales de la lírica y se inclina ahora hacia temas más intimistas, amorosos y nostálgicos:

---

[1] «Entrevista con Ignacio Aldecoa», *La Nación,* Buenos Aires, 20 de abril, 1969.

[2] Aldecoa, Ignacio, *Todavía la vida,* Madrid, Talleres Gráficos Argos, 1947. Recientemente la Diputación Foral de Álava ha reeditado los dos libros de poesías de Aldecoa, que resultaban de difícil localización.

[3] Aldecoa, Ignacio, *Libro de las algas,* Madrid, Gredos, 1949.

Yo estoy quemado de distancias
y de melancolías.

Todo el corazón es poco
para abarcar la nostalgia del tiempo pasado[4].

El mar es el motivo básico y en torno a él se trenza la creación poética: el libro se inicia con cinco poemas que titula «Estudio de los cinco Océanos», y antes aún con los versos de Machado:

... ligero de equipaje
casi desnudo, como los hijos de la mar.

Queda patente su entusiasmo por la aventura, su afán por huir de la rutina del ambiente, los sueños por viajar al mar y a la montaña:

(...) yo viajaba
en línea recta
hacia los bosques
de las montañas negras,
hacia las brumas
del mar de las tormentas (pág. 78)

Un tema se hace ya obsesión en estos versos: el tema de la muerte: muertos están en el libro los años viejos de los marineros (págs. 75 y 76), la mañana (pág. 78), el alga muerta de los mares (pág. 79), el propio mar (pág. 80) y el viento moribundo (pág. 82).

Tras la publicación de estos dos libros de primera juventud, Aldecoa no volvería a editar ninguna otra obra en verso. Desde finales de 1948 su tarea literaria se centró en la novela y en el cuento.

2. NOVELAS

Ignacio Aldecoa fue esencialmente narrador. A esta tarea dedicó sus esfuerzos, con una actitud sistemática, disciplinada. Planificaba su labor a largo plazo, programando las futuras realizaciones en un conjunto ordenado de temas y de personajes.

> No creo en la novela casual por muy buen éxito que pueda obtener. Estamos aquí para realizar una obra exigida por nuestras más profundas esencias y experiencias. El hecho de que no podamos llegar a realizarla no impide que la «veamos» desde lejos. Por eso la programación de mi obra novelística es para mí cuestión de ética profesional o, mejor, vocacional[5].

---

[4] Aldecoa, Ignacio, *Todavía la vida. Libro de las algas,* Vitoria, Ed. Diputación Foral de Álava, 1981, págs. 75 y 82.
[5] Vázquez Zamora, R., «Ignacio Aldecoa programa para largo», *Destino,* 3 de diciembre de 1955.

En primer lugar se propuso Aldecoa una trilogía, que titulaba *La España inmóvil*. Iba a estar compuesta por *El fulgor y la sangre* (1954), *Con el viento solano* (1956) y *Los pozos*. Se propuso reflejar el mundo, tan típicamente hispano, de la guardia civil, los gitanos y los toreros. Temas tópicos de nuestra literatura, que él justificaba al decidirse a escribir de nuevo sobre ellos.

> Lo que tienen de malo los tópicos en nuestra literatura es que han sido tratados siempre aisladamente. Mi propósito es agruparlos y darles el mayor sentido posible[6].

De esta primera trilogía aparecieron sólo los dos primeros títulos. En 1958 había firmado ya con Ediciones Cid el tercer tomo[7], pero nunca apareció publicado. Seguramente la publicación ese año de *Los clarines del miedo*, de Ángel María de Lera, y *La última corrida*, de Elena Quiroga, que tratan este mismo tema con un enfoque realista antiheroico, pudo ser la causa de que Aldecoa interrumpiera esta novela. Algunos años más tarde, en 1963, incluyó en *Pájaros y espantapájaros* un relato titulado precisamente «Los pozos», en el que presenta al torerillo Chato la Nava vistiéndose en el ayuntamiento del pueblo, para salir después a torear. Es el mundo del matador pobre, que se esfuerza en las plazas de los pueblos, entre carros. El miedo y, sobre todo, el incierto desenlace de la faena son los dos aspectos claves del relato. En el ambiente destacan las sensaciones desagradables del olfato, en la sala donde se viste el torero: «Todos los ayuntamientos de pueblo huelen a muerto»[8]. Es como una dramática premonición desasosegante.

En 1957 apareció la primera novela de una segunda trilogía iniciada por Aldecoa: la trilogía del mar. A Ignacio Aldecoa le interesaba mucho el mar, le atraía el mar; pero especialmente el mar del trabajo, el que representa la lucha del hombre con la naturaleza, del hombre enfrentado con su oficio. *Gran Sol* (1957) es la novela de la pesca de altura; *Parte de una historia* (1967) la de bajura. El tercer tomo, que proyectaba referirlo al trabajo en los puertos de mar, *Viejas anclas,* no pudo llevarlo a cabo.

Publicó, por tanto, cuatro novelas, pertenecientes de dos en dos a diferentes trilogías inconclusas. Todo lo demás quedó en proyectos, en planificaciones que no pudieron realizarse.

> Después de la trilogía de los pescadores quiero hacer la del hierro. Primer libro, la mina. Segundo, el trabajo en los altos hornos; tercero, la utilización de las herramientas...
>
> Escribiré sobre el trabajo en la mar, en la mina, en el alto horno; sobre los negocios sucios y limpios de posguerra; sobre la emigración y el exilio[9]...

---

[6] *Ibíd.*

[7] Cfr. Linares-Rivas, Álvaro, art. cit.

[8] Aldecoa, Ignacio, *Cuentos completos 1*, Madrid, 1973, Alianza, 1973, pág. 145.

[9] Los dos textos citados corresponden sucesivamente a Vázquez Zamora, R., art. cit., y Aldecoa, I., «Carta abierta al director de *La Estafeta Literaria*», 5 de mayo de 1956.

2.1. «El fulgor y la sangre»

La acción se desarrolla en un antiguo castillo adaptado ahora como vivienda para la Guardia Civil. Allí se recibe la noticia de que han matado a uno de los guardias en el campo. Están cuatro fuera y no se sabe quién ha sido la víctima. En la angustiosa espera, se reconstruye la historia de cada una de las cinco mujeres de los guardias civiles que viven en ese puesto. La novela está formada por siete capítulos, que señalan cronológicamente los siete momentos del día en que transcurre la acción: mediodía, dos de la tarde, tres de la tarde, cuatro y media, seis, siete de la tarde, crepúsculo. En cada capítulo se suceden alternadas secuencias referidas al presente y secuencias que reconstruyen la vida de cada una de las mujeres; excepto el primero —que es la presentación del ambiente, lugar, personajes y el suceso trágico desencadenante de la espera— y el último, que supone la resolución de la trágica incertidumbre, al traer el cuerpo muerto del cabo Francisco.

Tres elementos temáticos aparecen entrelazados en la trama de esta narración: la guerra, la vivencia existencial y el testimonio social. La guerra constituye una parte fundamental de las vidas que rememoran los personajes. Está contemplada desde diversas perspectivas, sufrida por diferentes personajes, en lugares distintos: en un pueblo grande, en la sierra, en Madrid, en un pueblo campesino de Burgos. El testimonio social se centra, en el presente, sobre la vida dura del guardia civil; en las secuencias referidas al pasado se observa en la separación tópica de poseedores y desposeídos, de ricos que han llegado a serlo a costa de los pobres. Los perfiles existenciales de la novela son abundantes: la conciencia del tiempo como drama, la vivencia problematizada del tiempo, la vida como lucha, como agobio, como monotonía:

> Parecía que nunca terminaría de pasar el tiempo y, sin embargo, llegaba la noche sin que se percatasen de la marcha de las horas. Las horas del castillo, que eran inaprensibles por su misma monotonía, que pasados los años seguramente no se podrían recordar más que como una gran mancha gris, surcada de conversaciones, de los trabajos de la casa. Imposible fijar en el tiempo un día u otro. Todos iguales, todos monótonos[10].

Las circunstancias que atan y obligan... y al final la muerte. El desamparo de la vida humana, el destino incierto, el desvalimiento del hombre en el mundo, porque «los sucesos ocurren y la vida transcurre como si tal cosa» (pág. 92). La soledad de cada uno de los personajes: de los guardias (págs. 10 y 11), de Felisa (págs. 65 y 116), de Carmen (pág. 184), de Sonsoles (págs. 27 y 76); «la soledad en compañía, que es la peor de todas». Y más allá, y más acá, y en todo, la angustia.

---

[10] Aldecoa, Ignacio, *El fulgor y la sangre*, 2.ª edición, Barcelona, Planeta, 1962, pág. 235.

—¿Cuál es el motivo de esta novela?

—La angustia, tal vez la angustiosa espera. La espera está hecha de una vaga sensación de desamparo. (...) Las figuras de esta obra son los guardias civiles y sus mujeres. (No los protagonistas. La protagonista es la angustiosa espera de algo tremendo...)[11].

La insinuación y la instantánea rápida son los procedimientos narrativos de esta novela. Incluso con escenas fugaces, como al principio del capítulo II y al final del VII, que manifiestan la capacidad de Aldecoa para captar detalles, para sugerir. Estos recursos emparentan la novela con técnicas narrativas que son más propias del cuento, en las que Aldecoa se había ejercitado hasta entonces.

El fulgor y la sangre se articula en un doble plano temporal. En el presente, la sucesión cronológica en la espera del cadáver está claramente señalada en los títulos de cada capítulo: abarca desde el mediodía hasta el crepúsculo. Mientras tanto, se reconstruye la historia de cada una de las mujeres, remontándose a los turbulentos años de la preguerra. Mediante estas interpolaciones temporales, se construye la novela en una alternancia sistemática de momentos presentes y recuerdos del pasado. Los primeros siguen una estructura de tensión creciente, en la dramática espera del cadáver. Salvo esta pasividad, no ocurre ningún otro suceso importante. El diálogo intrascendente es el elemento principal. Los recuerdos del pasado reconstruyen las vidas de las mujeres, a base de momentos diversos, como piezas sueltas de un mosaico. Sin embargo no son estas historias lo único importante del libro y la situación de espera una simple técnica para ensamblarlas, como han interpretado algunos críticos. Es en el presente donde se concentra la tensión dramática y donde se revelan los dos grandes temas del libro: las vivencias existenciales y el testimonio social.

También el espacio está cargado de significación en esta novela. El castillo que alberga a los personajes está vivido como un encierro que encarcela y angustia:

> La Casa Cuartel está pintada de blanco y verde. La casa es alegre, pero está limitada de tristeza. Son dos mundos distintos y concéntricos el pabellón y el castillo. El castillo debía albergar la nada y sus espectros y, sin embargo, cobija y angustia la vida y sus quehaceres. En la galería descubierta, siempre hay ropa puesta a secar y carreras de muchachos y jaulas de pájaros y una pálida penumbra que en las habitaciones es un aliento de frescura.

> Las murallas en el invierno, con las nubes y el frío, preservan y guardan. En el verano de cielo azul y ajeno, encarcelan y aplastan[12].

E igualmente el tiempo atmosférico: el calor agobia y ahoga, paraliza y amodorra como un peso; hace la vida una carga insufrible. Y lo que al

[11] «Entrevista con Ignacio Aldecoa», *El Español*, 20-26 de marzo de 1955.
[12] Aldecoa, I., *El fulgor y la sangre*, cit., pág. 11.

principio era sólo calor monótono, acompaña el dramatismo de la espera con la llegada de elementos tormentosos. La evolución de la tormenta, que es sólo una amenaza sin llegar a descargar, es también el desenlace de la trama esperado por todos, que se lleva el sofoco del calor y la incertidumbre. La naturaleza cumple en la novela un doble papel: contribuye al ahogo existencial de los personajes y destaca técnicamente —evolucionando en paralelo con ellos— el sentir de cada uno y el creciente desarrollo dramático de la trama.

Estilísticamente, Aldecoa reproduce la vida anodina de los personajes en sus conversaciones anodinas, coloquialmente espontáneas. La técnica de la insinuación se apoya en la frase breve y en el asíndeton[13]. La minuciosidad descriptiva es un recurso para destacar el matiz, una de las características definitorias de su estilo:

> De vez en cuando arrastraba el pie por la pista de las hormigas y producía el desastre. Luego, aburridamente, contemplaba la triste y perfecta organización de los insectos hasta que la normalidad y la urgencia en la normalidad volvían. Su mirada, arrastrándose por la tierra, le descubría pequeñas cosas para las que iba creando imágenes que las aislaban, las circuían y les daban nuevos valores que impedían su olvido momentáneo. Las hormigas, o los ancianos, o las carretillas temblantes, ajustando su caminar a un ritmo de golpecitos. La hierba aplastada, o la madeja de lana usada y rizada, recuperada de una prenda, descoloridas ambas como una madrugada de estación de ferrocarril. La avispilla en el arco de la rama de un matojo, a cinco pasos de él, que en el transparente mediodía de julio era como un pez o tenía movimientos de pez, escalonados, fugitivos, inseguros.

> De vez en cuando escupía. El escupitajo en el polvo acusaba un movimiento de oruga. El pie del hombre nada perdonaba: extendía aquella breve humedad, ensombrecía la tierra, amenazaba el cardo pequeño de inútiles defensas[14].

2.2. «Con el viento solano»

Es la otra cara de la narración iniciada en *El fulgor de la sangre*[15]. Las semejanzas entre ambas son patentes: en el tema y en el modo de narrar.

El gitano Sebastián bebe de noche con unos amigos, taberna tras taberna. A la mañana siguiente va a la feria de un pueblo, con su compañero Larios; los dos están borrachos. Se pelea con el Maño y, al escapar de la

---

[13] Cfr. *Ibíd.*, pág. 93.

[14] *Ibíd.*, págs. 5 y 6.

[15] Aunque sólo sea como detalle anécdotico, son interesantes las declaraciones que hace el propio Aldecoa sobre la gestación de este libro: cómo le surgió la idea, cuándo le puso el final, qué peripecias tuvo con la censura. Lo relata Aldecoa con ironía en la citada «Carta abierta al director de *La Estafeta Literaria*».

guardia civil, mata al cabo Francisco. Entonces emprende una huida desesperada, que durará hasta el sábado: hasta que ya no aguanta más y acaba entregándose.

Aparece en esta novela el mundo de la gitanería bravo y rebelde: hombres indomables curtidos en la pobreza, en las ferias, en el campo, en las tabernas; hombres de hierro con vida de tratantes, de juerguistas, de pendencieros, de perseguidos por la guardia civil. En un ambiente chulo, fatal, trágico y bronco de los poemas de Lorca.

Junto al mundo gitano, aparecen también los feriantes, borrachos y toreros, vendedores ambulantes, faquires, chulos... Un conjunto variopinto de profesiones bajas, de oficios nimios, de hombres que se malganan la vida en cualquier actividad. Este constituye el aspecto social que testimonia la novela.

Pero al mismo tiempo se desarrollan explícitos diversos temas existenciales: la vida como un peso, «el espanto de la muerte»[16], el azar («el azar interviene en casi todas las cosas —dijo el viejo. La mala suerte suele ser compañera del hombre; fiel compañera»[17]); y la desgracia que llega inesperada, imprevista, que hay que asumir casi irresponsablemente: el asesinato se produce en la confusa borrachera, sin la plena decisión del hombre; y la entrega final en similares circunstancias. También la soledad:

> La vida al salto. Recuerda el miedo de Lupe. El miedo al coto, blanco y gris, donde se muere solo. Miedo de la soledad. Miedo de borrar la vida de uno tan fácilmente que no se percaten los que vivieron con uno, que la vida no se vive sola. Resistencia a aceptar que uno se muere solo, a pesar de la vida. Miedo a adelantar la muerte habiendo vivido con alguien, con un alguien que ya no es ni meta de recuerdo. Porque si el recuerdo no se comparte, ya estás muriendo[18].

La novela se compone de seis capítulos y cada uno de éstos aparece dividido en varias secuencias. Los capítulos se titulan según el día de la semana —de lunes a sábado— y el santo del calendario que le corresponde. En algunos aparecen dos planos temporales: el presente real —borrachera, pelea, asesinato, huida de taberna en taberna— y el mundo de la conciencia en que Sebastián recuerda desordenadamente momentos anteriores de su vida o reflexiona sobre su condición de hombre huido y su futuro. Los primeros son testimoniales, y están más cercanos al objetivismo. Muchos se reducen a reproducir las insulsas conversaciones de esas gentes que malgas-

---

[16] Aldecoa, Ignacio, *Con el viento solano*, 2.ª ed., Barcelona, Planeta, 1962, pág. 184.
[17] *Ibíd.*, pág. 144.
[18] *Ibíd.* pág. 112. Sobre el tema de la soledad, cfr. págs. 101, 151, 183-184, 210 y 247. Gemma Roberts ha señalado como tema existencial básico de esta novela el tema de la decisión, de la libertad humana. Cfr. Roberts, Gemma, *Temas existenciales en la novela española de posguerra*, Madrid, Gredos, 1978, págs. 99-128.

tan el tiempo en la calle o en la taberna[19]. Los segundos son más líricos y suponen un escarceo en la conciencia atemorizada de Sebastián. La técnica empleada para mostrar ese mundo es tradicional: el narrador omnisciente relata desde fuera las dudas, los temores, la vacilación, la nostalgia, los deseos del personaje; o bien utiliza el estilo indirecto, a veces las asociaciones mentales o el diálogo impreciso, truncado, sugeridor, sin una explícita transcripción de los pensamientos.

Ese doble plano de la narración —el presente y el pasado, la sociedad y la conciencia— se refleja también en las dos formas estilísticas de la novela que antes señalaba. Por un lado el lenguaje coloquial de las conversaciones insulsas: con frases hechas, incorrecciones, rupturas sintácticas, peculiaridades del habla gitana. Por otro lado, el lenguaje esteticista, con un vocabulario preciso, formas rítmicas y recursos para embellecer la prosa.

> —¿Qué pretendiste *Con el viento solano?*
> —Conseguir el contraste entre la angustia perseguida de un hombre y la indiferencia del mundo. Para el mundo nada tiene importancia; las angustias son siempre individuales[20].

2.3. *«Gran Sol»*

Gran Sol (1957) es la primera novela del mar; la novela de la pesca de altura. Cuenta las faenas en alta mar de los hombres del Aril. Apenas tiene un asunto, en el sentido tradicional del término. Todo se reduce a las diarias conversaciones, bromas y disputas, comida, descanso y el faenar de a bordo. Tan sólo al final, imprevista, sucede la desgracia que supone la muerte del patrón de pesca: Simón Orozco es aplastado por la red cargada de peces.

Los puntos de contacto con *El Jarama* (1956) son evidentes: ambas novelas carecen de anécdota y alcanzan un punto de máxima intensidad con la muerte al final de uno de los personajes del grupo; las dos están escritas con objetividad narrativa y pretenden testimoniar el vacío del mundo del trabajo, la primera, y de las diversiones vulgares, la segunda.

Gran Sol es la epopeya del mar, del oficio de los pescadores de altura; hombres acostumbrados a tormentas y a todas las mareas, expuestos al capricho de los vientos y del temporal, a la niebla y al oleaje; hombres que han de robarle al mar el sustento de sus vidas:

---

[19] No es ocioso señalar en este aspecto el paralelismo con *El Jarama* (1956) o con *Los bravos* (1954).

[20] Sastre, Luis, «La vuelta de Ignacio Aldecoa», *La Estafeta Literaria,* 15 de mayo de 1959.

La mar no era más dura antes, la mar no variaba, tan dura antes como ahora. Tras la boca de la bahía estaban aguardando los malos tiempos. Viento del norte, viento del sur ¡Qué más daba! Todos los vientos de la mar eran malos. Todos los días de la mar eran malos[21].

Hombres esforzados, de futuro incierto, de duro bregar, total para nada más que para comer. Trabajadores lanzados al mar como el hombre a la vida, sin saber con certeza qué les espera. Expuestos a peligros inciertos, poderosos, porque son desconocidos, porque son ingobernables, porque le vienen al hombre impotente imprevistos, como una irreversible fatalidad. He aquí, pues, también la doble cara de la novela: su aspecto social —reportaje de los pescadores de altura— y desde ahí su elevación a una visión existencial humana: la vida del hombre como lucha contra la naturaleza, como camino irreversible a una muerte incierta.

Dividida en dos partes, cada una de ellas se inicia de un modo paralelístico con la salida del puerto: en la Península la primera parte; en Irlanda la segunda. Los sucesos desafortunados se disponen en una ordenación ascendente: la avería de las toberas (cap. II) y de la hélice (cap. VI), el accidente del patrón de pesca (cap. XI). No existe un protagonista individual en la obra; es el grupo de hombres que componen la tripulación del barco quienes protagonizan en conjunto la epopeya. Y más que como hombres, los personajes están contemplados fundamentalmente como trabajadores de ese oficio marinero, sin incidir en la diferenciación psicológica de cada uno. Apenas algunos rasgos concretos de carácter revelan el modo de ser de esos pescadores.

El desarrollo lineal del tiempo de la acción es breve: se reduce a un par de semanas que dura la faena de la pesca en alta mar. El espacio en que se mueven los pescadores es también limitado: el barco, que oprime, que aísla, que condiciona, lanzado en medio de la furia desatada, inmensa, del mar. Ningún otro símbolo podría reflejar mejor el abandono del hombre y la lucha a la que se ve forzado en la vida. Esos hombres varias veces expresan en la conversación el deseo de salirse de ese círculo que les ata y les pone en peligro; y otras tantas confiesan también la imposibilidad de alcanzarlo.

El camino que se observaba en las novelas anteriores de Aldecoa, hacia la narración objetiva, adquiere en ésta una acabada realización. Antes de escribirla se embarcó en un pesquero, para vivir, como uno más de la navegación, la dureza de las faenas durante treinta días de encierro en el barco.

Los elementos que se han considerado fundamentales de la novela social se observan también en *Gran Sol:* protagonista colectivo, reducción del tiempo, limitación del espacio. El lenguaje conversacional anodino adquiere importancia decisiva. El vocabulario marinero se utiliza con precisión, conscientemente rebuscado:

---

[21] Aldecoa, Ignacio, *Gran Sol,* 2.ª ed., Barcelona, Noguer, 1963, pág. 133.

Macario Martín soltó la estacha. Las puntas de la red, engarfiadas a un cable empoleado en el mastelerillo del estay de galope, patinaron por la regala hasta el comienzo de la obra muerta. Principiaron a halar la red[22].

2.4. *«Parte de una historia»*

En *Parte de una historia,* el narrador regresa después de mucho tiempo a una isla —no sabemos por qué motivo—, donde permanecerá durante algunos días. Desde allí refiere la actividad diaria de sus habitantes: la pesca, las habladurías, los peligros de tormentas... En un yate naufragado han aparecido también cuatro americanos que permanecerán en la isla varios días: beben, cantan, se emborrachan. Uno de ellos acabará ahogado la noche de Carnaval. Cuando se van estos turistas, el pueblo sigue sus faenas habituales y el narrador se prepara para abandonar la isla a la mañana siguiente.

Existe una alternancia argumental de dos elementos: el trabajo diario de los isleños y el jolgorio de los americanos. Los primeros llevan una vida difícil, recluidos en la isla, obligados a robarle al mar su alimento, envueltos en dos únicas obsesiones: el sexo y el alcohol. Los segundos, hombres ricos y derrochadores, malviven una ciega borrachera hasta que llega la muerte. Su estancia en la isla es una inconsciencia en el alcohol, desde la llegada, borrachos, en medio del naufragio, hasta la muerte, borrachos, de Jerry ahogado en la marea. Los isleños aparecen miserables por el encierro y abandono en el que viven; los turistas por el vacío de sus vidas sin sentido. De los primeros queda el testimonio de la vida humana como lucha por sobrevivir. Pero cuando no hay necesidad de lucha, como en el caso de los turistas —porque está asegurada la supervivencia, porque ya no tiene otro sentido la batalla— entonces hay un abandono total a la fortuna, a la muerte. En uno y otro caso, la resignación es la única actitud, porque no cabe otro remedio:

> Supongo que también nosotros somos un arrancado pedazo de tiniebla, un jirón de la noche y la sombra que invade el río de mar[23].

Aunque el libro manifiesta los caracteres de la novela social (ambiente de miseria, protagonista colectivo, limitación temporal y espacial...), se impone el significado existencial, la interpretación simbólica sobre la vida humana. Acorde con el momento de la novelística española en que fue escrita esta obra, refleja la preocupación por colectividades pobres, pero trasciende ese plano y asume esta situación como un motivo más de la condena de la

---

[22] Aldecoa, I., *Gran Sol,* cit., pág. 92.
[23] Aldecoa, Ignacio, *Parte de una historia,* Barcelona, Noguer, 1967, págs. 175-176.

vida humana a una lucha esforzada contra la naturaleza: contra la tormenta (caps. IV y XVIII), contra el naufragio (V), contra el furor animal que mata (III), contra las abruptas y escarpadas montañas (XIII), contra el mar que aísla y que se cobra víctimas (XVII).

La vaguedad de la atmósfera, fatal e imprecisa, que envuelve la acción, contribuye a esta interpretación más general de la obra. Vaguedad en cuanto al escenario —una isla de la que se desconoce su lugar geográfico concreto—; en cuanto a la personalidad e intenciones del narrador; y en cuanto a la técnica narrativa empleada. El narrador-observador refiere lo que contempla de un modo conductista: transcribe los diálogos de los personajes, su comportamiento, las pocas apreciaciones subjetivas que puede intuir. Pero no hay una visión completa, desde un narrador vertical, sino una mirada desde la perspectiva horizontal del observador. Y esta mirada no es pasional, sino serena; no vivencia el narrador los sucesos que transcribe, sino que los observa con un cierto distanciamiento interior. Por eso las acciones no están novelescamente dramatizadas. Por muy trágicas que sean, están relatadas sin sensacionalismo, desde la perspectiva resignada, serena y casi ausente del observador.

El protagonista colectivo se divide en dos grupos: los isleños y los americanos. Pertenecen a mundos diversos, separados por la dicotomía pobreza-riqueza, pero unidos por la vacuidad de sus comportamientos. Entre todos ellos apenas destacan algunos, mientras los demás forman en la novela como un coro de comentarios (el cabildo, las mujeres):

> Laurel retrocede unos pasos y Beatrice queda sola —en la soledad de la protagonista, en el primer plano de la perspectiva de la tragedia—, esperando impasible. Desde el coro llegan sílabas y quejas, apagados ayes y rezos bisbiseados (pág. 186).

Compuesta de veintidós capítulos breves, en *Parte de una historia* los sucesos desgraciados de la acción están dispuestos en un orden ascendente de importancia: el herido en el mar (cap. III), el naufragio del yate (cap. V), la muerte de Jerry (cap. XVII). El espacio de la acción es la isla, limitado, como en las novelas anteriores el barco o el castillo. La taberna, el único lugar de olvido y borrachera. El tiempo se reduce a los días de estancia del narrador en la isla. Contituyen parte de su historia; parte de la vida de este hombre del que apenas sabemos nada, ni siquiera su nombre; parte también de la historia de la isla, que seguirá igual en sus faenas de siempre; parte de la historia de esos americanos que un día aparecieron naufragados en la playa.

> He querido dejar abierta la novela por delante y por detrás; que realmente sea lo que puede contar un individuo de su propia existencia. Antes, no se sabe nada de él, y después el lector tampoco sabe nada de este individuo y de lo que le va a suceder; ni siquiera sabe cuáles son las moti-

vaciones que le impulsan a marcharse de esa isla a la que ha llegado también por un impulso que no sabemos cuál es[24].

3. LOS CUENTOS

Dentro de la narrativa, Ignacio Aldecoa se ha mostrado como un genial escritor de relatos. Bastantes años antes de editar su primera novela, había escrito y había publicado ya muchos cuentos. Y seguiría escribiéndolos después a lo largo de toda su vida. No es lícito afirmar que «en realidad le han servido al autor de aprendizaje», como escribe Juan Luis Alborg[25]. En sentido general, toda tarea supone un aprendizaje. Pero no es éste el sentido que quiere dar él a la frase. Interpreta los relatos como un inicio en el hacer de escritor, como una experiencia narrativa que desemboque al final en el acercamiento y cultivo de la novela. Tal ha sido, efectivamente, el camino literario recorrido por muchos escritores de ésta y otras generaciones: tras los primeros escarceos en el relato se dedicaron fundamentalmente a la novela[26]. Pero Ignacio Aldecoa no. Nunca dejó de escribir cuentos: publicó más de setenta a lo largo de su vida y tan sólo cuatro novelas. Además, de mostró siempre un claro conocimiento de las peculiaridades del cuento como género narrativo, oponiéndolo sistemáticamente a la novela:

> En España parece que el relato corto es un paso que da el joven escritor, camino de mayores empresas narrativas. No opino así. Es un género que tiene poco que ver con la novela[27].

3.1. *Puntualizaciones sobre el género literario «cuento»*

La cuestión de los géneros literarios es uno de los temas más controvertidos en los estudios de literatura. Especialmente en los últimos años, aparece más confusa por la demolición de fronteras que los escritores han

---

[24] Perlado, José Julio, «Ignacio Aldecoa escribe *Parte de una historia*», *El Alcázar*, 3 de marzo de 1967. Según el testimonio de Josefina Rodríguez, ésta era la novela que más le gustaba a Aldecoa de las cuatro que escribió, «porque consideraba que era la mejor escrita». En ella, «sin ser ni mucho menos autobiográfica, hay una parte importante de reflejo personal y consideraciones íntimas». Esta última novela manifiesta la evolución de la narrativa de Aldecoa hacia formas introspectivas. Cfr. Berasategui, Blanca, art. cit.

[25] Alborg, Juan Luis, *Hora actual de la novela española*, Madrid, Taurus, 1958, pág. 293.

[26] Cfr. Brandenberger, Erna, *Estudios sobre el cuento español actual*, Madrid, Editora Nacional, 1973.

[27] Fernández-Braso, M., «Ignacio Aldecoa levanta acta de los años de crisálida», *Índice*, octubre, 1968, pág. 42. Es ambigua también la afirmación que Alborg escribe más adelante: «Los cuentos de Aldecoa, sin perder la condición propia del género, son novelas breves, novelas menores, estructuradas en torno a un cosmos más pequeño» (?). Alborg, Juan Luis, *op. cit.*, página 293. Compárese con las palabras de Baquero Goyanes: «No creo que resulte una cualidad posi-

llevado a cabo contra la tradicional clasificación de los géneros. Las dificultades se agravan en el caso del cuento. Hasta el punto de que algunos críticos han concluido por resumir en una perogrullada su imposible definición. «El cuento puede ser considerado como una estructura óntica», escribe Edelweis Serra[28]. Y comenta Perera San Matín: «El vocabulario metafísico y la retórica metonímica encubren/descubren la imposibilidad de definir el objeto *cuento;* recubren de oropeles vistosos la única definición posible, desde una perspectiva general, que pasaría por una perogrullada: «un cuento es un cuento».

Los manuales que teorizan sobre la literatura apenas plantean este problema. Ni Wellek y Warren, ni Staiger, ni Guillermo de Torre se refieren a él específicamente[29]. Kayser se limita a señalar la brevedad del cuento[30] y Aguiar e Silva dedica un apunte rápido para definirlo:

> Es una narración breve, de trama sencilla y lineal, caracterizado por una fuerte concentración de la acción, del tiempo y del espacio[31].

Y señala su estrecha relación con la lírica:

> Arte de sugestión, el cuento se aproxima muchas veces a la poesía[32].

Mariano Baquero Goyanes, en *El cuento español en el siglo XIX*[33], tras el estudio de cómo fue utilizado el término «cuento» en las distintas etapas de la literatura, lo distingue de otros géneros fronterizos: la leyenda, el artículo de costumbres, el poema en prosa, la novela y la novela corta. Sobre la distinción entre novela y cuento, señala que no se debe la diferencia a la mayor extensión de la novela frente al cuento, sino a «las distintas técnicas que una y otro requieren»[34]:

> La novela se elabora sobre una idea inicial, un hecho, una psicología, un ambiente, una inquietud, a los que se van añadiendo las piezas necesarias para lograr una sólida arquitectura narrativa en la que nada parezca

---

tiva el que un cuento equivalga a una novela condensada, comprimida», *Qué es el cuento,* Buenos Aires, Columba, 1976, pág. 45.

[28] Serra, Edelweis, *Tipología del cuento literario,* Madrid, Cupsa, 1978, pág. 17. Citado por Perera San Martín, Nicasio, «Elementos teóricos para la distinción entre cuento y relato», *Nueva Estafeta,* agosto-septiembre, 1980, pág. 194.

[29] Cfr. Wellek, R., y Warren, A., *Teoría literaria,* 4.ª ed., Madrid, Gredos, 1966; Staiger, Emile, *Conceptos fundamentales de poética,* Madrid, Rialp, 1966; Torre, Guillermo de, *Problemática de la literatura,* 3.ª ed., Buenos Aires, Losada, 1966.

[30] Cfr. Kayser, Wolfgang, *Interpretación y análisis de la obra literaria,* Madrid, Gredos, 1958.

[31] Aguiar e Silva, Víctor Manuel de, *Teoría de la literatura,* Madrid, Gredos, 1972, pág. 242.

[32] *Ibíd.,* pág. 243.

[33] Baquero Goyanes, Mariano, *El cuento español en el siglo XIX,* Madrid, 1949, C.S.I.C. Más adelante volvería sobre las ideas expuestas en este trabajo, al publicar *Qué es el cuento,* Buenos Aires, Columba, 1967.

[34] Baquero Goyanes, Mariano, *El cuento español en el siglo XIX,* Madrid, 1949, pág. 124.

sobrar ni faltar, consiguiendo así un efecto de equilibrio. La novela es como una gran sinfonía musical, cuyos capítulos fueran tiempos o motivos que actúan en la sensibilidad del lector no aisladamente, sino en virtud del conjunto. La impresión final de la novela no la experimentamos hasta que se haya extinguido la última nota, la última vibración, el capítulo final.

El cuento hiere la sensibilidad de un golpe, puesto que también se concibe bruscamente, como en una iluminación. (...) Si la memoria del lector recuerda el cuento de pronto, de una vez, es porque en el cuento no hay digresiones ni personajes secundarios; es porque el cuento es argumento ante todo[35].

De ese carácter de instantánea —«los cuentos nos ofrecen una imagen de la vida conseguida por condensación»[36]— se deriva la necesidad de seleccionar detalles y la importancia que adquiere cada una de las palabras utilizadas: «La novela se caracteriza por la técnica analítica. El cuento es, ante todo, síntesis»[37].

Y concluye Baquero Goyanes señalando también la relación con la actitud lírica:

> El cuento así concebido es un género literario que sirve de nexo, de eslabón, entre poesía y novela. De la poesía tiene la gracia y el riesgo del límite, la delicada intención; de la novela, la profundidad psicológica, los elementos narrativos[38].

Enrique Anderson Imbert publicó en 1959 *El cuento español*. Destacaba también el carácter de visión instantánea que supone el cuento frente a la novela:

> El novelista despliega su concepción del mundo en un vasto conjunto de sucesos: sobre un dinámico fondo social o histórico, y a lo largo de complicadas líneas de acción, vemos cómo varios personajes van cobrando personalidad y se lanzan a vivir, cada cual con su propio programa vital. El cuentista, en cambio, aprieta su materia narrativa hasta darle una intensa unidad tonal: vemos a unos pocos personajes —uno basta— comprometidos en una situación cuyo desenlace rápido aguardamos con impaciencia. El novelista sigue el paulatino cambio en las relaciones entre un grupo de personajes; el cuentista, abruptamente, pone fin a un momento decisivo[39].

---

[35] *Ibíd.*, págs. 124 y 125.
[36] *Ibíd.*, pág. 123.
[37] *Ibíd.*, pág. 139.
[38] *Ibíd.*, pág. 145.
[39] Anderson Imbert, Enrique, *El cuento español*, Buenos Aires, Columba, 1959, pág. 8.

En 1979, el mismo autor publicó un nuevo estudio más amplio sobre este mismo tema[40]. En muchos de los capítulos de este libro, podría sustituirse el término «cuento» por «narrativa» en general, sin que cambie nada el sentido de lo que Anderson afirma en ellos. Sin embargo, en las páginas que dedica expresamente a diferenciar novela y cuento, destaca tres cualidades del cuento: la brevedad, la importancia de la trama y la estrecha relación entre la lírica y el cuento:

> En el cuento más que en la novela, los hilos de la acción se entretejen en una trama, y esta trama prevalece sobre todo lo demás. En el cuento la trama es primordial[41].

> El cuentista es el verdadero protagonista de su cuento, ni más ni menos que el poeta es el protagonista de su poema lírico. El cuentista no se canta a sí mismo, como el poeta; pero, como poeta, expresa lo que le está sucediendo a él, justo cuando, con trucos de ilusionista, finge que algo les está sucediendo a sus personajes. El cuento da forma rigurosa a efusiones líricas, igual que un soneto[42].

Castagnino insistió en este mismo aspecto, hasta afirmar rotundamente: «un cuento equivale a un poema»[43].

Y Erna Brandenberger, como si se golpeara la frente con la palma de la mano para exclamar «¿cómo no nos dimos cuenta antes?», escribe:

> Ahora podemos comprender por qué fracasaban todos los intentos de determinar la naturaleza del cuento partiendo de las fronteras que lo separan de los demás géneros literarios, pues los puntos en común y las conexiones que aquél pueda tener con los otros géneros forman parte precisamente de su esencia[44].

Y dedica un extenso capítulo a estudiar los elementos líricos, épicos, dramáticos y teóricos en el cuento literario, para concluir que el cuento es esencialmente una mezcla de géneros. O sea, que volvemos al principio: no existen fronteras tajantes, más que en la mente de los teóricos, para clasificar con precisión una obra concreta en la cuadrícula de los géneros literarios. En la práctica, las diferencias se difuminan y una misma obra puede participar de caracteres propios de distintos géneros.

Erna Brandenberger estudia a continuación aquellos elementos que son más propios del modo de narrar del cuento, referidos a la estructura, a los personajes, al empleo del tiempo y del espacio, a los símbolos utilizados, al

---

[40] Anderson Imbert, *Teoría y técnica del cuento*, Buenos Aires, Marymar, 1979.
[41] *Ibíd.*, pág. 50.
[42] *Ibíd.*, pág. 49.
[43] Castagnino, Raúl H., *Cuento-artefacto y artificios del cuento*, Buenos Aires, Nova, 1977, pág. 61.
[44] Brandenberger, Erna, *Estudios sobre el cuento español contemporáneo*, Madrid, Editora Nacional, 1973, pág. 249.

modo de iniciar o acabar el relato. Reconoce que mucho de lo que afirma «acerca del cuento literario es también aplicable al arte de narrar en general»[45]. Sin embargo, señala algunas notas del cuento que vienen a coincidir con las ya apuntadas en los estudios anteriores, o a ampliarlas: la insinuación, la concentración en el tema elegido, la subordinación del detalle al conjunto. Califica el cuento como un género «cuyos requisitos son la economía de medios y la concepción previa del todo»[46]. E insiste en la importancia del lenguaje y del ritmo de las palabras:

> La narración escrita, al tener que renunciar al poder sugestivo del gesto, de la voz y del ritmo oral del narrador, tiene que valerse únicamente del ritmo del lenguaje (lo cual no tiene, naturalmente, nada que ver con el verso o la prosa rítmica); la aceleración y la dilación, la repetición y la omisión, el pasar por alto y el acentuar y detallar, por ejemplo, no son en el cuento literario atributos accesorios u ornamentales, sino elementos estructurales esenciales de los que dependen su éxito o su fracaso[47].

Ignacio Aldecoa se refirió también en varias ocasiones a este aspecto rítmico de la prosa en el relato:

> —¿Cuál es la diferencia esencial entre la novela y el cuento?
> —Una de ellas, el «tempo». (...) No me refiero al «tempo» en sentido rectilíneo, con la sencillez de lo biográfico. Quiero decir el «tempo»..., el «tempo» de orquesta[48].

> El cuento y la novela son, entre otras cosas, y para mí, un juego de ritmos, de ritmos distintos, naturalmente[49]. En el relato corto están apoyados en la palabra, en la novela en el suceso[50].

De este rápido escarceo en la bibliografía básica, se desprende como una nota fundamental del cuento su carácter de instantánea, de sorprender la vida en un momento, de fotografiar tan sólo, en vez de hacer una película como el teatro o la novela. De ahí se derivan todas sus demás peculiaridades: la brevedad, la condensación, la tensión acumulada, la intensidad narrativa del cuento, la importancia decisiva de cada uno de los vocablos utilizados, el arte de sugerir y de insinuar. El cuento es una idea, un sentimiento, un fogonazo instantáneo y total, una intuición. O lo que Perera San Martín denomina una «tensión única»: «el único criterio sólido que

---

[45] *Ibíd.*, pág. 381.
[46] *Ibíd.*, pág. 55.
[47] *Ibíd.*, pág. 382.
[48] «Entrevista con Ignacio Aldecoa», *El Español,* 20-26 de marzo de 1955.
[49] *Informaciones,* 3 de abril, 1969.
[50] Fernández Braso, M., «Ignacio Aldecoa levanta acta de los años de crisálida», *Índice,* octubre, 1968.

contienen las innumerables definiciones del cuento es su unicidad»[51]. En este sentido, se relaciona con la lírica y se distingue de la novela, que constituye fundamentalmente un proceso: «La novela hay que construirla, el cuento se hace con la intuición»[52].

Ignacio Aldecoa escribió novelas y escribió cuentos. Pero tuvo conciencia de una separación real entre uno y otro género narrativo:

> Yo he escrito siempre (...) y seguiré escribiendo cuentos, pues no tienen nada que ver con la novela; no es un paso previo, sino una historia distinta, tan difícil o más que la novela misma[53].

> Para ser novelista no es necesario como para ser torero comenzar toreando becerros, luego erales, más tarde novillos y por fin toros. El cuento y la novela son del mismo género, pero de distinta especie. Un gran narrador de relatos cortos puede ser un mediocre novelista y viceversa. El cuento tiene ritmos y urdimbre muy especiales, lo mismo que la novela. De aquí que el cuento no sea un paso hacia más grandes empresas, sino una gran empresa en sí[54].

3.2. *Los cuentos de Ignacio Aldecoa*

Ignacio Aldecoa publicó la mayoría de sus relatos primeramente en revistas. Después casi todos formaron parte de los libros que sucesivamente fue entregando a la imprenta. Tan sólo quedaron fuera de estas segundas ediciones once cuentos que Aldecoa dejó desperdigados, sin incluirlos nunca en posteriores antologías[55].

---

[51] Perera San Martín, N., «Elementos teóricos para la distinción entre cuento y relato», *Nueva Estafeta*, agosto-septiembre, 1980, pág. 193.

[52] Palabras de Aldecoa citadas por Brandenberger, *op. cit.*, pág. 139. Este criterio le lleva a Perera San Martín a diferenciar cuento y relato: «En realidad, el relato surge de la narración no ya de un *suceso*, sino de un *proceso*. Concretamente, de su escenificación. Y esto, en la medida en que la escenificación de un proceso trae consigo una alternancia de *tensión/distensión*, una serie de articulaciones de la narración, que se torna *discontinua* y, a menudo, *abierta*, sometida a referencias exteriores al texto.» *Ibíd.*, pág. 195. Sin entrar en polémica sobre tal distinción, se observa cómo Perera San Martín aplica al relato sin más las cualidades de la novela. Y aquél se diferenciaría de ésta y de la novela corta sólo por el mayor o menor número de páginas (?), por la mayor o menor demora en narrar ese *proceso*, que puede alargarse en una complicada trama de descripciones, reflexiones, introspección, diálogos... En el presente estudio sobre Aldecoa, sin admitir esa terminología, se utilizarán indistintamente los términos «cuento» y «relato».

[53] Sastre, Luis, «La vuelta de Ignacio Aldecoa», *La Estafeta Literaria*, 15 de mayo de 1959.

[54] Radio Nacional, tercer programa, 27 de octubre de 1968. Citado por Josefina Rodríguez en el prólogo a los cuentos de Aldecoa, editados por Cátedra, Madrid, 1977, pág. 41. Afirmaciones similares expresó Ignacio Aldecoa en diversos momentos, insistiendo siempre en la separación entre uno y otro género. Cfr. Fernández Braso, M., art. cit., pág. 42; y los diarios *Pueblo* del 6 de octubre de 1956 y del 5 de octubre de 1957; y *Valencia*, del 10 de noviembre de 1968.

[55] Los once relatos a los que me refiero son los siguientes: «La farándula de la media legua», *La Hora*, 24 de diciembre, 1948; «Cuento del hombre que nació para actor», *Juventud*, 8 de septiembre, 1949; «El loro antillano», *La Hora*, 30 de abril, 1950; «La fantasma de Treviño»,

Varios de estos once relatos tienen como protagonistas personajes del mundo teatral populachero. «La farándula de la media legua» relata una representación de *El alcalde de Zalamea* para un público pueblerino. Todo acaba entre risotadas, peleas, y la presencia de la guardia civil para llevarse a los comediantes[56]. Aparece explícito el desprecio de Aldecoa por la cultura oficial, tan de acuerdo con su actitud de entonces hacia lo universitario:

> El maestro daba clase a todo el que quería escucharle, explicando quién era Calderón y otras zarandajas.

En contraste, se revela su interés por la bohemia, los teatrillos ambulantes y actores vagabundos.

Ya está presente aquí su tendencia hacia la deformación esperpéntica:

> El que oficiaba de administrador de aquel sucedáneo de compañía teatral, un carcamal de boca podrida por las palabrotas y por no lavarse los dientes...

En éste —y en los demás también, aunque en menor medida— queda patente el carácter de relato primerizo: en el asunto nada original, en la estructura poco trabada, en la inexistencia de un clímax narrativo, en el estilo todavía torpe.

«Función de aficionados» se basa en una anécdota similar. En un pueblo se forma una Sociedad Recreativa Cultural del Comercio y se organiza un cuadro artístico. Su primera actuación en una villa cercana acaba en el fracaso, por la intervención chusca de unos estudiantes cafres.

En «El teatro íntimo de doña Pom», ésta deja a su marido, un médico homeópata, para irse con un cómico ambulante, alquilar una buhardilla, formar una compañía de teatro y estrenar una obra de vanguardia. Tras el fracaso, organiza una casa de huéspedes y después de hacer unos ahorros se embarca hacia La Habana, su país de origen. Continúa el interés de Aldecoa por el mundo bohemio, teatrero, visitante de buhardillas y dormidor en casas de huéspedes.

La Hora, 4 de junio, 1950; «El teatro íntimo de doña Pom», *La Hora,* 1 de noviembre, 1950; «Función de aficionados», *La Hora,* noviembre, 1950; «La sombra del marinero que estuvo en Singapur», *Bengala,* febrero, 1951; «El herbolario y las golondrinas», *Juventud,* 22 de febrero, 1951; «La muerte de un curandero meteorólogo», *Correo literario,* 1 de marzo, 1951; «Biografía de un mascarón de proa» (censurado), *Revista de pedagogía,* 9 de julio, 1951; «El ahogado», *Revista de pedagogía,* 1951. He corregido los títulos que aparecen transcritos erróneamente en la edición de los *Cuentos completos,* cit., pág. 13. Estos 11 relatos serán tenidos en cuenta en todos los capítulos del presente estudio, aunque no estén recogidos en la citada edición de los cuentos completos, preparada por Alicia Bleiberg.

[56] Elías Aguirrezábal, que coincidió en Salamanca con Aldecoa, recuerda la participación de Aldecoa como extra en representaciones con el TEU de *El alcalde de Zalamea* en Salamanca y Ávila. Recuerda también su interés por las representaciones populares y sobre todo por el teatro truculento de la compañía «Rambal».

El «Cuento del hombre que nació para actor» quizá sea elaboración literaria de sus noches bohemias de estudiante. A las cuatro de la mañana, en la churrería se juntan «una vieja con sueño altisonante de suspiros», la pareja de policías, «tres estudiantes troneras, en compañía de unas pelanduscas» y una pareja de cómicos ambulantes... Personajes caricaturizados, trasfondo de miseria humana y ambiente grotesco:

> Olor de tren, con aceitazo y dejo axilar, pegaba un tufo inolvidable.

Predominan los párrafos de tono esperpéntico: el ambiente nocherniego, los personajes fantoches, la adjetivación negativa, los sufijos que acentúan la deformación.

En «El herbolario y las golondrinas» —que subtitula «cuento considerablemente perverso» y lo dedica «a la memoria de mi fiel amiga la gata Paloma, asesinada el 15 de febrero de 1948 por dos feroces y malvados hambrientos»— don Faustino, el herbolario de una capital de provincias, se hace cazador de pájaros, para vengar una absurda multa de un guardia velocípedo.

En «La fantasma de Treviño» —«cuento regional triste y falsificado»— se relata cómo apareció una tarde por la carretera de Treviño una anciana que creyeron el fantasma de la Brígida, muerta hace algún tiempo. Era en realidad su hermana gemela. Y en «La muerte de un curandero meteorólogo» —«fábula sin moraleja, escrita con el corazón en un puño»— la sequía tiene en mal estado a un pueblo de Treviño. Se le echa la culpa al curandero. Cuando éste decide irse, hacia Vitoria, llega la tormenta. Un rayo acaba con él y con su hija en el camino.

«La sombra del marinero que estuvo en Singapur» refiere la nostalgia de un marinero ya viejo, navegador antaño de los mares y ahora soñador solitario por el puerto.

«El ahogado» es una breve escenificación de una historia triste. La subtitula «Tragedia infantil de primavera». Un niño ha muerto ahogado al bañarse en las pozas cercanas al molino. Alrededor del cadáver, en la escuela, el maestro, el cura, el médico y el tendero esperan a la madre para darle la noticia.

En «El loro antillano», doña Frasquita, solterona, cincuentona, se reúne en tertulia con otras cuatro amigas y dos viejos carcamales. A doña Frasquita le regalaron un loro antillano, hablador, que tenía aprendidas una retahíla de consignas revolucionarias y mitineras. Desde que llegó el loro todo iba mal en la tertulia y todos se peleaban. Cuando éste murió, atropellado por un coche, volvió la pacífica normalidad. Es un cuento irónico, que plasma situaciones de humor con un carácter simbólico de connotaciones políticas.

«Biografía de un mascarón de proa» no fue permitido por la censura. El relato fue devuelto en pruebas el 9 de julio de 1951, antes de ser impreso en la *Revista de Pedagogía*. Contaba la historia del mascarón de un barco del siglo XVIII, desgajado en una tormenta, náufrago en la arena de una isla perdida, adorado por los indígenas como ídolo, colgado como exvoto en una iglesia y finalmente incendiado por un anarquista. La censura advirtió «mofa de cosas sagradas».

En estos últimos cuentos —publicados en revistas con la firma Ignacio de Aldecoa o José Ignacio de Aldecoa, y subtítulos en tono jocoso—, a pesar de los rasgos de obras primerizas, se observan ya caracteres muy propios de su forma de narrador: la preocupación estilística, el regusto por los vocablos precisos, sonoros, poco comunes, la tendencia a lo grotesco, la actitud testimonial de ambientes y personajes conocidos personalmente. Ya desde ahora los personajes malviven su ilusión, condenados al fracaso: como los cómicos en «La farándula de la media legua», o el hombre parlanchín «que nació para actor», doña Pompeya, promotora de obras teatrales de vanguardia, Cirilo, dependiente de una perfumería y fundador de la Sociedad Recreativa Cultural del Comercio, o el curandero meteorólogo, de muerte trágica por un rayo de tormenta, camino de Vitoria, expulsado de Treviño.

En 1955 publicó Aldecoa el primer libro de cuentos con el título *Espera de tercera clase*[57]. Es una recopilación de diez relatos que ya habían sido publicados anteriormente[58]. Predomina el cuento corto —la mayoría de los que forman este libro apenas sobrepasan las diez páginas de extensión— y en este primer libro se observa ya el abanico de preocupaciones temáticas que Aldecoa desarrollará en sucesivas obras: el mundo de los niños y de los ancianos, de los oficios y de los bajos fondos sociales, la miseria y el sacrificio al que se exponen los hombres que dejan ambientes rurales para buscar trabajo en la ciudad[59].

«La humilde vida de Sebastián de Zafra» relata en cuatro capítulos cuatro momentos de la vida humilde de este gitano, que se crió bajo los puentes y acabó muerto al recoger desechos de granadas del ejército: lo mató una sin explotar, cuando esperaba el primer hijo de su mujer Virtudes. «Chico de Madrid» es la vida de un muchacho de los arrabales, que a temporadas vive con su madre, viuda de un barrendero, y a temporadas come, duerme y caza por su cuenta en el campo. El tifus que un día atrapó en una cloaca le llevará a la muerte. Leocadio Varela es «El aprendiz de cobrador»

[57] Aldecoa, Ignacio, *Espera de tercera clase,* Madrid, Puerta del Sol, 1955.
[58] «Chico de Madrid», *La Hora,* 22 de noviembre, 1950; «Los atentados del barrio de la Cal», *Guía,* mayo, 1951; «El aprendiz de cobrador», *Correo literario,* 15 de noviembre, 1951; «Hasta que lleguen las doce», *Arriba,* 27 de enero, 1952; «La humilde vida de Sebastián Zafra», *Clavileño,* mayo-junio, 1952; «Quería dormir en paz», *Alcalá,* 10 de agosto, 1952; «Seguir de pobres», *Juventud,* 30 de abril, 1953; «A ti no te enterramos», *Revista Española,* mayo-junio, 1953; «Solar del Paraíso», *El Español,* 14 de agosto, 1953; «Muy de mañana», *Revista Española,* septiembre-octubre, 1953.
[59] A lo largo de estas páginas es preciso resumir las historias que componen cada uno de los libros de cuentos. Su objetivo es descubrir las líneas comunes de los relatos, en lo que se refiere a temas, personajes, técnicas narrativas o estilo; y facilitar al lector una guía de las historias que sirva para la mejor comprensión de los análisis posteriores.

que trabaja su primera jornada en el tranvía y antes de volver a casa se detiene un rato con su cuadrilla y su novia. Juan, el hijo de un obrero de la construcción, al que su madre advierte de una paliza, cuando llegue su padre a las doce. Pero a las doce avisan por teléfono que ha sufrido un accidente en el trabajo («Hasta que lleguen las doce»).

Niños que se crían en ambientes de abandono social; hombres que se gastan en trabajos esforzados, expuestos a los accidentes y a la enfermedad. Como los cinco segadores jornaleros de «Seguir de pobres», que sudan cosechando al sol. El viento pardo le da la espalda a «El Quinto» y le hace enfermar. Pasa el resto de los días tirado en el pajar, hasta que acaban la faena y dejan el pueblo. «El Quinto», enfermo, marcha solo a la ciudad; se separan en el puente.

Otros hombres buscan en la ciudad el trabajo y el sustento que les niega el campo: Valentín, enfermo de tuberculosis, se siente inservible para el trabajo del campo y marcha a la ciudad en busca de empleo. No lo encuentra y tiene que volverse («A ti no te enterramos»). Ramón vive con su familia en un solar urbano: con sus padres, María y Pío, con su mujer, con sus hijos, Emilio, la Casi y Mariano. El mismo día que Pío cumple cincuenta y nueve años, una tormenta derriba la caseta hecha de adobes; al día siguiente el dueño del solar les avisa que van a empezar a construir y tienen que marcharse. Pasado un mes, les conceden un barracón donde vivir, fuera de la ciudad («Solar del Paríso»).

«Muy de mañana» es la tragedia de un hombre anciano, vendedor de melones, que comparte su soledad con un perro feo y desdichado, Cartucho, al que un día atropella un coche en la calzada.

Personas desvalidas, acosadas por la enfermedad, por la desgracia o por la muerte, por la miseria, la pobreza o la soledad, la falta de trabajo o la falta de vivienda. Personas que malviven en este mundo y no pueden suscitar más que compasión y la ternura con que el propio autor las trata. Porque estos hombres, impotentes, no pueden hacer nada; sólo pueden resignarse con paciencia. Por eso Aldecoa encabeza el libro con la siguiente cita:

Ejerce la paciencia como la tierra misma...

Y refiriéndose a la espera silenciosa de estos hombres, afirmó en una entrevista que no esperan nada: «esperan la muerte; pero en tercera clase»[60].

El mismo año 1955 publicó en la editorial Taurus *Vísperas del silencio*[61]. Todos los relatos que componen este libro habían aparecido también anteriormente en revistas[62], salvo el primero, que da el título a la antología. En

[60] Cfr. «Entrevista con Ignacio Aldecoa», *Ateneo*, 1 de noviembre, 1954.
[61] Sobre el título de este libro algunos autores han utilizado variantes, por descuido o por errata de imprenta, que es preciso corregir para no privarlo de su sentido exacto.
[62] «Los vecinos del callejón de Andín», *Haz*, noviembre, 1951; «El autobús de las 7,40»,

él se narran, entrelazadas, las situaciones diversas de dos familias distintas: una pertenece a la clase burguesa adinerada —la abogacía, los negocios— y la otra a la clase pobre —es un miserable pocero. Cada una tiene sus problemas peculiares, pero coinciden en algunos aspectos. El contrapunto resulta al comparar las distintas soluciones que se dan a cada caso. La misma técnica del contrapunto emplea también en «El mercado». Simultáneamente narra dos historias independientes: la de una familia de basureros y la de una familia de la clase media. Ambas tienen en común el centrarse en torno a un problema matrimonial, pero las circunstancias, y el mismo asunto matrimonial, son distintos en cada caso: en el primero, el Remedios vuelve de la cárcel y encuentra que mientras tanto, su mujer Julita ha convivido con Esteban. En el segundo, doña Leonor ha de apresurar la boda de su hija Leonorcita con Antonio, por las relaciones que éstos han mantenido. Sólo una vez, aisladamente, se tocan ambos mundos: cuando Antonio va a comprar plomo a casa del basurero Florencio, tío de Julita.

Una Pintura exclusivamente de los bajos fondos es «Los vecinos del callejón de Andín», en el que se cuenta la vida en el sucio callejón de Andín y la desenvoltura de sus personajes más representativos, que se dan cita en la taberna. En «El autobús de las 7,40» coinciden el soldado tímido de pueblo que sale de permiso, dos mujeres públicas, un hombre casado que va a la ciudad a buscar otro empleo, una señora oliscona, vestida de negro y un chico que marcha a la escuela del pueblo cercano. «Santa Olaja de acero» reproduce un día de trabajo del maquinista Higinio y su ayudante Mendaña.

Es significativa la elección que hace Aldecoa del título del libro, porque refleja esa vieja obsesión confesada a Jesús Fernández Santos: la muerte[63]. Los días que vive Paquito, el hijo enfermo del pocero, son transitorios, escurridizos, vísperas del mañana, de un mañana de silencio que es la muerte.

De los cinco relatos seleccionados para este volumen, cuatro tienen una extensión superior a los cuentos anteriores, entre cuarenta y sesenta páginas, (es excepción «El autobús de las 7,40») y todos forman un núcleo similar temáticamente, al reflejar ambientes sociales de características parecidas: son un testimonio de los estratos más pobres de la sociedad.

En abril de 1959, Ignacio Aldecoa prepara una nueva antología de relatos. Nunca dejó de escribirlos y por lo tanto en estas fechas disponía de un amplio número, publicados en revistas desde hacía diez años. En el nuevo libro incluye una selección de diez cuentos breves —casi todos alrededor de las diez páginas—, aparecidos en prensa periódica entre los años 53 y 57[64]. A éstos añade «El corazón y otros frutos amargos», que cierra el vo-

---

Clavileño, noviembre-diciembre, 1953; «El mercado», *La novela del sábado*, marzo, 1954; «Santa Olaja de acero», *El Español*, 26 de diciembre, 1954.

[63] Fernández Santos, Jesús, «Ignacio y yo», *Ínsula*, marzo de 1970, pág. 11.

[64] «El tercer mago» («Un cuento de Reyes»), *Guía*, enero, 1953; «Al otro lado», *Alcalá*, 25 de enero, 1953; «Tras de la última parada», *Alcalá*, agosto-octubre, 1953; «Los hombres del amane-

lumen y le dá el título[65]. Un hilo común engarza cada una de estas narraciones con el conjunto, porque todas ellas son la recreación literaria de un oficio, de una tarea considerada como menor en el entramado social: los camioneros que hacen de noche el recorrido Pasajes-Madrid, transportando pescado («En el kilómetro 400»); los peones camineros que arreglan la carretera y, bajo el sol de plomo, maldicen su situación («La urraca cruza la carretera»); los hombres que viven en pequeños puertos pesqueros y faenan de día en la mar, pesca de bajura, («Entre el cielo y el mar», «Rol del ocaso»); los boxeadores que aspiran a ser importantes figuras («Young Sánchez»); los fotógrafos callejeros («Un cuento de Reyes»); «Los hombres del amanecer», que se ganan la vida cazando animales para venderlos a un laboratorio: ayer avispas, hoy víboras, mañana ratas; los funcionarios de embajadas, recadistas de a pie por las calles de la ciudad («Tras de la última parada»); los jornaleros campesinos que van de un pueblo a otro en busca de trabajo («El corazón y otros frutos amargos»).

«Esperando el otoño» establece un contraste, no explícito sino sugerido, entre los trabajadores asalariados y un grupo de jóvenes que pierden su tiempo en la taberna, gastándose cansinos en insulsas conversaciones y en una aburrida pasividad. Este tema de la abulia perezosa será objeto de algunos relatos posteriores.

En algunos cuentos el oficio es la causa que motiva el éxodo de esos hombres en busca de un mejor modo de ganarse la vida. Y se marchan esperanzados («Tras de la última parada») o reconocen el fracaso de su partida y tienen que volverse al pueblo de donde salieron («Al otro lado»). El aspecto social queda entonces teñido con matices existenciales de fracaso, de frustración, de ansiedad o de esperanza: esos otros «frutos amargos» que rodean la vida de los hombres.

En 1961 publica otros dos libros de cuentos: *Arqueología* y *Caballo de pica*. *Arqueología* está formado por diez relatos de extensión similar —alrededor de quince páginas—, de los cuales sólo uno aparecía impreso por primera vez: «La vuelta al mundo». Todos los demás habían sido dados a conocer en revistas, desde el lejano año 1950[66]. Quizá por esta procedencia

---

cer» *Ateneo*, 1 de noviembre, 1954; «Pedro Sánchez entre el cielo y el mar» («Entre el cielo y el mar»), *Ateneo*, enero, 1955; «En el km. 400 comienza el amanecer» («En el km. 400»), *El Español*, 4 de febrero, 1956; «La urraca cruza la carretera», *Arriba*, 9 de diciembre, 1956; «Rol del crepúsculo» («Rol del ocaso»), *Cuadernos Hispanoamericanos*, junio, 1957; «Young Sánchez», *Arriba*, julio, 1957; «Esperando el otoño», *ABC,* 14 de julio, 1957.

[65] Aldecoa, Ignacio, *El corazón y otros frutos amargos*, Madrid, Arión, 1959.

[66] *Arqueología* apareció publicado en la editorial Rocas, Barcelona, el año 1961. Los cuentos que reúne fueron publicados anteriormente según el siguiente orden: «Los novios del ferial» («Crónica de los novios del ferial»), *La Hora*, 21 de mayo, 1950; «El libelista Benito», *La Hora*, 10 de diciembre, 1950; «Pedro Lloros y sus amigos» («Los bienaventurados»), *Correo literario*, 1 de julio, 1951; «La nostalgia de Lorenza Ríos», *Guía*, octubre, 1952; «... y aquí un poco de humo», *Correo literario*, 1 de enero, 1953; «Anthony, el inglés dicharachero» («El asesino»), *Atlántida*, enero-febrero, 1955; «El caballero de la anécdota», *Arriba*, 13 de marzo, 1955; «Aldecoa se burla», *Índice*, marzo, 1955; «Maese Zaragosí y Aldecoa, su huésped», *Alcalá*, 10 de abril, 1955.

tituló a la antología de este modo, ya que ninguno de los relatos que incluye se titula así[67]. Ese mismo origen, apremiado por las exigencias de una edición, puede explicar la variedad de los relatos que componen esta obra. En ella aparecen mezcladas preocupaciones de la clase media, que juega al parchís, habla razones inventadas y se aburre («La vuelta al mundo»), con pordioseros, cuadrillas de mendigos («Los bienaventurados») y novios que trabajan en el teatro del ferial («Crónica de los novios del ferial»).

Refleja también el mundo de los niños. Contempla la etapa crítica de la adolescencia: a Andrés ya no le divierten las historias ni los pasatiempos que le contaba hace poco, de niño, su vecina doña Ricarda («... y aquí un poco de humo»); o evoca peripecias de niño en la escuela («Aldecoa se burla»).

Un grupo amplio de estos cuentos relata la vida de extraños personajes: Anthony, nacido en Inglaterra, cometió un asesinato y trabaja ahora de barbero en un pueblo andaluz; conversa sin parar con los clientes y repite siempre los mismos pensamientos («El asesino»). «El caballero de la anécdota» atrae la atención de los camareros de un café, porque le ven desde hace año y medio y no conocen ni su nombre ni su domicilio ni su trabajo... Vive en una pensión; es poeta. Maese Zaragosí padece muy variadas dolencias y enfermedades ridículas, mientras aguanta las demoras de su huésped en el pago de la pensión («Maese Zaragosí y Aldecoa, su huésped»). Y el loco Benito, que escribe poesías para postales, se enfada al leer una noticia censurada en el periódico. Marcha a discutirla con sus amigos en la taberna y vuelve borracho. A la mañana siguiente su mujer le da de baja como suscriptor del periódico («El libelista Benito»)

Son relatos en los que predomina la burla, la risa, la caricatura, la carcajada ante situaciones y personajes ridículos. Y en el libro se entremezclan con los que testimonian miseria social, con otros evocadores de sus años de estudiante y con aquellos en los que predomina el aspecto psicológico, de insatisfacción adolescente o de nostalgia en la vejez («La nostalgia de Lorenza Ríos»).

Caballo de pica pone en prensa nueve narraciones, a las que añade otras cuatro ya publicadas anteriormente[68]. Son relatos de poca extensión —en torno a las diez páginas cada uno— y desarrollan también una amplia variedad de situaciones, de personajes, de contextos sociales. El tema amoroso, tan poco frecuente en la narrativa breve de esta generación, es el objeto central de las dos primeras narraciones. Está tratado en ambos casos desde

---

[67] En octubre de 1951 había publicado en la revista *Guía* un cuento titulado «Arqueología», que después incluyó en *Pájaros y espantapájaros*, con el título «Para los restos».

[68] Aldecoa, Ignacio, *Caballo de pica*, Madrid, Taurus, 1961. Los cuatro cuentos que ya estaban publicados en revistas son los siguientes: «La muerte de un extorero» («Caballo de pica»), *Juventud*, septiembre, 1951; «La luna en el Manzanares» («Balada del Manzanares»), *Textil*, diciembre, 1955; «Aunque no haya visto el sol», *Despacho literario*, Zaragoza, 1960; «La espada encendida», *Acento*, mayo-junio, 1960.

perspectivas originales: «Balada del Manzanares» relata el paseo del joven ferroviario Manuel con su novia Pilar. Un encuentro lírico, de enamorados que se repiten —como nuevas— las mismas frases de siempre; una riña tonta de novios —«tienen que reñir un poco, deben reñir un poco. Es el amor»—; y la pronta reconciliación ya de vuelta a casa. El segundo relata «la despedida» entre un anciano campesino, que marcha a la ciudad para operarse, y su mujer. Es la primera vez que se separan desde que están casados, y esta separación deja en los quiebros de su voz «ternura, amor, miedo y soledad».

La soledad provocada por ausencia de motivos amorosos es también el tema de «Dos corazones y una sombra»: dos hermanas solteronas, que acaban de trasladarse a la ciudad, se aburren, soportan su soltería, comparten un amante —un día cada una—, como una forma de evasión compensadora. En «La espada encendida», el viejo alcalde vigila receloso las parejas de enamorados en el parque y retarda la vuelta a su domicilio, porque «no deseaba entrar en el vacío de su casa». También el anciano Sánchez, de «Las piedras del páramo», siente la ausencia de su mujer ya muerta. La Hermana Candelas, «psíquica, adivinadora y consejera», consuela el primer desengaño amoroso de una joven. Y el viejo, ciego, ladrón, aficionado al vino, que se ganaba la vida vendiendo lotería y tocando la guitarra, es feliz, casado con Teresa, aunque ésta sea una perdida y le desprecie. Por eso llora su muerte, porque se queda solo, y «la soledad nunca compensa» («Aunque no haya visto el sol»).

Las vicisitudes, los esfuerzos económicos de la clase media, aparecen también tratados en este libro: Antonio Guerra cumple cuarenta y dos años y para celebrarlo invita a los vecinos y a algunos compañeros de trabajo. Después de todo, «el porvenir no es tan negro».

Algunos relatos manifiestan una clara actitud de denuncia social: llama la atención sobre el abandono en el que se encuentran ciertas tierras de la Península, donde los trabajos son necesariamente asalariados y los hombres se crían incultos, analfabetos. Regiones olvidadas como «tierra de nadie». En contraste, «La piel del verano» muestra cómo otros se aburren perezosos y malgastan sus últimos dineros en tabernas de la costa. En «Fuera de juego» la comida del domingo reúne a toda la familia —hombres de negocios de la clase media. El hijo menor, Pablo, se retrasa porque ha estado con su novia. Los comentarios irónicos del principio desembocan en un serio enfado, porque éste discrepa de la conciencia de clase cerrada que mantienen los demás. Es el único que está «fuera de juego».

La guerra civil es evocada desde su perspectiva de niño que asiste mientras tanto al colegio y vive a la vez confusas noticias de muerte, de odio, de desastres («Patio de armas»). En «Las piedras del páramo», el anciano Sánchez gasta los días sentado en el poyo de la puerta. La soledad, añoranzas del pasado y el pensamiento inevitable de la muerte le asaltan. Una mañana de domingo suenan disparos; poco después se llevan en un camión gente del pueblo a la ciudad. La guerra civil ha comenzado.

El cuento final, que titula el libro, narra cómo Juan Rodrigo y Pepe el Trepa, extorero, van a divertir a una cuadrilla en una juerga nocturna. Hay cantes, hay risas, hay pelea, hay vino; y cuando la noche está ya alta y la borrachera es general, una broma pesada acaba con la vida de Pepe el Trepa.

Estos cuentos forman en conjunto un mosaico variado de la vida española del momento, en sus más diversos estratos sociales: los bajos fondos, los asalariados, la clase media, los hombres de negocios. Pero en casi todos ellos late de trasfondo un mismo sentimiento: el amor. El amor como realidad o como ausencia, como motivo que ha de enfrentarse a prejuicios sociales o como contrapunto de soledad. La búsqueda en definitiva de un motivo que estimule la conducta, para no ahogar la vida en vino, o en una tragedia grotesca, como la que sufren los «caballos de pica».

Neutral Corner apareció editado en 1962[69]. No es un libro de cuentos en sentido tradicional. Se compone de textos breves, independientes entre sí, sobre el mundo del boxeo. Está ilustrado con expresivas fotos de Ramón Masats. Tiene catorce capítulos cortos —por correspondencia con los catorce asaltos de un combate—, que forman retazos de la vida dura del boxeador, instantáneas rápidas y sugerentes, plenas de realismo: en las situaciones, en los diálogos. Cada capítulo se inicia tras el título con una cita de un libro, que anuncia en síntesis el tema de lo que en él se va a relatar[70].

La condensación es la característica más destacada de estos relatos; el arte de sugerir la principal técnica. Se trata de presentar una situación o un carácter, un momento de una vida; y más allá dejar abierta a la imaginación el completar los rasgos humanos o históricos.

Es también el reflejo literario de uno de los oficios olvidados por la literatura. Un oficio pobre, a veces miserable, objeto de la épica de Aldecoa: la épica de los oficios.

De trasfondo, aquella misma filosofía que Aldecoa derrama en todos sus libros:

> En los barcos y en el gimnasio se iba aprendiendo a vivir: fuerza, velocidad, pegada... Un poco más lejos el dinero... y entretanto de saco a saco como única esperanza (cap. 1).

Cuando relata en el capítulo 13 el entierro de un boxeador, escribe:

---

[69] Aldecoa, Ignacio, *Neutral corner,* Barcelona, Lumen, 1962.

[70] Dan prueba estas citas de las múltiples lecturas de Aldecoa y sobre todo de su tarea de documentación acerca de los temas de los que escribe: primero vive personalmente el mundo que intenta dibujar, se empapa de él, conoce los tipos que lo pueblan, comprende y comparte sus esperanzas y sus desilusiones. Por sus lecturas sabe la visión que de él han tenido otros autores; y, finalmente, él mismo escribe su propia épica. Una conducta semejante manifestó ante el mundo de los toreros o los hombres del mar. En *Neutral corner,* aparecen citas de autores tan heterogéneos como Vadillo, Simónides, Antonio Machado, Hiponacte, Lucilius, el Eclesiastés, Henri Decoin y Píndaro.

Abrieron el ataúd antes de meterlo en el nicho. Las monjas del hospital no habían logrado cruzar piadosamente las manos del excampeón, que conservaba la guardia cambiada con el brazo derecho caído según su estilo. Eso le quedaba. Todo lo demás fue miseria hasta su muerte, y la Federación pagó el entierro.

«La palabra y la imagen se completan y se compenetran —escribe Erna Brandenberger— presentando al lector y al observador un hombre que se enfrenta al miedo, al hastío y al dolor en su lucha por el triunfo profesional, el reconocimiento y la subsistencia»[71].

El tono sugerente, condensado y poético se refuerza con una cuidada configuración estilística. Muchas frases están construidas sobre metáforas, símbolos y recursos de estilo que acercan esta obra a la prosa poética:

> Las sombras de los boxeadores son sombras de callejón sin salida, de cuento infantil que da miedo, de desván con objetos viejos y amputados a los que guardan en duermevela, de parque solitario al atardecer; grotescas sombras devoradoras de pájaros (cap. 4).

En 1963, Aldecoa entrega a la editorial Bullón de Madrid once cuentos, que se publican bajo el título *Pájaros y espantapájaros*. «La chica de la glorieta», «Los pozos» y «Al margen» aparecen impresos ahora por primera vez. Todos los demás habían sido escritos muchos años antes y fueron apareciendo sucesivamente en revistas. Son de los primeros relatos que publicó Aldecoa, entre los años 1950 y 1952[72].

El título es muy significativo, porque llama la atención sobre los protagonistas, anticipando ya simbólicamente caracteres de deshumanización. Y éste es el rasgo unificador de los relatos: todos los personajes pueden encuadrarse en estos dos grupos: o se esfuerzan con astucia para vivir, obligados por la sociedad a «ser unos pájaros», o por el contrario se dejan arrastrar por las circunstancias, insatisfechos, pero incapaces de dominar la situación como personas, figurando en ella nada más que como «espantapájaros».

«La chica de la glorieta» es un flash de ambiente nocturno en el que una esquinera toma una copa en el bar, charla con la cerillera y se va después con unos clientes.

Chato la Nava, el torero de «Los pozos», maldice su trabajo y siente pánico antes de salir del burladero. Ruth y Miguel se aburren desasosegados,

---

[71] Brandenberger, Erna, *op. cit.*, pág. 66.
[72] «Un artista llamado Faisán», *La Hora*, marzo, 1950; «El figón de la Damiana», *La Hora*, septiembre, 1950; «Las cuatro baladas extrañas» («Pájaros y espantapájaros»), *Correo literario*, 1 de diciembre, 1950; «Los bisoñés de don Ramón Martínez, secretario» («Los bisoñés de don Ramón»), *Juventud*, 7 de junio, 1951; «Arqueología» («Para los restos»), *Guía*, octubre, 1951; «El diablo en el cuerpo», *Guía*, marzo, 1952; «Ciudad de tarde» («Camino del limbo»), *Correo literario*, 15 de mayo, 1952; «Lluvia de domingo», *Baladí*, 28 de febrero, 1957.

mientras hablan aguantando el sol del verano («Al margen»). Miguel se estanca insulsamente en una oficina, insatisfecho («Camino del limbo»). Don Francisco José, anciano profesor de instituto, se desazona ya ante todo, esperando que pronto le lleve la muerte. Ramón, «secretario de no se sabe qué en un Ministerio», llena su vacío en las fiestas de sociedad, «echando de vez en cuando una canita al aire» («Los bisoñés de don Ramón»)... Y así son todos los protagonistas: insatisfechos, solitarios, encerrados en un mundo de ensueño, de hastío o de miseria: en el figón de la Damiana viven a pupilo dos exsoldados que se gastan en diarias borracheras; el tonto del pueblo, «Faisán», solitario limpiabotas, acaba muerto tísico; los cuatro personajes andarines, juglares trashumantes, coinciden en la venta —aislado cada uno en su nostalgia y su misterio—, hasta que se despiden al atardecer («Pájaros y espantapájaros»). E incluso el muchacho adolescente, que intenta estudiar una tarde de domingo, sufre también una constante, inexplicable desazón («Lluvia de domingo»).

Los pájaros de Baden-Baden es el último libro de relatos de Ignacio Aldecoa[73]. Está compuesto por cuatro narraciones extensas y manifiesta una clara unidad en cuanto a los personajes protagonistas y las situaciones que viven.

En el café, día tras día, mientras don Raimundo juega su partida, deja a su novia Encarna en una mesa: se aburre, es contemplada por los hombres y al final acaba yéndose un día con uno de ellos («Un buitre ha hecho su nido en el café»). Tres ancianas tienen como única ocupación ociosa investigar sobre la vida de los ciudadanos. Todo el relato se construye con las murmuraciones de estas tres mujeres, añadiendo dos historias argumentales: el amor de Isabelita y Cayetano y el asesinato de la mujer de Juan Alegre («El silbo de la lechuza»). En una isla del Mediterráneo, jóvenes «hypies» y «play-boys» despreocupados, viven una insulsa existencia de ron y borracheras, de mujeres, de droga, de peleas («Ave del Paraíso»). Durante el verano, en Madrid, Elisa trabaja sobre un libro y distrae su vacío con el médico Pedro, con Ricardo, con el fotógrafo Pablo («Los pájaros de Baden-Baden»).

Todos los personajes de estos relatos pertenecen a estratos sociales acomodados, de rango medio o de rango burgués. Todos ellos, sin embargo, tienen que distraer su aburrimiento, rodeados de vacío, enfermos de abulia. Es indiferente su edad: mujeres solteronas, ancianas casamenteras o jóvenes liberados.

Pero además, los tres primeros —«Los pájaros de Baden-Baden» sería la excepción— manifiestan idénticas formas de estructurar el relato, similares procedimientos de composición: en los tres es elemento básico la deformación de los personajes, la ruptura deformante de la realidad, la pintura de figuras grotescas. Y para ello utiliza la ironía, ridículas comparaciones,

---

[73] Aldecoa, Ignacio, *Los pájaros de Baden-Baden,* Madrid, Cid, 1965.

desacompasadas alegorías. Este carácter esperpéntico ha llevado a algunos críticos a calificar *Los pájaros de Baden-Baden* «quizá como una nueva tentativa de seguir por un nuevo camino literario»[74]. Sin embargo, esa actitud deformadora y la propensión a fijarse en lo ridículo y grotesco estaba ya en algunas primitivas narraciones. En el «Cuento del hombre que nació para actor» (1949), en «El figón de la Damiana» (1950) o «El libelista Benito» (1950), «Los vecinos del callejón de Andín» (1951), «Caballo de pica» (1951) o «El asesino» (1955) encontramos ya claros rasgos que recuerdan los crudos esperpentos de Valle Inclán. De ahí que no se trate de un cambio, de «un nuevo camino literario», sino de la insistencia en elementos que ya aparecían desde las primeras narraciones[75].

En este recorrido a través de los relatos publicados por Aldecoa, se observa claramente su procedimiento editorial: casi todos los cuentos aparecieron por primera vez en revistas o periódicos diversos. Después, progresivamente, Aldecoa recopiló esos relatos para editar antologías, en las que no seguía el orden cronológico de aparición de esas narraciones. Cada antología recoge intercalados cuentos de diversas etapas, que coinciden en preocupaciones temáticas similares: de carácter existencial o como testimonio social, la muerte, el amor o los oficios, la incapacidad humana... Y todos los que se incluyen en un mismo volumen no forman necesariamente un bloque compacto y unitario en cuanto a sus formas narrativas, o en lo que se refiere a su trasfondo social o humano. Aunque, efectivamente, Aldecoa procuró realizar cada una de estas selecciones teniendo un criterio común al elegir los cuentos que formaban cada libro, de modo que se agrupasen relatos que muestren aspectos temáticos semejantes.

Su tarea novelística está guiada por «el convencimiento de que hay una realidad española, cruda y tierna a la vez, que está casi inédita en nuestra novela»[76]. Y con este convencimiento afronta la tarea sistemática de ir mostrando esta realidad mediante diversas trilogías, que reflejen el mundo de los gitanos y los guardias civiles, los hombres de mar y los mineros: toda la épica de los oficios en la sociedad. Esa preocupación del escritor habrá de reflejarse también en los relatos cortos; pero ya no es fruto de una consciente programación sistemática de estos temas, sino de la observación inmediata de esas realidades. Así van surgiendo los cuentos que Aldecoa publica por primera vez en la prensa periódica, aislados. Después él mismo realiza una labor selectiva para agrupar en libros sucesivos los que manifiestan aspectos temáticos comunes. Esto supone una evidente ventaja para el crítico, porque estimula al descubrirmiento de esos caracteres comunes

---

[74] Cfr. Marra-Lopéz, José Ramón, «Lirismo y esperpento en la obra de I. Aldecoa», *Ínsula,* Madrid, septiembre, 1965, pág. 5; Suárez Granda, José Luis, «Ignacio Aldecoa: de la misericordia al esperpento», en *Estudios ofrecidos a Emilio Alarcos Llorach,* 3, Univ. de Oviedo, 1978.

[75] En el capítulo VII se estudian con más detalle los rasgos deformadores y grotescos en el sentido de la prosa esperpéntica de Valle Inclán. Cfr. págs. 257-266.

[76] Vázquez Zamora, R., «Ignacio Aldecoa programa para largo», *Destino,* 3 de diciembre, 1955.

que le llevaron al escritor a agrupar unos cuentos con otros. Pero a la vez puede ser motivo que desoriente el estudio de la evolución ideológica y técnica de Aldecoa. Porque el orden cronológico de edición de los libros de cuentos no refleja el orden real de su aparición en imprenta[77] —aun aceptando que la primera publicación coincida con el orden de creación de los relatos.

En 1970, Salvat editó una antología de sus cuentos[78], en la que se incluyen con carácter póstumo dos nuevos relatos: «Un corazón humilde y fatigado», en el que Toni, enfermo del corazón, reposa su convalecencia en el almacén de su padre; y «La noche de los grandes peces», que relata una noche de pesca de bajura en la que tres jóvenes veraneantes acompañan a los marineros para distraer su ocio y sacar fotografías de esta nueva experiencia[79].

Los *Cuentos completos*, de la editorial Alianza[80], aportan dos relatos inéditos: «Party» y «Amadís». El primero, escribe Alicia Bleiberg, está relacionado con la novela que tenía por título inicial *Años de crisálida*. De esta obra había hablado Aldecoa ya como proyecto desde el lejano 1959.

> Lo que más me atrae es escribir la novela de mi generación intermedia, que tengo también entre manos[81].

En 1968 parece que estaba a punto de terminarla:

> Estoy escribiendo una novela cuyo título provisional es *Años de crisálida*. Creo que estará lista para su publicación a finales de este año[82].

El proyecto era mucho más ambicioso que «Party». Ese mismo año explicaba Aldecoa:

> Pretendo que sea una recapacitación del tiempo, que ahora es simple «pasado». Un tiempo que abarca desde la niñez —en la guerra— de los protagonistas, hasta nuestros días, hasta estas fechas[83].

Y en una entrevista del *Diario SP* afirmó que *Años de crisálida* era

---

[77] Esta puede haber sido la causa de algunos juicios poco fundamentados en algunos estudios, acerca de la evolución en el arte de narrar de Aldecoa.

[78] Aldecoa, Ignacio, *La tierra de nadie y otros relatos*, Madrid, Salvat, 1970, prólogo de Ana María Matute.

[79] Escrito en 1965, este relato apareció en realidad publicado por primera vez en el diario *La Nación* de Buenos Aires el año 1969.

[80] Aldecoa, Ignacio, *Cuentos completos*, Madrid, Alianza Editorial, 1973, recopilación y notas de Alicia Bleiberg.

[81] Sastre, L., «La vuelta de Ignacio Aldecoa», *La Estafeta Literaria*, 15 de mayo, 1959.

[82] «Entrevista con Ignacio Aldecoa», *Nueva Rioja*, Logroño, 30 de junio, 1968.

el problema de una generación nacida y educada en tales circunstancias que, cuando pasen sus años de crisálida, se transformará en nada. La llamo a esta generación «capullan», una especie de generación entre paréntesis, a la que pertenecemos muchos[84].

En «Party», mientras su mujer está en una fiesta de sociedad, el protagonista bebe y forja en la imaginación escenas de celos, de hombre engañado, discusiones con su mujer. Cuando ella vuelve, apenas las primeras palabras sugieren que no va a producirse ninguno de aquellos diálogos antes imaginados.

«Amadís» es un relato extenso escrito en 1968, en el que un hombre, Amadís, vive con una joven, Genoveva, en un chalet de una isla. Un amigo le roba a Genoveva y días más tarde lo atropella con su propio coche.

La repetición de temas, la insistencia en aspectos existenciales y sociales ya anteriormente desarrollados, es también evidente en estos últimos relatos. Quizá con una tendencia cada vez mayor a buscar como protagonistas a las gentes acomodadas: sus caprichos, su vacío, su abulia o su sinrazón[85].

Posteriormente se han publicado otras antologías de sus cuentos[86], que ya nada nuevo aportan, porque simplemente recogen obras editadas anteriormente. La producción literaria de Ignacio Aldecoa se cerró pronto, porque la muerte temprana puso fin a su espera.

4. Otros textos

Cuaderno de godo es un libro de viajes editado en 1961[87]. Aldecoa justificaba así el título y el modo austero de escribirlo:

> El forastero en las islas recibe tres bautismos. Es el primero de Godo, o visitador. Es el segundo el de Visigodo, o huésped de largo tiempo. Y el tercero es el de Peninsular, o establecido. (...)

[83] Fernández Braso, M., art. cit., pág. 41.
[84] «Entrevista con Ignacio Aldecoa», *Diario SP,* 5 de junio, 1968. Todavía en septiembre de 1969, dos meses antes de morir, Ignacio Aldecoa planeaba documentarse para escribir esta novela. Fue la última vez que estuvo en Vitoria. Según el testimonio de su amigo Elías Aguirrezábal, quedó con él para consultar en el próximo viaje su biblioteca sobre libros de la guerra civil, que era el ambiente en el que crecieron los hombres de su generación.
[85] Son años en los que abundaron las que Sobejano califica como «novelas contra la burguesía». Cfr. Sobejano, Gonzalo, *Novela española de nuestro tiempo. En busca del pueblo perdido,* 2.ª ed., Madrid, Prensa Española, 1970.
[86] Aldecoa, Ignacio, *Santa Olaja de acero y otras historias,* Madrid, Alianza Editorial, 1968; *Cuentos,* Madrid, Magisterio Español,1976; *Cuentos,* Madrid, Cátedra, 1977. Antologías de cuentos de diversos autores han recogido también algunos de Ignacio Aldecoa. Véase la nota bibliográfica de Goicoechea, M.ª Jesús, «Bibliografía crítica de Ignacio Aldecoa», *Boletín Sancho el Sabio,* tomo XVII, Vitoria, 1973, pág. 339.
[87] Aldecoa, Ignacio, *Cuaderno de godo,* Madrid, Arión, 1961. Es una recopilación de los artículos publicados como corresponsal del diario *Arriba* en Canarias, desde el 23 de enero al 22 de febrero de 1957.

Un *godo* no se puede permitir el ambiguo lujo de teorizar, ni debe quererse explicar lo que sólo se explica, ni admitirá tentación de más geografía que aquella de primera vista (pág. 13).

Formado por trece secuencias muy breves —alguna no llena una página—, está escrito en tercera persona, refiriéndose a sí mismo como el *godo* o el viajero. Son impresiones del viaje, descripción de ambientes y lugares, regodeándose en el vocabulario peculiar de las islas y en las sensaciones recibidas.

Este cuaderno de *godo* no es otra cosa que unas notas someras de un dejarse vivir por las siete islas siluetadas en los atlas escolares, por los seis islotes, que solamente son puntos acompañantes de las siluetas, y por la isla que yace flotando entre el cielo y el mar, mágica y medúsea (pág. 13).

El estilo es sintácticamente sobrio: parataxis, a veces estilo nominal o elipsis de elementos gramaticales:

En Santa Cruz el sol madruga, y el chicharrero también. En Santa Cruz se come pronto. El aperitivo largo es flor de la Corte. En Santa Cruz se cena temprano. En una ciudad cara a la mar se cumple casi como en la mar. Horas de barco para todo (pág. 26).

Paralelismos, repeticiones, vivificación de elementos de la naturaleza hacen una prosa lírica en la descripción de impresiones volanderas: «impreciso en lo grande; pero exacto en lo chico» (pág. 13).

El País Vasco apareció en 1962, editado por Noguer en la colección «Andar y ver. Guías de España». Se compone de 60 páginas de texto y una colección final de fotografías, que hablan sobre la historia, el paisaje, las carreteras, peculiaridades de cada una de las provincias vascas —Álava, Guipúzcoa, Vizcaya— y un recorrido por los itinerarios más importantes de la geografía del País, sus monumentos y fiestas, folklore, vinos y cocina. Aunque escribe Aldecoa:

Somos partidarios del vagabundeo, de ir a donde le lleven a uno los pies, de no fijar itinerarios, porque todos los itinerarios están fijados de rutina. Preferimos las rutas, las personales rutas, aunque se acompañen de equivocaciones y de vueltas sobre los propios pasos, que abre a su arbitrio quien echa a andar sin más brújula que la curiosidad por todo. (...)

Aún mejor que ir de visita de monumentos es pasear por Vitoria sin rumbo, al encuentro de lo que saliere[88].

Esta fue su actitud de siempre: viajero caminante, guiado sólo por su independencia.

Este, como otros libros similares de la época, responden a la tendencia realista del momento, al reportaje, al libro de viajes; pero sobre todo al im-

---

[88] Aldecoa, Ignacio, *El País Vasco*, Barcelona, Noguer, 1962, págs. 15 y 24.

pulso del turismo, acompañado de una labor editorial de guías para el viajero. La claridad descriptiva es lo que importa; y junto a esto, el tono directo en la conversación con el visitante: el hablar de guía. Aldecoa añade su propia emoción:

> Lo mío no es un juicio, una opinión cuando habla de esta tierra, sino una emoción. Una emoción compuesta de sombras que reconozco, de lluvias cuya melodía está desde siempre en mi memoria, de perfiles de sierra que he visto soleados, brumosos, nevados, coloreados de los crepúsculos, con toda la mitología de los cuentos de la infancia danzando sobre ellos. Y además el mar y sus historias[89].

Ignacio Aldecoa publicó también en periódicos y revistas de un modo regular. En este sentido, son abundantes los artículos, ensayos, comentarios y reseñas escritas por Aldecoa. Robin Fiddian[90] señala los trabajos de la revista *Guía*, durante el año 1952, y en los periódicos *El Adelantado* de Salamanca, *Diario de Burgos*, *El Diario Palentino* y *Las Provincias* de Valencia, durante el año 1955, en que distribuía sus artículos a través de una agencia de prensa. El año 57 fue corresponsal del diario *Arriba* en Canarias. De esta tarea surgió después *Cuaderno de godo*. Y trabajó también para las revistas *Clavileño, Cuadernos Hispanoamericanos, Índice, Revista Española*[91].

En diciembre de 1961 apareció publicado *Un mar de historias*[91]. En este texto considera la presencia del mar en la literatura. Realiza una tarea de erudición y recopilación de datos y una tarea selectiva para señalar los mejores novelistas del mar: Cooper, Melville y Hemingway, Conrad y Jorge Amado, Rossi y Roger Vercel, Pío Baroja. Su conclusión:

> El hecho es que España no ha producido una literatura de mar, y que las muy escasas muestras que tenemos son evidentemente incomparables a los grandes libros de mar de la historia de la Literatura Universal.

En este texto deja constancia de uno de los motivos por los que se sentía atraído por las novelas de mar:

> Los grandes libros de mar no eran sólo novelas de aventuras; eran la presencia del hombre midiéndose con el obstáculo. Eran la permanente lucha del hombre contra el medio. Del hombre declarándose capitán del mundo; del hombre que ni para ni ceja, en toda la brevedad de su existencia, en la lucha de ser elegido contra la hostilidad del medio[92].

---

[89] *Ibíd.*, pág. 6. Además de estos dos libros, Aldecoa publicó también «Alava, provincia en cuarto menguante», *Clavileño*, enero-febrero, 1953, págs. 66-69 y «Viaje a Filabres», *Clavileño*, mayo-junio, 1954, págs. 63-68.

[90] Fiddian, Robin, *Ignacio Aldecoa*, Boston, Twayne Publishers, 1979, págs. 22 y ss. Véase la relación de artículos en las págs. 168-170.

[91] Aldecoa, Ignacio, *Un mar de historias*, Madrid, Oficema, 1961.

[92] *Ibíd.*, pág. 12.

Finalmente hay que señalar sus colaboraciones en el mundo del cine:

—¿De cine has hecho algo?
—Sí. Un guión con Carlos Serrano de Osma y Agustín Navarro. *Fuego dormido* se llama.
—¿Pero tuyo...?
—El guión de *Con el viento solano,* cuya película creo que hará Paco Rabal[93].

Fue Mario Camús quien llevó a cabo el guión de cine de esta novela de Aldecoa; años antes había adaptado también para el cine el relato «Young Sánchez»[94]. Para la televisión se rodaron «El silbo de la lechuza», en febrero del 68, y «Fuera de juego», en noviembre del 69. Además, en colaboración con Josefina Rodríguez, escribió el guión cinematográfico titulado *Cuatro esquinas.* «Narra la historia de cuatro hombres de la calle. En primavera, la de una florista; en verano, la de un torero sin trabajo; en otoño, la de una vendedora de periódicos con quiosco propio; y en invierno, la de un fotógrafo ambulante y negro»[95]. «Son historias sencillas, divertidas y tiernas»[96].

[93] Linares-Rivas, Álvaro, «Ignacio Aldecoa», *Crítica,* 4 de enero, 1958.
[94] Ambos guiones se encuentran, en folios a multicopista, en la Biblioteca Nacional de Madrid.
[95] «Entrevista con Ignacio aldecoa», *Ateneo,* 1 de noviembre, 1954. La última historia corresponde exactamente al cuento «El tercer mago», *Guía,* enero, 1953, que se publicó en 1959 en *El corazón y otros frutos amargos,* con el título «Un cuento de Reyes».
[96] Aldecoa, Ignacio, y Rodríguez, Josefina, *Cuatro esquinas,* ejemplar a multicopista que se encuentra en la Biblioteca Nacional de Madrid. Editado por el Sindicato Español Universitario, 1 de enero, 1954, pág. 1.

CAPÍTULO III

Los temas de los cuentos

Centrándome específicamente en los cuentos, objetivo fundamental de este trabajo, estudiaré a partir de ahora los diversos aspectos que los componen; desde los temas principales, los personajes que los protagonizan, los modos de estructurar la narración o las técnicas empleadas más importantes.

En cuanto a los temas, hay dos vertientes claves en los relatos de Aldecoa: la existencial y la social. En torno a estos dos núcleos se desenvuelven las preocupaciones temáticas de los cuentos. Por eso, también en torno a estos dos núcleos se desarrollará el estudio temático. Previamente, sin embargo, es preciso constatar la aparición o no de uno de los motivos inspiradores más importantes de la literatura española de posguerra: precisamente el tema de la guerra, al que Aldecoa también prestará atención en alguno de los cuentos.

1. LA GUERRA

«Nosotros, los que fuimos niños en la guerra, no podremos escapar nunca a la experiencia de aquella España»[1]. Josefina Rodríguez destacaba con esta afirmación lo que supuso para la generación a la que pertenece Ignacio Aldecoa la experiencia dramática de la guerra civil. Niños asombrados, como les denominó Ana María Matute, se vieron envueltos en un confuso panorama de odios, de muertes, de sangre y de temor. Un panorama dolorido que dejó en todos ellos huellas de tragedia, cuando apenas acababan de iniciar la vida. Después, cuando más tarde desarrollen su tarea de escritores, el tema del conflicto estará presente en muchas de sus obras. Como un recuerdo penoso imposible de borrar. Como una experiencia dramática. Como una obsesión. Como una pesadilla.

En la primera novela publicada por Ignacio Aldecoa, *El fulgor y la sangre,* el recuerdo de la guerra es uno de los elementos básicos en la recons-

---

[1] Rodríguez, Josefina, en el prólogo a los cuentos de Ignacio Aldecoa, publicados en la editorial Cátedra, Madrid, 1977, pág. 29.

trucción del pasado de los personajes. La vida de las mujeres que esperan en la casa cuartel la llegada del guardia civil muerto fue desviada por la contienda civil. En el recuerdo de lo que fueron, para entender lo que ahora son, la guerra civil es un dato clave que no se puede olvidar.

Sin embargo, en los cuentos la aparición del tema de la guerra es mucho más escasa. En los casi 80 cuentos de Ignacio Aldecoa que se conservan publicados, apenas aparece como tema principal en un par de ellos; y después, en algún otro, mediante referencias secundarias. Es como si todas las escenas y todas las impresiones del conflicto sufridas por Aldecoa hubieran quedado ya agotadas en las páginas de su primera novela.

Cuando estalló en 1936 la guerra civil, Aldecoa tenía doce años. Él siguió yendo al colegio, pero se alzaba, como un telón de fondo, el escenario de la contienda: los bombardeos, la ofensiva, los trajes militares, el ruido de las explosiones y el pavor de las gentes. En «Patio de armas» recrea este ambiente de aquellos años fatales. En las cinco escenas que forman el relato está presente el fantasma de la guerra, como una amenaza, como una inquietud que trae la muerte, la cárcel, la orfandad. Todo ello desde la conciencia de niño, en la que se entremezclan los juegos, los castigos escolares y la muerte:

—¿A quién han matado? ¿A quién has dicho que han matado, papá?[2]

Han matado al padre de Miguel Vázquez en el frente, al padre de uno de sus compañeros de colegio. Otros padres comentan con temor las noticias que les llegan, o mueren sin libertad, en la cárcel:

—Isasmendi ha faltado ya dos días —dijo Ugalde— ¿Estará enfermo?
—No; dice mi padre que a su padre le han trasladado de cárcel.
—¿Y eso es malo?
—Dice mi padre que sí (pág. 294).

Poco después Isasmendi vestirá de luto.

En «Las piedras del páramo» se vive el desconcieto con el que se inicia la guerra civil; un principio dudoso, mezcla de pesadilla, de terror, de inseguridad y de miedo. Esa inseguridad de lo imprevisible y el temor de la guerra se destacan aún más al centrarse en el desconcierto que produce su inicio en el protagonista anciano. La guerra queda como una amenaza, como un desastre repentino que acecha en las acciones borrosas de los primeros momentos:

    [2] Aldecoa, Ignacio, *Cuentos completos 2,* Madrid, Alianza Editorial, 1971, pág. 288. Todas las citas textuales de los cuentos de Aldecoa se referirán a esta edición, a no ser que expresamente se diga lo contrario.

Los niños volvieron a llorar. Lejanos, aventados por el viento del páramo sonaban los disparos[3].

Aunque no de un modo explícito, y sin que aparezca como un tema importante, la guerra está también presente en el cuento que titula «El mercado». La acción se sitúa en los tiempos de la posguerra, con sus dificultades económicas, con su miseria, con los traperos y hombres de la basura recorriendo las calles al amanecer. La guerra dejó en la vida de estos hombres huellas imborrables de esfuerzo y desazón:

> Don Matías, según el tabernero de abajo de su casa, no estaba ya para muchas: había sufrido mucho con la guerra[4].

Y Remedios, el vago, chulo y desafiante Remedios, sufre aún en la cárcel las consecuencias de la guerra:

> —Si él en la guerra era algo, pues tenía que responder. Y si luego, por eso del espíritu revolucionario, se metió en el tinglado, ¿qué? ¿O usted cree que le iban a soltar, como a cualquier pelagatos, a los seis meses? (pág. 182).

Pero las referencias a este tema en el cuento se agotan ahí, sin que trasciendan más allá, sin que aparezca ningún otro comentario.

Por último, el tema de la guerra civil aparece tratado de un modo confuso en «Un corazón humilde y fatigado»: Un hombre le visita a don Alfredo para que certifique la muerte de su hijo:

> —Usted lo vio. No le pido más que eso. Lo demás ya no importa. Quién lo hizo, no importa[5].

Él lo rechaza:

> —Váyase, váyase con sus malditos asuntos de la guerra...

La guerra no es, por tanto, un tema básico en los cuentos de Ignacio Aldecoa, aunque está presente en alguno de ellos como un trasfondo dramático, triste experiencia de los personajes, con su retahíla de confusiones y de miedos. Como una sombra, como un fantasma «cargado de lutos antiguos», «como un horizonte de tiempo donde estaban sucesos y aullidos que no formaban parte de su vida, y ahora regresaban, siniestros y en bandada» (pág. 386).

---

[3] «Las piedras del páramo», *Cuentos completos 1*, cit., pág. 406.
[4] «El mercado», *Cuentos completos 2*, cit., pág. 185.
[5] «Un corazón humilde y fatigado», *Cuentos completos 1*, cit., pág. 385.

2. LOS TEMAS EXISTENCIALES

2.1. *La soledad*

La filosofía existencial destaca, especialmente, al hombre como un ser radicalmente solo. Aunque esté rodeado de muchos, la tarea vital que ha de llevar a cabo es una tarea propia, que a nadie puede transferir. Y tantas veces, en esa empresa, se hace imposible la comunicación con los otros; la transmisión completa de sentimientos, afectos, emociones, preocupaciones e ideas es imposible. La aventura de la vida es una aventura que el hombre ha de vivir en soledad.

Nietzsche y Kierkegaard fueron los precursores de estas preocupaciones contemporáneas. Ellos mismos hicieron de su vida una soledad:

> Una terrible soledad fue común a ambos. Kierkegaard sabía que no podía tener amigos. Nietzsche sufrió su soledad a plena conciencia, hasta el límite de que no pudo soportarla más[6].

En estos filósofos la soledad mantenía aún un cierto tono romántico a veces, como una huida, como un refugio en el aislamiento voluntario. Pero el pensamiento existencialista más cercano a nosotros insistirá sobre todo en la tragedia de la soledad que produce vértigo, en la desazón del vacío sin los otros. Por eso el hombre huye de ella buscando el amparo en la compañía de los demás. Esta es la actitud de casi todos los personajes de Aldecoa. La soledad en los cuentos no está teñida de romanticismo poético sino de drama; y no es exclusiva de una determinada edad, aunque destaque especialmente la soledad de los ancianos. La soledad es una tragedia de todos, una dramática consecuencia de la individualidad consciente del hombre.

Aunque las causas que pueden desatarla son de muy diversa índole, en todas ellas se revela la radical soledad humana. Unas veces esa situación está motivada por la edad: la adolescencia es una etapa proclive a soledades y aislamientos («Lluvia de domingo»), pero especialmente la vejez. El anciano Sánchez de «Las piedras del páramo» deja pasar el tiempo, sentado solo en el poyo de la puerta de su casa. Vive de recuerdos y escucha la vida del pueblo como un rumor. Su soledad es aislamiento voluntario y espera en soledad de la muerte:

> No contaban con él; lo sabía. Deseaba que no contaran con él. No debía ser interrumpida su calma lagunar. Quería ser dejado solo hasta su evaporación total, hasta que él se sumase con su última onda de vida al rumor absoluto[7].

---

[6] Cfr. Roberts, Gemma, *Temas existenciales en la novela española de posguerra*, Madrid, 2.ª ed., 1975, pág. 117.

[7] «Las piedras del páramo», *Cuentos completos 1*, cit., pág. 399.

Solo, deja trancurrir las horas mirando lejos, sin mirar a nada; solo, sube y baja las escaleras apoyándose con dificultad y tropezando en los bordillos; solo, recuerda en la cama la presencia compartida de hace años:

> Cerró los ojos y extendió su brazo izquierdo. Pensó que si presionara con la mano a lo largo de la cama, tal vez haría el otro sitio. Hacerlo sería fabricar un recuerdo. Recordar cuarenta años de un cuerpo durmiendo a su lado, viviendo a su lado, dándole hijos, en una huella que solamente él podía reconocer. María había estado allí y allí quedaban su eco y su rumor. Pero era inútil recordar: María hacía muchos años que tenía su sitio en la tierra húmeda (pág. 401).

Todo se le hace un pensamiento de la muerte. Porque su soledad está centrada en la espera, en una espera aburrida de la muerte:

> Su alcoba olía a humedad. Por la mañana la había enjalbegado uno de los hijos. El mundo olía a humedad. Pensó que era el olor de la tierra del cementerio; la única tierra húmeda en el trozo de páramo que le había tocado vivir; la única tierra que se pegaba a las botas como queriendo retener a los acompañantes de los entierros y a los que iban en visita de aniversario (pág. 401).

La mayoría de las veces la soledad es consecuencia de una separación que no se desea, de la marcha a contrapelo de los seres más queridos. En «La despedida», los dos ancianos campesinos se separan por primera vez; en la estación queda su soledad: soledad del hombre distraída por la conversación «solidaria y amiga» con los compañeros del tren; soledad de la mujer, que queda sola junto a la vía, despidiendo al tren, despidiendo a su marido que va a la ciudad a operarse: «La primera vez, la primera vez que María y yo nos separamos»[8]. La imagen de la despedida toma un alcance simbólico, porque es el momento de la separación, momento clave que da título al relato. En ese momento se entremezclan «ternura, amor, miedo y soledad» (pág. 417).

La mayor separación es el desgarro de la muerte. Como una ruptura irreversible, crea abismos entre los hombres imposibles de salvar. Los personajes de Aldecoa que han sido azotados por esta desgracia, y han quedado solos, se hunden en la tristeza o huyen como pueden de esa soledad. Cualquier compañía es entonces buena: un perro, una mujer borracha o el agobio anestesiante del trabajo.

«Muy de mañana» presenta a un anciano vendedor de melones. De él sólo se sabe en la vecindad el nombre: se llama Roque; su perro «Cartucho», un perro sin raza, desmedrado, hambriento. «Roque y "Cartucho" no son como amo y perro, son casi como hermanos»[9]. Desayunan el mismo

---

[8] «La despedida», *Ibíd.*, pág. 418.
[9] «Muy de mañana», *Ibíd.*, pág. 390.

aguardiente; el perro come lo que Roque y éste «tiene una mirada perruna, triste casi siempre, alguna vez feroz». El perro es su compañero, alivio de soledades, como un amigo, como un hermano:

—No podría vivir sin él (pág. 392).

Poco después de esta expansión de ternura, un automóvil atropella a «Cartucho». El accidente fatal le trae la muerte, y al pobre anciano la soledad, una soledad pesada y trágica, porque «la llaga de Roque, la llaga de la soledad de Roque necesitaba de «Cartucho» (pág. 392).

El relato «Aunque no haya visto el sol» destaca especialmente este tema de la huida, a cualquier precio, de la soledad, la necesidad imperiosa del otro en la vida humana, la urgencia de compañía para el hombre. Por conseguirla, el ciego es capaz de despreciar los comentarios burlones de los vecinos contra su mujer, y de aguantar las borracheras, los golpes y las impertinencias de ella. «A veces se reía o le insultaba y nunca se dejó hacer una caricia. Pero no estaba solo»[10]. Porque «la soledad nunca compensa» (página 412). Por eso la verdadera tragedia del relato no es la muerte de Teresa, sino las consecuencias que ésta supone para la soledad del viejo. Por tener compañía había aguantado todos los sacrificios, y ahora su soledad aparece dramáticamente destacada. Dos aspectos refuerzan aún más la tragedia de su soledad: su condición de anciano y de ciego.

Desde el inicio del relato queda sugerida su soledad en la búsqueda de caricias con que se abre la narración: «Al salir de su casa solía acariciar la guitarra» (pág. 407). Subraya así la necesidad acariciadora del hombre, la búsqueda de una comunicación imprescindible, la necesidad de compartir. Tras la muerte de Teresa, cuando se queda definitivamente solo, «en su casa acariciaba cosas que no eran ella, pero que le acompañaban desde ella solamente un poco, nada más un poco, como sus propios ojos» (pág. 412).

En «La espada encendida», más allá de la caricatura de una autoridad ya caduca y del humor de las situaciones que provoca, se descubre esta misma trascendencia humana. Cuando de noche el alcalde pasea por el soto, «la villa estaba enlucida por la luna y el alcalde la contempló largamente. Luego la pensó: soledad y blancura como un panteón»[11]. Se revela entonces el motivo que causa la intranquilidad del alcalde, su permanente desasosiego, hasta su mal humor y las insulsas ocurrencias: el alcalde está solo, el alcalde se siente solo después de su doble viudez. Nada más le queda el recuerdo de los muertos:

—¿Tú crees que se puede hablar con los muertos?
—No, señor alcalde; en pudriéndose ya no son muertos, sino materia, y luego tierra como toda (pág. 143).

---

[10] «Aunque no haya visto el sol», *Ibíd.*, pág. 409.
[11] «La espada encendida», *Ibíd.*, pág. 143.

74

Por eso trata de esquivar la soledad e incluso los domingos busca el arrimo de su despacho:

> —Mañana, después de misa, iré al cementerio , y luego vendré un rato al despacho (pág. 140).

Por eso se sienta en uno de los bancos al pasar por el parque de la villa: «le hacían daño los zapatos y no deseaba entrar en el vacío de su casa» (página 144).

Es la soledad causada por la muerte de la otra persona, del compañero, del amigo o de la mujer. En otros cuentos es la soledad tras un desengaño amoroso. En «Hermana Candelas», junto a la crítica de la mentalidad hispana mítica, inculta, aparece también este tema básico: la soledad, la búsqueda de consuelo, el necesario desahogo humano. La joven desengañada de amor acude a la Hermana Candelas, «psíquica, adivinadora y consejera», en busca de la comprensión y el desahogo de unas lágrimas, porque «está una tan sola», «es tan cruel nuestro desamparo»[12]:

> —(...) He sufrido mucho ... Desde pequeña ... Usted sabe ... No importarle a nadie . (...)
>
> —El corazón, hija mía, que busca como un pájaro. ¡Pobre corazón! Un nidito para el pobre corazón, que no importa a nadie (...) Aquí te traicionan, nos traicionan a todos, que somos como pájaros en el invierno, como tristes pájaros que buscan y buscan... Llora como yo por tu corazón y los de todos ... Solos, tan solos, mientras nos esperan allí ... (página 331).

Otras veces la soledad es consecuencia del entorno: de la ciudad que cobija soledades[13], o de los campos pobres que obligan a los jornaleros a la trashumancia. Los protagonistas de «El corazón y otros frutos amargos» han de marchar siempre a otros lugares, sin pueblo fijo, sin poder establecerse en ninguna parte, sin echar raíces. Y es la suya una marcha a la fuerza, una partida que engendra soledad y nostalgia. Juan, recién llegado al pueblo donde va a trabajar, se sienta sobre la maleta. «Vuelve la cabeza hacia la estación. Siente que el corazón se le alegra, que al corazón le ha nacido algo desconocido hasta ahora. Y piensa en las raíces amarillas de las humildes plantas de los caminos de su tierra»[14].

La soledad es también la causa de «La nostalgia de Lorenza Ríos», y de la contemplación del paisaje por el soldado de «La tierra de nadie», en un recuerdo solitario de otras tierras, otros hombres y otras situaciones. Tumbado en el campo de maniobras, «entornó los párpados e inspiró con fuerza, y la aromosa paz de su tierra acudió mansamente, invadiéndole. El co-

---

12 «Hermana Candelas», *Ibíd.*, pág. 332.
13 Cfr. «Solar del Paraíso», *Cuentos completos 2*, cit., pág. 258.
14 «El corazón y otros frutos amargos», *Cuentos completos 1*, cit., pág. 90.

razón le llevó kilómetros al sur». Después, la tierra que actualmente pisa se le hará ajena, extraña, indiferente, hasta dejarle solo[15].

Por lo tanto, en los relatos de Aldecoa la soledad se manifiesta sobre todo en las siguientes situaciones: en la vejez, en la separación forzosa, como consecuencia de la muerte de los seres más cercanos o por el aislamiento del entorno social. Estos cuatro motivos caracterizan la soledad en los cuentos como una carga insufrible en la vida del hombre. La condena de sus personajes a la soledad se convierte entonces en uno de los rasgos más claros del trasfondo existencial de la literatura de Aldecoa. Por eso se repite como tema en muchos de los cuentos.

2.1.1. El amor

Contrapunto de la soledad es el amor. Este no aparece como tema decisivo en los relatos, aunque algunas veces sea un elemento importante en el desarrollo de algunas de las historias. En este sentido, Aldecoa es un ejemplo más de la tendencia generalizada en los cuentos de esta época a omitir el tema amoroso. Si aparece es de pasada o está tratado de una forma muy distinta de la tradicional. En la «Crónica de los novios del ferial», los celos de Enrique, recién casado con Margarita, son el dato clave para entender su conducta. «El aprendiz de cobrador», Leocadio Varela, distrae la salida del trabajo con su novia Felisa. Sebastián Zafra muere poco después de que se proponga regalarle un collar a su mujer Virtudes, de la que espera el primer hijo. Lorenza Ríos siente la soledad precisamente cuando sus hijas se acercan al matrimonio, forman otro hogar y ella queda sola en su nostalgia. Porque «María era ya carne de la carne, sangre de la sangre de Pancho Ruano, pescador Cantábrico»[16].

Pero en todos estos casos el amor no forma el tema esencial del cuento. Es un suceso más. Y si el matrimonio es objeto argumental de alguno de los relatos, como en «El mercado», éste no será el producto de un apasionamiento amoroso o de una voluntaria entrega, sino objeto de comercio, búsqueda de negocio, como un mercado en el que se compran las personas por su dinero[17].

---

[15] Cfr. *Ibíd.*, pág. 112. En los cuentos citados la soledad aparecía como un tema principal de la narración. Otras veces, aunque no se designe de un modo explícito, se sugiere la soledad en alguno de los personajes. Don Matías, sufrido marido de doña Leonor, vive solo su aburrimiento, su tristeza, su escepticismo y su desilusión («El mercado»). Y «el caballero de la anécdota» es un anciano poeta, que pasea solo, observa con detenimiento la vida, bebe cada día su solitario café y recuerda entre suspiros los tiempos pasados.

[16] «La nostalgia de Lorenza Ríos», *Cuentos completos 1*, cit., pág. 397.

[17] También aparece criticado el matrimonio como compraventa en «Fuera de juego». Siempre que Aldecoa trata el tema amoroso en un entorno de clase media, su concepción no puede ser más negativa. «Un buitre ha hecho su nido en el café» tiene como centro de atención a Encarna, que es la carnaza rodeada persistentemente por los buitres: por el alfil, por el caballero de

Otras veces el amor aparece convertido en rutina, cansancio o celos, como en la vida del matrimonio que protagoniza «Party». O es una ansiedad insatisfecha, que produce la frustración («Dos corazones y una sombra»). Alguna vez el amor, en los cuentos, es un desengaño, una experiencia negativa («Hermana Candelas») o un imposible («Los pájaros de Baden-Baden»).

El personaje principal de este último cuento, Elisa, es una mujer solitaria que sufre con tristeza su soledad.

> Le gustaba la frase: «Amortajada en su soliloquio.» Ya que la pena es un soliloquio infinitamente sin sentido y duramente intransitivo[18].

Vive irremisiblemente sola, aburrida y en desamparo, sin poder romper la barrera de soledad que la encierra. «Ahora le abrazaba el temor nacido de la vergüenza de la edad: de sus treinta y cuatro años y su soltería» (pág. 304). Camino para salir de la soledad es el amor; pero los hombres que la rondan sólo buscan una salida a su propia soledad pasajera (Ricardo), a su hastío (Pedro) o a su frivolidad (Pablo). La soledad sin remedio es entonces la única alternativa, simbolizada expresivamente en la soltería de estos personajes. Unas veces porque son incapaces de retener nada (Elisa); otras veces porque no quieren atarse (Pablo):

> —Lo que yo quiero es desprenderme de cosas. Estar más libre. Vivir sin agobio. (...) Yo no quiero que me quieran, o por lo menos que me quieran así. (...) Tal vez sea muy raro, pero no me gusta que me quieran. Me siento apresado[19].

Otras veces por el puro azar, por «la imposibilidad de encontrar lo que queremos». Todo se traduce entonces en el destrozo de la propia persona, en un lento deterioro de hastío solitario, como en Elisa. Y «si una mujer tiene que estropearse por algo es por los hijos y por su marido y no por el aburrimiento» (pág. 301). Este cuento es, por lo tanto —como los anteriores—, una afirmación del amor como motivo necesario que impulse la vida humana, evidenciado por su ausencia.

Las relaciones amorosas consideradas en sentido positivo se manifiestan sólo en dos relatos, como tema básico: el amor como fidelidad en «La despedida» y el lirismo cotidiano del amor en «Balada del Manzanares». Este cuento es sencillo, pero reúne una condensada carga de emotividad. Relata el encuentro, una tarde más, de la pareja formada por Pilar y Manuel; después, una riña tonta de novios y la reconciliación, ya de vuelta a

---

mirada rapaz, por el percherón don Raimundo que creía tenerla en propiedad. Con un trasfondo de murmuración y de aburrimiento, el tema del relato es el amor. Pero éste aparece reducido —mediocremente vulgarizado— a carnaza, a asaltos de buitres sobre la presa.

[18] «Los pájaros de Baden-Baden», *Cuentos completos 2*, cit., pág. 306.

[19] *Ibíd.*, págs. 312 y 327.

casa. La historia es casi fugaz, una anécdota sin importancia, como una intuición poética; y sin embargo el relato aparece lleno de contenido, de múltiples sugerencias, con un predominio del lirismo y la ternura. De este modo el amor sencillo queda poetizado, sin exageraciones, sin dramatismo ni extravagancias:

—Hola Pilar.
—Hola, Manuel.
—¿Vamos, Pilar?
—Vamos, Manuel
—¿Vamos hacia la estación, Pilar?
—Vamos donde tú digas, Manuel.
—¿A tomar un vermut, Pilar?
—Yo, un café con leche, Manuel.
—Tú, un café con leche, Pilar, y yo...
—Tú, un vermut, Manuel.
—¿En el bar de *Narcea*, Pilar?
—Mejor en *Cubero*, Manuel.
—En el *Narcea* es mejor el café, Pilar.
—En el *Cubero* dan tapa con el vermut, Manuel[20].

A través de unos mínimos detalles sugiere la relación amorosa. Los nombres de los personajes se repiten insistentes en boca del otro, porque el nombre encierra el secreto de la otra persona. Su ser queda condensado en su nombre. La preocupación por el otro, concreto y personal, se traduce en la repetición machacona de su nombre.

2.2. *El desvalimiento del hombre*

«Los existencialistas gimen angustiados al encontrarse sin fundamento y abandonados en un mundo posiblemente imposible, huérfanos y sin cobijo»[21]. Los personajes de Aldecoa participan de esta orfandad y privación de cobijo en el mundo. Se encuentran tantas veces abandonados, pobres, expuestos a la enfermedad, abocados al fracaso, zarandeados por el destino. Viven la vida como un drama.

Las causas de la orfandad de estos hombres, de su desvalimiento ante el mundo, son muy variadas: puede ser la edad («La fantasma de Treviño»), el fracaso de sus vidas («Cuento del hombre que nació para actor»), el puro azar («El diablo en el cuerpo») ... Pero nunca gimen angustiados; les salva la resignación. «Los bienaventurados», por ejemplo, son unos vagos mendigos de corazón inocente. El rasgo fundamental de su carácter es la aceptación feliz de esa vida, que les hace bienaventurados. Quizá es que no tienen

---

[20] «Balada del Manzanares», *Cuentos completos 1*, cit., pág. 219.
[21] Blackham, H. S., *Seis pensadores existencialistas*, Madrid, Oikos-Tau, 1967, pág. 156.

otra alternativa. La vida les ha llevado hasta ahí, irremediable, silenciosamente, y ellos lo han aceptado. A Pedro Lloros «su madre lo parió sietemesino y zurdo, y su padre no pudo hacer carrera con él porque, a decir verdad, no se empeñó mucho, y Pedro, desde muy chico, quiso no servir para nada. Pedro perdió a sus padres en una epidemia de gripe; después estuvo llorando y quejándose mucho tiempo, hasta que se hizo amigo de don Anselmo, un mendigo de sombrero agujereado y bastón con puño de metal. Don Anselmo le presentó a sus conocidos»[22].

Y este mismo es el caso de sus demás compañeros. Ni siquiera cuando se proponen salir definitivamente de su situación lo consiguen:

> —Hay que cambiar de vida. Hay que dormir bajo techo, que esto de estar siempre para luego morirse, aguantando las cuchilladas del viento y el frío, es una vaina. Hay que procurarse posibles (pág. 234).

Pero fracasan: se les escapa la nutria que pensaban cazar, para hacerse con unos duros... «sería el principio de algo» (pág. 235) y el hierro mohoso de las farolas que iban a vender se lo rechaza el chatarrero. No les queda más remedio que aceptar el fracaso y resignarse. Una resignación satisfecha y plenamente aceptada, que les hace bienaventurados y les redime de la angustia[23].

En este sentido, James H. Abbott interpreta los cuentos de Aldecoa como la búsqueda por parte de los personajes de una superación, de un mejor modo de vida: «the journey to paradise»[24].

Pero nadie lo encuentra. Pertenezcan a una clase social o a otra, todos participan sin remedio de la misma condena al fracaso. Cuchín, el protagonista de «Los bisoñés de don Ramón», sacaba en el colegio las mejores notas, era aplicado e inteligente y aspiraba a ser ministro. Pero en realidad no llegó más que a secretario «de no se sabe qué en un ministerio»[25]. Al final ha de reconocer su desesperación, «porque yo ya no tengo porvenir, porque yo ya no puedo llegar a más, porque todos mis sueños se han deshecho» (pág. 202). Predomina en el cuento el tono de burla y de caricatura y la crítica a la burguesía media, pero está presente también este elemento existencial que supone el reconocimiento del fracaso.

También es el fracaso la conclusión de la vida alocada del loro en el cuento «El loro antillano». Aunque tratado con un tono humorístico, el trasfondo es ése: la muerte se lo lleva de un modo absurdo, atropellado por un chófer «que iba confuso de vino»; los que le seguían, «asustados, se vol-

---

[22] «Los bienaventurados», *Cuentos completos 1*, cit., pág. 233.

[23] Similar es el planteamiento de «Chico de Madrid»: «Su vida era tranquila y medieval: comer, dormir y cazar. No comía muy bien, ni dormía muy blandamente, ni cazaba otra cosa que animales inmundos, pero él estaba muy a sus anchas.» *Ibíd.*, pág. 352.

[24] Cfr. Abbott, James H., «Ignacio Aldecoa and the journey to paradise», *Ignacio Aldecoa. A. Collection of Critical Essays*, University of Wyoming, 1977, pág. 50.

[25] «Los bisoñés de don Ramón», *Cuentos completos 1*, cit., pág. 199.

vieron a la pajarería»; y la tertulia de doña Frasquita «siguió su marcha normal por los siglos de los siglos»: de nada sirvieron sus actividades revolucionarias; la muerte acabó con todo; su vida fue un fracaso.

El humor suaviza en estos cuentos la dureza de las situaciones; el humor evita la angustia. Ante la incapacidad del hombre, Aldecoa reacciona con comentarios que provocan el divertimiento. El fracaso crea entonces situaciones de risa, que lo apartan del agobio existencial. «La farándula de la media legua» y «Función de aficionados» disfrazan también con humor el regusto del fracaso. Porque el desastre de una representación sin éxito ha existido. Y ante el fracaso, al que sucederá sin duda otro fracaso inevitable, sólo les queda la resignación, el «sobreponerse a las circunstancias». Saben los cómicos que su vida está hecha de tropiezos y han asimilado esta realidad —«en el último pueblo en que actuaron con alguna fortuna fue en Toro». Por eso se resignan y no pasa nada:

> ... el grupo se iba esfumando en la distancia. Pronto se hizo pequeño y leve; cuando aparecieron las primeras estrellas, una canción llegaba del fondo de la carretera avanzando a sílabas.

Pero no siempre es así. La mayoría de las veces la situación de los hombres fracasados es penosa. No cabe la sonrisa ni el comentario irónico; sólo la compasión solidaria o el pesimismo. Porque ellos no son responsables de su fracaso. A veces está motivado por razones sociales («Al otro lado»); otras veces por el azar, porque el hombre está siempre acosado por el peligro, el dolor, la enfermedad o la muerte inexorable («En el kilómetro 400», «Hasta que lleguen las doce», «Un corazón humilde y fatigado», «Quería dormir en paz», «A ti no te enterramos»).

Los ejemplos en los relatos son muy abundantes. Citaré los dos últimos: «El diablo en el cuerpo» y «Pájaros y espantapájaros». A don Eloy, el comerciante protagonista de «El diablo en el cuerpo», el azar le trae la suerte que le premia tres semanas seguidas la lotería. Pero ese mismo azar le acarrea después la locura y la desgracia. El hombre, inerme ante una y otra situación, se manifiesta como víctima del destino, incapaz de sobreponerse, zarandeado por la vida, llevado de aquí para allá por las circunstancias.

«Pájaros y espantapájaros» relata el encuentro de cuatro personajes andarines de vida trashumante que coinciden en una venta. Después de comer, durante la siesta, cada uno sueña su pasado. El primero habla de la imposibilidad de encontrar la bienandanza, la ansiada felicidad y fortuna, simbolizada en un imposible murciélago azul:

> Un amigo mío (...) me contó un día que en el mundo hay un solo murciélago azul, y que aquel que lo cogiese tendría fortuna y bienandanza (...) me puse a buscarlo y lo encontré.(...) Casi lo cogí, pero no lo cogí. Todos andaban revoloteando y ninguno que yo viera salió a la intemperie. Andaban revoloteando a saltitos, subiendo una invisible escalera.

Y él, sólo él, el murciélago azul, fue el que se escapó por la ventana. (...) Y me pregunto si es verdad la mala estrella desde niños, porque después de lo del granero nada me salió a derechas[26].

El segundo cuenta también la pérdida de un objeto inasequible: ella, el amor, su fidelidad. El tercero relata un ensueño fantástico con una esmeralda verde —el color de la esperanza. El cuarto, por fin, es la soledad de un personaje solo, que habla con sus dedos para acompañarse:

> A mí me gusta hablar por hablar, exactamente como los pájaros cantan. Toda mi felicidad se limita a esto. Pero no hay forma, ni manera, ni gente que me escuche, por eso hablo con mis dedos, como hacen los niños de teta, casi los de letras y las monjas de clausura, según cuentan. Ellos les ponen nombres tradicionales, pero ridículos; yo los he bautizado con los nombres de los amigos que hubiera querido tener (páginas 341-342).

Todos estos personajes tienen en común su desgracia solitaria, la imposibilidad de alcanzar felicidades, el fracaso de sus vidas trashumantes: «harto y desengañado se fue por los caminos...» (pág. 337). Y ni siquiera en común comparten su mala fortuna. Se reúnen, pero sueñan en soledad y se marchan después independientes:

> Los cuatro juglares cardinales no se volvieron a encontrar jamás en la «Venta de Paja, vino y comidas», de Pascual Millán, en el cogollo de la Bureba. Se sabe que allí tropezaron sus vidas, que allí comieron y soñaron, se sabe que no harán fortuna, que el juglar nunca la tuvo, ni la necesitó; que osciló entre mago e insecto, entre murciélago y luna (que son cosas unidas por el tiempo). Se sabe que a la vejez le vendrá el mal, porque el refrán lo dice, y porque así será, como así fue (pág. 343).

Es un fatalismo que pesa sobre los personajes desde su nacimiento y que les lleva necesariamente al fracaso, al sinsentido, independientemente de lo que hagan o de las personas con las que se encuentren: «no hubo ningún cambio que presagiase algo nuevo» (pág. 338).

La gasa de ensueño que envuelve el relato contribuye a crear una atmósfera melancólica y tristona, de resignada pasividad, de compasión hacia esos personajes a quienes la vida los maltrata y nada pueden hacer: «Me pregunto si es verdad la mala estrella desde niños...» (pág. 339).

2.2.1. La resignación

Aldecoa era consciente de este fatalismo por el que se sentían arrastrados los personajes y que nacía de su visión ocura de la vida:

---

[26] «Pájaros y espantapájaros», *Cuentos completos 1*, cit., pág. 339.

—El mundo de tus novelas en general es un mundo amargo, opresivo, sobre el que parece flotar la fatalidad. ¿Responde esto a tu concepto de la vida?

—Un mundo amargo no tiene por qué ser opresivo. Un mundo puede ser dulce y opresivo o amargo y libre. La fatalidad gravita sobre el hombre y el hombre es libre para aceptarla o no aceptarla, de aquí su agonismo. Es claro que mis libros responden a mi concepción de la vida y de la muerte, éste es el caso de cualquier otro escritor[27].

Él mismo dejó constancia de su visión gris de la realidad —«Yo escribo de lo que tengo cerca, que es más bien triste»[28]— y de su escepticismo: «Soy por naturaleza nihilista, pero creo en el futuro, aunque no resuelva nada»[29]. Por eso entiende que los personajes no tienen salida; su única salida es la resignación. Y ésta se convertirá en palabra clave para entender el fondo temático y las disposiciones de los personajes en los cuentos de Aldecoa. La resignación es obligada: ante la enfermedad o ante la muerte, ante la desgracia o la injusticia social. No hay otra alternativa. Lo comprobaremos en algunos cuentos representativos.

En «Maese Zaragosí y Aldecoa, su huésped» la enfermedad le atrapa al hombre, le zarandea, le hace sufrir. Ante ella nada vale: ni médicos ni curanderos, ni boticas ni preparaciones de flores silvestres. No hay más remedio que aguantarla con resignación[30]. Esta fue la actitud de Aldecoa cuando su vida era todavía juventud[31]. Y estas mismas seguirán siendo sus disposiciones al final de su vida: «Un corazón humilde y fatigado» se publicó póstumamente; en él la enfermedad está presente como una amenaza a la que el hombre no puede enfrentarse. Una amenaza que anuncia la muerte, «porque el corazón nunca avisa dos veces» (pág. 381). Fue la amenaza que pesaba sobre Ignacio Aldecoa y que acabó con él, de repente, aquella tade del 15 de noviembre de 1969.

Aunque el infortunio humano se deba a razones ambientales o al desahucio existencial del hombre, la actitud de éste es, sin embargo, siempre la misma: la aceptación callada. A «Chico de Madrid» los condicionamientos le atan al ambiente de arrabal en el que ha nacido y en el que se ha criado. Tan sólo le queda la aceptación completa de esas circunstancias, sin buscar otras en la ciudad, sin rehuirlas ni rebelarse:

---

[27] «Entrevista con Ignacio Aldecoa», *Índice,* 1 de enero, 1960.
[28] Aldecoa, Ignacio, «Carta abierta al director de *La Estafeta Literaria»,* 5 de mayo, 1956.
[29] «Entrevista con Ignacio Aldecoa», *Diario SP,* 5 de junio, 1968.
[30] También en este cuento las enfermedades aparecen deformadas; son objeto de caricatura y comportamiento ridículos. La realidad entonces se desdramatiza y la caricatura sugiere un tono de humor que disimula ese sometimiento del hombre a la enfermedad.
[31] Este relato apareció publicado en *Alcalá* el 10 de abril de 1955, cuando Aldecoa tenía treinta años. Él, de naturaleza enferma, acosado por una úlcera tenaz, sabía bien, por propia experiencia, las sufridas disposiciones del enfermo ante un mal irremediable.

No volvería a la ciudad; su puesto no estaba en la ciudad, sino en el límite de ella: entre el campo grande de las anchas llanadas y la apretura estratégica de los primeros edificios. En aquel terreno de nadie[32].

Esa aceptación total de las circuntancias prepara el camino para la definitiva resignación: su muerte temprana de tifus «porque no hay más remedio». A veces el desvalimiento del hombre, la dureza necesaria de su vida y la resignación como único camino, son consecuencia de las circunstancias sociales, los oficios y situaciones que a cada uno le toca vivir. El hombre ha de adaptarse a ellas con serenidad, porque no cabe otra solución. Lino, uno de «los hombres del amanecer», pretende rebelarse:

—¿Ratas? A mí no me gusta cazar ratas; es un oficio asqueroso. Yo no cazaré ratas.

Pero Cristóbal le persuade con la sencillez de argumentos contundentes, cuando no hay otra solución:

—Pues tendrás que cazarlas. Si le sobran víboras hay que cazar ratas; hay que trabajar. No se puede uno cruzar de brazos. Hay que trabajar; lo mismo da cazar ratas que víboras (pág. 45).

José Fernández Loinaga, el protagonista de «Quería dormir en paz», es un hombre de una vida dura de peón, que vive sin más en una mísera chabola, donde su hijo muere, definitivamente enfermo. Y ante este desamparo humano y social no le queda otra alternativa que la resignación: aceptarlo impotente, porque nada puede hacer[33].

Lo más habitual es que se mezclen en los cuentos estos dos factores como elementos condicionantes de la vida humana: ataduras sociales y motivos existenciales. Se produce un equilibrio entre ambas fuerzas, como pesos que operan en la conducta del hombre. «A ti no te enterramos» es un testimonio del desarraigo del campesino en la ciudad, donde no encuentra trabajo, donde no se encuentra a sí mismo. Pero también en el campo, ese hombre, Valentín, es inservible. Porque está enfermo, porque padece una tuberculosis incurable. El relato se refiere entonces a la incapacidad del hombre para superar los condicionantes. Unas veces por razones sociales: Valentín no es contratado en la sociedad porque no tiene preparación alguna o porque no está sindicado o porque en las empresas no necesitan más gente. Y otras veces por la enfermedad maldita, invencible —como en tantos otros cuentos— que le acecha al hombre, le hace inútil y le conduce a una muerte inevitable. De un modo o de otro, el destino penoso se impone fatalmente; y con él el dolor, el sufrimiento, la pobreza, la enfermedad y

---

[32] «Chico de Madrid», *Cuentos completos 1*, cit., pág. 352.
[33] Sobre la resignación ante las ataduras sociales, cfr. el apartado 3 de este capítulo, donde se estudian los temas sociales de los relatos. Sobre este cuento en particular *vid.* págs. 103-104

finalmente la muerte. La única salida es la resignación, la aceptación callada y silenciosa de esas situaciones: la espera, que es desesperanza, que es una espera pobre: una espera de tercera clase.

Concluyendo este apartado clave del análisis temático de los cuentos, podemos afirmar que en ellos la vida aparece dura y esforzada; la vida no le ofrece salidas al hombre; sólo le queda la resignación. Unas veces el hombre aparece impotente ante un destino fatal, ante la tragedia imprevista o el drama instantáneo[34]. La enfermedad, el accidente o la muerte le sorprenden sin ofrecerle ninguna alternativa, sin dejarle ninguna puerta abierta a la escapada. Otras veces, situaciones sociales injustas le atosigan, sin que nada pueda hacer por evitarlas. El hombre aparece así desvalido, abandonado, incapaz de superar los condicionantes. Su actitud adopta entonces tonos pasivos, de resignación. No le queda otra alternativa que esperar, esperar en nada, esperar la muerte, que para Aldecoa era sólo el final de la vida. Fue ésta la misma actitud que mostraron muchos de los hombres de su generación. Así lo manifiesta su mujer, Josefina Rodríguez:

> (...) éramos libres de previsiones y futuros, pero también desengañados antes de empezar. Creo que en la literatura de este grupo se refleja ese desaliento y esa ternura. Se ha hablado de realismo, de literatura social, de literatura pesimista, dura y fea. Así era lo que veíamos y vivíamos desde la infancia. Pero lo contemplábamos con amor. No teníamos odio. No pedíamos cuentas a nadie, padres, hermanos mayores. Lo aceptábamos todo, resignadamente. Muchas veces se ha hablado de literatura resignada para definir a los novelistas de esta generación. Puede ser. Hay mucho valor y mucha sabiduría y mucha humanidad en la resignación[35].

2.3. *La espera*

La resignación es paciencia y conformidad con las circunstancias que le rodean al hombre; la resignación está muy relacionada con la espera. Los personajes resignados de los cuentos se limitan a esperar; no están conformes con las situaciones en las que la vida les enreda, pero se dejan llevar por ellas. Miguel, en «Camino del limbo», se da cuenta de las ataduras sociales, familiares, profesionales que le coartan. Tiene planes más ambiciosos, pero se limita a quejarse, en un lamento estéril, aceptándolas como inevitables: «Debería haberme marchado. Si no fuera por mamá y por Ani-

---

[34] «Podía llegar la desgracia. El viento pardo vino por el camino levantando una polvareda. Su primer golpe fue tremendo. Todos lo recibieron de perfil para que no les dañase, excepto «El Quinto», que lo soportó de espaldas, lejano en la finca, con la camisa empapada en sudor, segando. Le gritaron y fue inútil. No se apercibió. Cuando levantó la cabeza era ya tarde.» «Seguir de pobres», *Cuentos completos 1*, cit., págs. 30-31.

[35] Rodríguez, Josefina, en el prólogo a la edición citada de los cuentos de Aldecoa, págs. 20 y 21.

ta yo me hubiera ido»[36]. Pero le falta la decidida voluntad necesaria para sobreponerse, para dirigir él su vida personalmente, en vez de auscultar las situaciones y dejar que éstas le lleven. Por eso se avecina su fracaso: «Yo pensaba haber sido otro. Ir. Andar. Volver. Ya no» (pág. 132). Es casi como un pelele inocente, que marcha arrastrado «camino del limbo». Le arrastra la situación, le empujan las circunstancias, le obliga la vida y él se muestra incapaz de dirigir las riendas de su propio camino y se resigna. Se conjuga entonces la fatalidad con la falta de una decidida actitud. La vida se convierte en un dejar pasar, en una espera inactiva y rutinaria.

Unas veces la espera está motivada por circunstancias sociales; otras por el propio hastío de la vida. La juventud holgazana del cuento titulado «Esperando el otoño» pierde el tiempo en la taberna cansinamente. Su espera vacía engendra el aburrimiento, el cansancio y la pereza. Mientras acaba el verano, esperan sin más la llegada del otoño. Pero su actitud puede interpretarse simbólicamente, porque no esperan nada; esperan el otoño desde su juventud, esperan la vejez sin más aspiraciones. Aldecoa destaca este aburrimiento de la espera en los jóvenes ociosos o en los veraneantes inactivos. «Al margen» reproduce el cansancio y la desgana de Ruth, Luis y Miguel, sentados en la terraza de un café playero. El insistente, inaguantable dolor de cabeza de Ruth es símbolo físico de ese otro malestar más profundo de estas personas que gastan el tiempo con rutina perezosa: de su apatía, de su abúlico comportamiento, de su desazón vital insatisfecha[37].

A veces es una espera después de haber vivido; una espera ya de nada, de vivir tan sólo de recuerdos. «El marinero que estuvo en Singapur» vive solo en el puerto, arrimándose, bebedor, a las tabernas contemplando el retorno de los barcos de alta mar, encerrado en sus nostalgias de cuando él fue marinero. De aquello sólo queda ahora la sombra. Por eso subtitula la historia: «Cuento del que fue mozo viajero y que, de viejo, se moría por el puerto». El tono es de melancolía, de nostalgia de tiempos pasados, de épocas que fueron y que nunca más serán. En la vejez, la espera triste, desilusionada y aburrida, la espera gris de no esperar nada, se hace rutina y escepticismo en la vida de los ancianos («Para los restos», «La vuelta al mundo»). El paso inevitable del tiempo agosta la vida y ellos viven un letargo terroso, fieles a la dedicatoria con la que Aldecoa iniciaba *Espera de tercera clase*:

Ejerce la paciencia como la tierra misma[38]...

Esa necesidad de esperar sin esperanza atrapa también a personas que están en la plena madurez de la vida. En «El porvenir no es tan negro», se

[36] «Camino del limbo», *Cuentos completos 1*, cit., pág. 131.
[37] El aburrimiento aparece también como consecuencia de la ociosidad abúlica en «La piel del verano».
[38] Aldecoa, Ignacio, *Espera de tercera clase*, Madrid, Ed. Puerta del Sol, 1955, pág. 8.

observa un trasfondo de insatisfacción en la vida rutinaria de los personajes. La vida les cansa como una larga espera:

> —(...) Te tomas cuatro vermuts y el porvenir no es tan negro. Ni piensas en la oficina, ni en el sueldo, ni en nada. Hay que tomar la vida como viene.
> —Eso digo yo. Lo que ocurre es que siempre viene mal[39].

Por eso buscan la alegría de un momento, el olvido en la celebración del cumpleaños de Antonio Guerra —«Hay que alegrarse. Un día es un día» (pág. 169):

> —Este rato vale por todos los malos que pasamos —dijo Amparo.
> —Si no fuera por ratos así... —añadió la esposa del señor García (pág. 171).

Porque es preciso entretener la espera, y engañar al cansancio y al aburrimiento. Una espera indefinida que no ofrece alicientes:

> —(...) Además, para lo poco que va uno a vivir... Ustedes, ustedes, los jóvenes... De ustedes es el provenir... Pero nosotros ya poco podemos esperar de la vida (pág. 169).

Son hombres que aceptan la filosofía de la resignación: una serena y escéptica filosofía de la vida, hasta esperar el fin, porque todo da igual. Así lo expresa en «Los hombres del amanecer»:

> Iba pensando que Cristóbal sabía entender bien la vida, que nada le preocupaba, y que por eso, para entretenerse mientras se acercaba el fin, contaba los pasos. Lino comenzó a contar los pasos cuando llegó a la glorieta de su barrio[40].

Ese gesto de contar los pasos es todo un símbolo, expresivo de la concepción de la vida como un camino resignado. De este gesto a las múltiples dramatizaciones de la filosofía del absurdo hay sólo un paso más. Cristóbal es un hombre al que «nada le preocupa»; hoy caza ratas y mañana víboras; y siempre, de camino, cuenta los pasos «para entretenerse mientras se acercaba el fin».

La espera en los cuentos de Aldecoa: una espera de nada. Una espera cansina del final: la llegada de la muerte. Sin angustia, sin rebeldía, sin sofoco ni pavor. Como una realidad que se acepta y engendra rutina. Porque ha de llegar y basta. Y mientras tanto a esperar.

---

[39] «El porvenir no es tan negro», *Cuentos completos 1,* cit., pág. 163.
[40] «Los hombres del amanecer», *Ibíd.,* pág. 45.

2.4. *La muerte*

En el más antiguo de los cuentos que Aldecoa publicó después en sus antologías, «Un artista llamado Faisán» (1950), aparece esbozado el mundo del trabajo (uno de sus grandes temas) y el tema de la muerte. En la muerte, tísico, de este solitario limpiabotas se reúnen la caricatura, la tragedia, el absurdo de una vida sin sentido, que se gasta tontamente, sin pena ni gloria:

> Comía poco y se desahuciaba él mismo invocando la muerte. La muerte era su digna pareja; pero una muerte vieja y fuera de uso. (...)
>
> Faisán estaba en el palomar. (...) El palomar era la estación de espera para el coche de la muerte; los que estaban en él —la buhardilla del hospital— abandonaban toda esperanza de salvación.
>
> (...) todavía parloteaba su discurso de condenado que necesita oírse para no morir antes de tiempo de soledad, de tristeza, de mirarse las manos[41].

Faisán muere solo, en la buhardilla del hospital, desahuciado de tisis. Hasta el cura llegó tarde. Murió desamparado, igual que había vivido. Desde la infancia arrastró «una gran hambre de mal mamado y una tos triste, rugosa, que no le dejaba dormir en paz ni en el campo, bajo las estrellas, ni en los catres de las pensiones, que eran para él lujos de invernada» (página 134). Su vida fue una pesada carga, un desamparo, una condena en soledad hasta la muerte.

Ignacio Aldecoa tenía veinticuatro años cuando escribió este cuento; había abandonado sus estudios en la universidad de Madrid y se iniciaba en la tarea de escritor. Hasta entonces había publicado sólo dos cuentos en revistas culturales. Ninguno de éstos los reeditaría después en un libro, como hizo con 70 de los cuentos posteriores. «Un artista llamado Faisán» es el más antiguo de los reeditados. En él aparece ya con claridad la filosofía de la vida de Ignacio Aldecoa. En los relatos posteriores no hará más que insistir con los mismos tonos existenciales en el desvalimiento del hombre, arrojado a una vida sin esperanza.

No hay rebeldía, gritos, ni actitudes melodramáticas. La muerte parece que es un dato más de la vida, con el que hay que contar: los sepultureros detienen su tarea para comer «con las manos sucias (...) porque se les pasaba la hora de almorzar» (pág. 137). Y camino del cementerio, sus únicos acompañantes, Mencía y «Lavoz», se desvían a una taberna; el cura, de vuelta, «les dio la noticia de la terminación del enterramiento». Y sin em-

---

[41] «Un artista llamado Faisán», *Ibíd.*, págs. 135 y 136.

bargo, la tragedia de la muerte se ha convertido así en algo grotesco. Mientras la deformación ponga en evidencia el absurdo, tenemos motivos para pensar en un Aldecoa preocupado por la muerte. No es un hecho que haya asumido sin más; es una obsesión. «El lema de Aldecoa podría ser my bien la frase de Feutchvanger: "Tengo miedo a la muerte"»[42]. Esta misma impresión tenía de él Jesús Fernández Santos, desde aquella tarde en el valle de Lozoya, cuando el mismo Ignacio le confesó su miedo a la muerte[43]. Y Lasagabáster cita el testimonio de su propia mujer, Josefina Rodríguez, de que «efectivamente, no había día en que Ignacio no hablara de la muerte; lo hizo incluso en la víspera misma de morir»[44]. Por eso este tema se convirtió en uno de los más importantes motivos inspiradores de sus relatos. Y esto a lo largo de toda su andadura como escritor: desde aquel primer cuento de sus antologías, «Un artista llamado Faisán», hasta alguno de los cuentos publicados póstumamente («Un corazón humilde y fatigado»). En toda su producción literaria va despegando las mismas obsesiones existenciales. No hay un corte y cambio de rumbo, ni un proceso evolutivo en este aspecto. A través de sus cuentos, Ignacio Aldecoa fue matando en negro, sobre el papel, sus fantasmas: el hombre como un ser desvalido condenado a la muerte y al fracaso, a vivir en soledad una espera sin esperar nada, en un mundo de trabajo duro, de peleas, de esfuerzo tantas veces injustamente compensado.

La existencia del hombre se revuelve así en la continuidad monótona y triste, rutinaria, de una vida gris, que desemboca —tarde o temprano— en la muerte («Función de aficionados», «Para los restos», «Las piedras del páramo»). Una muerte mediocre y vulgar como la vida vulgar y mediocre de los protagonistas:

> Los empleadillos, las criadas, los obreros especializados y algunas momias del tiempo de la fundación van al Círculo. Los militares y los burgueses al Casino que apelan. Algunos tránsfugas del Casino y los *snobs* al Tennis Club. Y la crema, la nata, la flor, la sangre gótica y algunos títulos algo desvaídos al Nuevo Club. Y del Nuevo Club se segregan los calaverones nihilistas y *dandys,* que regresan al Círculo para alternar con la marmota y el chupatintas, con el eléctrico y la momia añorante. Siempre vuelta a empezar.
>
> Así un invierno y otro invierno y otro... Hasta que uno por uno o en grupos, según las circunstancias y las epidemias, todos, al fin, se reúnen

[42] «Entrevista con Ignacio Aldecoa», *El Español,* 20-26 de marzo de 1955.
[43] Cfr. capítulo I, pág. 26.
[44] Lasagabáster, Jesús María, *La novela de Ignacio Aldecoa,* Madrid, Sociedad General Española de Librerías, 1978, pág. 434. Son reveladoras también las citas con las que encabeza alguno de sus libros, referidas a este tema: «Ejerce la paciencia como la tierra misma...», en *Espera de tercera clase;* «Y cuánto exilio en la presencia cabe (Antonio Machado)», en *Caballo de pica;* «Brinda, poeta, un canto de frontera a la muerte, al silencio y al olvido (Antonio Machado)», en *Pájaros y espantapájaros.*

en el Círculo, Casino y Club de los Santos Apóstoles, cementerio de la ciudad. Mientras, las contadas u otras vanas ocupaciones.

Y las nubes pasando por las agujas de las torres, pastoreadas del cierzo[45].

La muerte aparece tópicamente como rasero igualador de todos los grupos sociales y como fin indiscutible de la vida humana. Mientras, inútilmente, los hombres queman el tiempo limitado de la vida en ociosas ocupaciones, en preocupaciones absurdas, en actividades monótonas y rutinarias. «Y las nubes pasando por las agujas de las torres, pastoreadas por el cierzo.» Es el símbolo tradicional del paso del tiempo imperturbable, reflejado en el continuo vagar de las nubes. El relato comenzaba también así: «Por las agujas de las torres desfilaban oscuras nubes pastoreadas del cierzo» (pág. 113).

Uno de sus libros de cuentos lo tituló significativamente Aldecoa *Espera de tercera clase*. Refiriéndose a los protagonistas, declaraba:

—No, no están esperando el tren. Esperan la muerte pero en tercera clase[46].

«Chico de Madrid» es uno de los personajes que espera la muerte en tercera clase. Su vida en los arrabales transcurre a temporadas con su madre, viuda de un barrendero, y a temporadas en el campo, sin más techo que las nubes ni otro colchón que la tierra húmeda. Su espera fue breve, porque se lo llevó el tifus cogido en una de las alcantarillas. «El médico se limitó a decir: "Tifus; ya no hay remedio". Y "Chico de Madrid" murió porque no había remedio»[47].

Otras veces es el accidente fatal lo que provoca la muerte inesperada. El gitano Sebastián, recién casado, joven, esperando el primer hijo, «se acercó a la granada e intentó con las manos ahondar en torno a ella. Sebastián miró las nubes viajeras y su mano tropezó...»[48]. Un desastroso accidente ha cortado la vida apenas comenzada de Sebastián. Una vida pobre, expuesta al vagabundeo y a todas las incidencias. El destino le nació en los puentes, le mató a su madre «a los diecisiete días de parirlo» (pág. 270), encarceló a su padre «por nada», le obligó a vivir huérfano bajo los puentes, le segó la vida cuando recogía hierros desechados para venderlos como chatarra.

Del mismo modo, en «Muy de mañana» y en el cuento titulado «Aunque no haya visto el sol» la muerte llega también imprevista y dramática.

[45] «El silbo de la lechuza», *Cuentos completos 2*, cit., págs. 145-146.
[46] «Entrevista con Ignacio Aldecoa», *Ateneo*, 1 de noviembre de 1954.
[47] «Chico de Madrid», *Cuentos completos 1*, cit., pág. 353. Un trasfondo similar se aprecia en el relato «A ti no te enterramos», *Cuentos completos 1*, cit., págs. 263-276.
[48] «La humilde vida de Sebastián Zafra», *Cuentos completos 2*, cit., pág. 280.

La muerte de «Cartucho» y la muerte de Teresa en un accidente, llena de vino, tambaleándose de la borrachera, es para los dos hombres una tragedia: la tragedia de quedarse dramáticamente solos[49].

En este sentido, el pensamiento de Aldecoa sobre la muerte está más cerca de Sartre que de ningún otro pensador existencialista. Para él la muerte es un hecho externo al hombre; tan absurdo y contingente como el nacimiento; tan inesperado e imprevisto que forma parte del puro azar. La conciencia de esta realidad no le lleva a sentir con la angustia de Heidegger la certeza de que el hombre es un ser-para-la-muerte[50]. Ni su planteamiento constante se debe a las motivaciones de la filosofía de Jaspers, de desvelar la engañosa actitud en la que vive el hombre, sumido en el tráfago de la vida cotidiana. Jaspers pretendía enfrentar al hombre con la realidad, «para morir verdaderamente, sin ningún autoengaño», sabiéndose referido «a una trascendencia, en la que el existente se abre a sus posibilidades, y puede alcanzar, mediante el amor y la fe filosófica el sosiego y la quietud ante la muerte»[51].

Ignacio Aldecoa cuenta con la muerte. Está ahí. Le preocupa, pero no le ve explicación. Sin embargo no se angustia. Sus personajes no gimen agustiados; se resignan. Y no porque confíen en una trascendencia. Los temas religiosos no están presentes en los cuentos de Aldecoa. Y es revelador señalar su ausencia, porque manifiesta uno de los rasgos de su carácter y de su pensamiento: su escepticismo religioso, su talante agnóstico. Sólo en una ocasión intentó tratar un tema con matices religiosos: «Biografía de un mascarón de proa», que iba a ser publicado en la *Revista de Pedagogía* en julio de 1951. La censura lo devolvió en pruebas, porque advertía «mofa de cosas sagradas». En ningún otro cuento aparecen referencias a una alternativa religiosa. Por eso, ante los problemas existenciales que encierran al hombre —entre los cuales la muerte es el más comprometido—, Ignacio Aldecoa no señala ninguna salida. No hay esperanza. Tampoco desesperación. El único camino es resignarse y vivir... hasta que llegue la muerte.

---

[49] Es significativo que el único drama breve publicado por Aldecoa sea precisamanete una tragedia: «El ahogado. Tragedia infantil de primavera», *Revista de Pedagogía*, 1951. Y entrevistado al principio de su carrera de escritor sobre el conjunto de su obra, él respondía así:

—¿Es necesario que la obra de un escritor se encuadre dentro de un sistema?
—Desde luego. Siempre hay que tender a hacer algo como «La comedia humana».
—¿Cómo llamaría a su sistema?
—No lo sé. Algo parecido a «La tragedia humana».
«Entrevista con Ignacio Aldecoa», *El Español*, 20-26 de marzo, de 1955.

[50] «Esta angustia no puede por menos de oprimir al hombre desde el momento en que se coloca verdaderamente frente a la muerte, como constituyendo su posibilidad más personal y menos intrasferible. *Esta posibilidad, en efecto, no es nada más que la posible imposibilidad de la existencia en general.* No se trata aquí de una certeza empírica, del género de la que se expresa bajo esta forma: es cierto que "la" muerte llegará, sino de una *necesidad matemática»*, Jolivet, Régis, *Las doctrinas existencialistas*, Madrid, Gredos, 1970, pág. 123.

[51] Roberts, Gemma, «El existencialismo y la muerte», en *Temas existenciales en la novela española de posguerra*, cit., pág. 208.

2.5. *El absurdo*

Aunque los cuentos citados hasta ahora muestran tragedias y desgracias, los personajes las aceptan impotentes, resignados: es la aceptación necesaria de un destino impuesto. Sin embargo, en algunos otros cuentos la actitud es diferente; predomina una amarga sensación de risa por el absurdo vital. Porque si la vida acaba fatalmente en la muerte, «no se puede pensar en la muerte sin caer en el sinsentido de la vida, y no se puede pensar en el absurdo, sin percibir el vacío del mundo, la nada que nos sustenta»[52]. El fracaso, la enfermedad, la soledad o la muerte no tienen sentido. La vida tampoco. Algunos de los cuentos dramatizan entonces actitudes propias de la literatura del absurdo.

«El asesino», por ejemplo, se acerca —por los personajes estrafalarios, por su modo sin sentido de divertirse, por su pasado confuso, por el trasfondo amargo y el humor aparente— a las historias de la literatura del absurdo. Porque todo —los personajes, sus conversaciones, su diversión, la vida que se sugiere— es absurdo. El sinsentido concentrado en esas pocas páginas encierra mucha amargura, por su comicidad del absurdo, por el humor de lo ridículo. Porque ante el absurdo sólo cabe la desesperación o la carcajada extemporánea. «Y como me he puesto triste, hoy me voy a emborrachar»[53].

a) Función jocosa del absurdo

Algunas veces el absurdo aparece en los cuentos sin dramatismo, sin intención de destacar el sinsentido del hombre o la tragedia de la vida. Tiene, por el contrario, un afán burlón e intenciones caricaturescas hacia los protagonistas. «El silbo de la lechuza» manifiesta esta actitud en todos los capítulos. Especialmente en el que titula «Aquelarre con lelo resignado», en el que el solterón Cayetano informa minuciosamente a su tía y a su madre doña Lucía y doña Matildita de las investigaciones que ha hecho sobre la vida ajena. O «El anónimo», en el que las fuerzas vivas de la ciudad escriben anónimos como chiquillos juguetones. O «Un paseo romántico accidentado», en el que los novios cuarentones se saludan ridículamente:

> Isabelita hizo los últimos metros correteando, cuando entrevió a Cayetano y oyó su santo y seña.
> —Pirupí. Chucurrucu.
> —Chucurrucu. Pirupí.

---

[52] Roberts, Gemma, «El absurdo y la trascendencia», *op. cit.*, pág. 256.
[53]«El asesino», *Cuentos completos 1*, cit., pág. 304.

Cayetano se permitió el mimo de un tironcillo de la espléndida pieza nasal de Isabelita, que revalidó con una estupidez verbal.

—Cretina. *Lapin bleu.*

—Charli. Lobo solitario —respondió *Lapin bleu*[54].

La actitud del narrador se hace burlona en el juego ridículo al que somete a sus personajes. Sólo importa la caricatura y la risa, que producen situaciones y personajes absurdos.

Igualmente «El libelista Benito» refleja un ambiente ridículo y unas caricaturas de personajes. El tono grotesco está buscado con intención de crear comicidad. El absurdo de las situaciones se convierte en motivo de humor.

b) La dramatización del absurdo

Sin embargo, en algunos cuentos las situaciones absurdas pretenden poner en evidencia el drama que en ellas se encierra. Así ocurre en «El teatro íntimo de doña Pom», «El figón de la Damiana», «El herbolario y las golondrinas», «Caballo de pica» y «Ave del Paraíso».

Desde los primeros escritos hasta los últimos, fue similar la preocupación de Aldecoa por este sinsentido de la vida; tanto en el planteamiento del tema como en su resolución. No hay en este aspecto evolución ni soluciones progresivas. «El herbolario y las golondrinas», publicado en 1951, manifiesta un trasfondo absurdo similar al de «Caballo de pica», del mismo años, o «Ave del Paraíso» (1965). En el primero, don Faustino, cercano a los setenta años, entretiene la vida en su herbolario, en lentos paseos, meditativo, y en charlas ociosas con otros ancianos: «lleva una vida triste y arrugada».

> En el columpio de su soltería, él se divierte a su modo, como también a su manera aburre a los ojos para no llorar, un poco cursi, de desvalimiento[55].

Su vida de hombre solitario transcurre en una resignada espera: sin más futuro, sin otras ilusiones. Un grotesco episodio con un municipal le trae la obsesión por matar pájaros, vengador, absurdamente loco. Y en esa situación de sinsentido, de una inocencia inconsciente, la espera resignada se transforma en una ingenua felicidad:

> Don Faustino alterna con los chiquillos crueles de catorce años, que se mofan de él y ríen su chaladura. Don Faustino anda rondándole a la felicidad.

---

[54] «El silbo de la lechuza», *Cuentos completos 2*, cit., pág. 125.

[55] «El herbolario y las golondrinas», *Juventud*, 22 de febrero, 1951.

La vida contemplada con sensatez aparece aquí a los ojos de Aldecoa como un pesado transcurrir del tiempo, lánguido y triste, monótonamente insoportable. La locura, la ceguera, la inconsciencia, son los únicos modos de afrontar este sinsentido, transformándolo en una absurda felicidad de niño inconsciente. Ante esta dura realidad, Ignacio Aldecoa reacciona con actitudes diversas en el cuento, entremezclando el humor, la melancolía, lo grotesco y la ternura. Finaliza así:

> Las tardes de los jueves, sobre la gorra del municipal, descienden de la torre de Las Salesas dos golondrinas, que el muy tonto confunde con los galones de sargento.
> El paseo del Embocillo es un paseo hospiciano, sucio y solitario. Se puede soñar por él.

En «Caballo de pica» coinciden dos grupos de personajes bien diferenciados: los señoritos andaluces nocherniegos y las personas socialmente inferiores, encargadas de divertirlos[56]. Pero ambos mundos manifiestan una misma actitud ante la vida: el sinsentido profundo, que les lleva a la bebida, al cante y a la juerga, como una vía de escape. Los personajes huyen de la pena vital que les envuelve, pertenezcan al grupo al que pertenezcan:

> —Pues vamos a ver, Juan, si tú sirves para sacarnos con tu cante las penas del cuerpo, que son muchas[57].

Y en ese desvalimiento, en ese trasfondo de la pena negra que Lorca vislumbraba en el mundo gitano, cada cual está a solas con su tragedia:

> —No me cuentes penas. De penas, nada —dijo agitando las manos Rodrigo—; pero que nada. Allá cada uno. De penas, nada. La pena en su sitio. Para eso están los confesores (pág. 121).

El sinsentido grotesco se convierte en tragedia con la muerte brutal y absurda de Pepe el Trepa, ahogado de alcohol por los juerguistas.

Por último, «Ave del Paraíso» relata el hastío de los hombres despreocupados en el veraneo constante de una isla. Su existencia aparece insulsa y cansina, sin ningún plan concreto, sin objetivos, en un constante aburrimiento. Forman en conjunto «la espeluznante abeja que mora en la tristeza (...) y el lindo hipopótamo aburrido»[58] y constituyen un ejemplo claro de sinsentido y de nihilismo absoluto.

---

[56] Esta disposición sugiere interpretaciones de denuncia social, estudiadas en el apartado «Contra la burguesía», págs. 121-122.
[57] «Caballo de pica», *Cuentos completos 1*, cit., pág. 123.
[58] «Ave del Paraíso», *Cuentos completos 2*, cit., pág. 339.

2.6. Conclusión

Existe una línea coherente y perfectamente trabada en el tratamiento de los temas existenciales —no cronológica, sino lógica—, que en pasos sucesivos muestra la siguiente trayectoria: el desvalimiento del hombre en el mundo, por la enfermedad, el fracaso o el azar, le obliga a una actitud paciente y resignada, a esperar sin esperanza alguna, hasta que le llegue la muerte, el final. Ante este panorama se impone, algunas veces, el sinsentido de la vida, el absurdo del mundo. En este planteamiento hay influencias de la filosofía existencial, aunque Aldecoa no se inspire directamente en los textos del existencialismo alemán de·Jaspers y Heidegger, o del existencialismo francés de Jean-Paul Sartre o Gabriel Marcel. Aldecoa manifiesta las preocupaciones siniestras que habían cuajado en el ambiente de la segunda posguerra mundial. Él no era un filósofo sino un narrador; por eso transcribe sus intuiciones de los problemas humanos y no una argumentación doctrinal de ellos. Esas intuiciones se refieren a la conciencia de Aldecoa del drama de la vida (la soledad, el fracaso, el fatalismo o la muerte). Ante ellas no reacciona con una patética angustia, existencial, precipicio de la desesperación; tampoco con una esperanza religiosa. Su actitud es pacientemente resignada; la postura de Aldecoa está más cerca de un estoicismo resignado que del existencialismo angustioso[59]. Por otro lado, el fondo existencial de los cuentos de Aldecoa no tiene un carácter cerrado, que aísle al hombre en su propia tragedia. Está abierto a la sociedad, a las preocupaciones de los otros, como veremos en el siguiente capítulo.

3. LOS TEMAS SOCIALES

3.1. *Ignacio Aldecoa y el realismo en la literatura de posguerra*

Tras el manotazo de la guerra civil española, la vida cultural se derrumbó estrepitosamente. Muchos intelectuales y escritores tuvieron que huir en bandada, hacia la muerte, hacia el exilio o camino del silencio. La novela se fue recuperando lentamente. Sus antecesores inmediatos más importantes eran los hombres de la generación del 98. Ellos servirían como modelo a destacados escritores de la posguerra.

---

[59] Hay que consignar también las dificultades que supone la definición unívoca del término «existencialismo». Jolivet acude a los testimonios de los propios filósofos, de críticos y de historiadores, para comprobar que, efectivamente, «esta definición no resulta sencilla de por sí: no solamente hay varias formas de existencialismo que, a primera vista, parecen oponerse entre sí, sino que la misma idea de existencialismo reviste varios significados, donde lo esencial y lo accidental se entrecruzan mezclados de una manera inextricable». Jolivet, Régis, *Las doctrinas existencialistas*, Madrid, Gredos, 1970, pág. 31.

Los escritores del 98 habían adoptado en su época una actitud renovadora, rechazando la literatura inmediatamente anterior. En novela, tanto Unamuno como Valle como Baroja, tachan de «garbancero» a Pérez Galdós. Se levantan contra el realismo tradicional: «Las figuras de los realistas —escribe Unamuno— suelen ser maniquíes vestidos, que se mueven por cuerda y que llevan en el pecho un fonógrafo que repite las frases que su maese Pedro recogió por las calles y plazuelas y cafés y apuntó en su cartera»[60]. Valle Inclán somete la realidad a una estética sistemáticamente deformadora, para representar la tragedia de la vida. Su estética es anárquica, deformadora, como una continua carcajada grotesca, «como si Valle Inclán se solazase, sintiéndose muy superior ante todo aquel mundo que es capaz de desfigurar de un genial manotazo»[61].

Un desprecio similar de un mundo ridículo y de unos personajes peleles encontramos también en los cuentos de Ignacio Aldecoa. Sobre todo en los primeros que escribió. Posteriormente, cada vez más, se va acercando humanamente a ese mundo, a los pobres hombres que lo pueblan, a sus tragedias absurdas insolubles. El rechazo decidido, la repulsa de ese ambiente y de esos personajes, que se trocaba al principio en caricatura ridícula, se transforma después en conmiseración. Se aleja de la actitud despreciativa de Valle Inclán y se acerca a la visión de Baroja hacia los personajes vulgares (ni héroes ni antihéroes), observados de la realidad inmediata. «El personaje barojiano no es un modelo inalcanzable, ni tampoco una estilización irreal; al contrario, podría ser cualquier hombre»[62]. Así son también los personajes de Aldecoa.

Pero tanto Unamuno como Valle Inclán y Baroja, en su literatura sólo «atienden a las preocupaciones más o menos individuales del autor, a la moral más o menos práctica que propone»; su literatura es más bien una «confesión espiritual, y no una prospección colectiva»[63]. Sin embargo en la posguerra, después del periodo inicial de recuperación de la narrativa española, tras el tremendismo y las angustias existenciales, se inicia una etapa de literatura realista, impulsada por preocupaciones sociales, promovida por la Generación del Medio Siglo. Se manifiesta a través de las diversas tendencias señaladas en el capítulo primero de este estudio: el neorrealismo, el realismo social y el realismo crítico. En su expresión más directa —el realismo social— los escritores buscaron una estética clarificadora, que limpiara la literatura de retórica farragosa y vana. Consideraban que el retoricismo venía a suplantar en muchas obras, sometiéndola a la elaboración formal —expresionismo, esteticismo, tremendismo, esperpento...—, la cru-

---

[60] Unamuno, Miguel de, *Tres novelas ejemplares y un prólogo*, Madrid, Magisterio Español, 1967, pág. 223.

[61] Rodríguez Padrón, Jorge, *Narrativa de Jesús Fernández Santos*, Universidad de La Laguna, 1977, pág. 107.

[62] Ynduráin, Domingo, «Teoría de la novela de Baroja», *CH*, mayo, 1969.

[63] Rodríguez Padrón, Jorge, *op. cit.*, pág. 114.

deza de una realidad social injusta en su desnudez. Propugnan por eso un retorno a la plasmación directa de la realidad, al testimonio de situaciones concretas. Y se reafirman partidarios de eliminar formalismos que oculten la crudeza a secas de esa realidad o distraigan la atención del mensaje crítico. Las posibilidades estéticas de la obra literaria se reducen y el estilo se tornará, en muchos casos, desgarbado y caminero.

No todos los narradores manifiestan este desprecio por la elaboración formal de sus escritos, ni se dejan llevar por el descuido con la urgencia de la denuncia. Los novelistas del neorrealismo persiguen una certera adecuación del lenguaje a los protagonistas y a los temas tratados, sin descuidar en ningún momento el valor artístico de sus creaciones. Los autores del realismo crítico aportan técnicas novedosas, asumen las influencias del extranjero y promueven una decidida revolución en el lenguaje.

Pero en todos los casos existe una actitud común, testimonial y crítica. Así se desprende de los estudios históricos y de las declaraciones de los propios autores. «La tendencia de las obras actuales que aquí nos ocupan es hacia un realismo de intención crítica y denunciatoria», escribía Gil Casado en 1968, refiriéndose a este periodo[64]. Y los narradores adoptarán posturas similares a las que manifiestan Ana María Matute e Ignacio Aldecoa:

> La novela ya no puede ser meramente de pasatiempo o de evasión. A la par que un documento de nuestro tiempo y que un planteamiento de los problemas del hombre actual, debe herir, por decirlo de alguna forma, la conciencia de la sociedad, en un deseo de mejorarla[65].

> Somos una promoción muy despegada, sin antecedentes, aunque muy española. Buscamos un camino, el de la novela de realidades y lirismos en la España de hoy[66].

3.2. *La literaruta de Aldecoa como testimonio*

La literatura de Aldecoa tiene como fuente de inspiración la vida. Aldecoa escribía fundamentalmente del mundo que tenía delante y de los personajes con los que se cruzaba. Sus primeros cuentos, aquellos publicados en la revista *La Hora*, que no volvería después a incluir en ninguna antología, revelan la vida bohemia de Aldecoa en aquellos años: visitador de tabernas y cómicos ambulantes, estudiante nocherniego y trasnochador («La faríndula de la media legua», «Función de aficionados», «Cuento del hombre que nació para actor»). Su experiencia vital es el objeto de sus relatos; los hombres con los que vive, sus protagonistas; su mundo es el mundo de sus

---

[64] Gil Casado, Pablo, *La novela social española*, Barcelona, Seix Barral, 1968, pág. 14.

[65] «Entrevista con Ana María Matute», *Ínsula*, núm. 160, marzo, 1960, pág. 4.

[66] Sastre, Luis, «La vuelta de Ignacio Aldecoa», *La Estafeta Literaria*, núm. 169, 15 de mayo de 1959.

cuentos. Reproduce en ellos lugares y tipos de su entorno. Esta actitud será constante en Aldecoa: mirar la vida, vivir la vida y después contarla. El carácter realista de su literatura nace de esta actitud; la profundidad de los personajes tiene aquí su origen; y la sensación de vida que se desprende tras la lectura de cualquiera de sus cuentos, está motivada por este proceso: él ha vivido antes, como espectador o como protagonista, aquello que empieza a relatar.

Con el viento solano nace de un paseo[67]. *Gran Sol* es la elaboración literaria de una de las salidas que él hizo a alta mar en boniteros o bacaladeros. *Parte de una historia* refleja el ambiente de una isla de pescadores tan semejante sin duda a La Graciosa, donde pasó largas temporadas, o a los puertos de mar que gustaba contemplar en su juventud. Y serían innumerables los ejemplos de relatos que pueden relacionarse con escenas vividas por Aldecoa: desde sus años escolares («Aldecoa se burla», «Lluvia de domingo», «... y aquí un poco de humo»), los recuerdos de la guerra («Patio de armas»), su bohemia estudiantil («Maese Zaragosí y Aldecoa, su huésped», «Cuento del hombre que nació para actor», «El teatro íntimo de doña Pom»), la golfería y gente acomodada de sus veraneos en Ibiza («La piel del verano», «Al margen», «Amadís», «Ave del Paraíso»), el mundo de los oficios que contempla a su alrededor («El aprendiz de cobrador», «Entre el cielo y el mar», «En el km. 400», «Los pozos»...) o la España pobre de los años de posguerra («Seguir de pobres», «La urraca cruza la carretera», «Solar del Paraíso»), ... y uno de sus últimos proyectos consistía en hacer la novela de su generación: reflejar literariamente la etapa que les había tocado vivir a él y a los hombres de su tiempo («Años de crisálida»).

Así consiguió trazar en los relatos el amplio espectro de los oficios y ocupaciones en que malviven los hombres de su época: los conductores y pescadores, ferroviarios, dependientes, hombres del boxeo, de los toros o de la mar; comediantes, maestros, funcionarios, obreros, fotógrafos o pobres segadores contratados por temporadas; emigrantes, peluqueros, pensionistas, guardias municipales, adivinadores del porvenir, peones camineros... Es el mundo que rodeaba a Ignacio Aldecoa y personas que iba conociendo. Él tenía una gran capacidad para construir una historia, un ambiente o un carácter, a partir de un gesto, una mirada o una actitud. De la realidad como inspiración pasaba a recrear literariamente esos detalles observados. Por eso su literatura es testimonio, aunque no esté presente sólo un exclusivo afán testimonial. A éste se une también el perceptor sensible y el prosista cuidadoso: el creador.

Lo que es evidente es que Aldecoa no es un escritor de la fantasía y de la ficción imaginaria. Cuando en alguno de sus primeros cuentos ensaya este camino, los relatos carecen de fuerza y de verdad. A las deficiencias de estilo y técnica de un escritor que todavía se está haciendo, se unen caracte-

---

[67] Cfr. Aldecoa, Ignacio, «Carta abierta al director de *La Estafeta Literaria*», 5 de mayo de 1956.

res que hacen del relato una historia ficticia. Falta aún nervio para construir un mundo cierto, un mundo que se haga real en la ficción literaria. Ignacio Aldecoa lo conseguiría al mirar el propio mundo en torno, la realidad circundante.

> Yo he visto y veo continuamente cómo es la pobre gente de toda España. No adopto una actitud sentimental ni tendenciosa. Lo que me mueve es, sobre todo, el convencimiento de que hay una realidad, cruda y tierna a la vez, que está casi inédita en nuestra novela[68].

Cuando Ignacio Aldecoa se da cuenta de ese mundo narrativo inédito aún en la prosa castellana, descubre su auténtico mundo cuentístico. Dará rienda suelta a su capacidad de observación, utilizará su experiencia sacada del contacto personal con esos ambientes y entonces su prosa cobrará vigor, los personajes fuerza de caracteres verdaderos, y el mundo que los envuelve nunca será artificioso y ficticio, sino fundamentalmente auténtico.

a) Un costumbrismo crítico

En algunos párrafos la actitud testimonial se resuelve en pinceladas costumbristas. Aunque no puede aplicarse en general este adjetivo a la obra de Ignacio Aldecoa, es evidente la existencia de ciertos elementos costumbristas aislados en algunos cuentos. «El silbo de la lechuza» comienza con un capítulo subtitulado «Panorámica caprichosa», que es una reproducción de escenas ciudadanas al atardecer. Es la hora del cierre de los comercios, el pregón de los diarios, las novenas para edificación del abundante beaterio, el vocerío de las tabernas de la calle principal, de las tertulias del café o de las filas alargadas para entrar en los cines. En la descripción adopta una actitud crítica, levemente burlona, que tiende a destacar lo ridículo, lo más caricaturesco.

En ningún caso el costumbrismo de los relatos está suavizado de ingenuidad o de simple divertimiento. Existe siempre una cierta carga crítica. «Crónica de los novios del ferial» describe el ambiente bullicioso y jaranero de las barracas de ferias. Las sensaciones que se perciben son chirriantes y desagradables, por el griterío el barullo y el olor aceitoso. Los personajes, como espectadores o como actores, se nos muestran lastimosamente: niñeras gruesas, criadas con «perfumes de alcoba sin ventilación y de droguería mareante», soldados que trasudan el rancho, peones sucios del ferial, cómicos groseros, hambrientos actores pintarrajeados... No es un cuadro costumbrista de colorido, luces, música y jolgorio. Es un espectáculo grotesco, del que aparece reseñado lo más desagradable, con detalles naturalistas:

---

[68] Vázquez Zamora, R., «Ignacio Aldecoa programa para largo», *Destino,* 3 de diciembre, 1955.

Los municipales entraron a llevarse a un borracho desamparado, que acababa de vomitar sobre una señorita plácidamente divertida con su novio[69].

Y una escena costumbrista, brillante de color y de sol, como es la entrada a la plaza de toros en una tarde de corrida, Ignacio Aldecoa la deforma burlón, señalando sólo elementos negativos en cada uno de los personajes que intervienen:

> Los novilleros —porque había novillada— debían estar desfigurados, borrosos de miedo. Los novillos estarían medio ahogados y quemados de las punzadas de los tábanos. Tal vez los picadores estuvieran aletargados con sus caras de tortugas gigantes, balanceando las cabezotas. Los caballejos, como los de un tíovivo, vacilantes y cansados. El presidente, orondo, fumándose un veguero, entre eructos disimulados. La plaza, frenética. Y la bandera, que él veía sobre el azul del cielo, poniendo sus crudos colores de estío africano, cortando, inmóvil, las retinas de los contempladores. Pasaban rostros abotagados que con el calor y la respiración parecían higos reventones llenos de dulzor[70].

b) Ignacio Aldecoa en la vanguardia del behaviorismo literario

Se considera *El Jarama* como paradigma del realismo literario en la novela de posguerra. Su objeto es reflejar un trozo de vida del Madrid de la época, en el que un grupo de jóvenes pasan la tarde del domingo a la orilla del Jarama. Su técnica más importante es el behaviorismo. En la novela apenas ocurre nada. Todo se resuelve en los diálogos insulsos, cotidianos, aburridos, de los personajes, que reproducen con fidelidad los modos expresivos de la gente de la calle. Al final un accidente imprevisto añade una nota de acción a la novela. *El Jarama* se publicó en 1956. Años antes Aldecoa había escrito relatos que se basan en estos mismos procedimientos técnicos: «El cobrador» (1951), «Seguir de pobres» (1953), «El autobús de las 7,40» (1953), «Santa Olaja de acero» (1954) y «En el km. 400» (1956) son muestras significativas de este modo de narrar. La minuciosidad en detalles narrativos, el conductismo, la objetividad del narrador, el diálogo como soporte fundamental del relato, son las características más destacadas de estos cuentos. Las referencias geográficas aparecen señaladas también con precisión, para situar los sucesos en escenarios reales: en Pancorbo, en la Brúju-

---

[69] «Crónica de los novios del ferial», *Cuentos completos 1,* cit., pág. 108. En el relato se entrecruzan tres elementos: un boceto de la vida de los hombres que trabajan en el ferial, un cuadro descriptivo costumbrista del ambiente y el drama de los celos que manifiesta Enrique ante cualquier acción de Margarita. El motivo central es el descriptivo: se propone trazar un cuadro del ambiente en la feria y del trabajo en el ferial. El conflicto de celos sirve sólo como un mínimo elemento de acción, para evitar que el cuento tenga únicamente forma descriptiva.
[70] «Chico de Madrid», *Ibíd.,* págs. 350-351.

la... «En Quintanapalla, viento afilado. En Rubena, silencio y piedra. En Villafría de Burgos, los fríos del nombre. En Gamonal, un cigarrillo hasta el Arlanzón; hasta la taberna de Salvador, ciudad de Burgos, café y copa. (...) Pasaron Lerma. Pasaron Quintanilla, nombre danzarín. Bahabón, como un profundo suspiro en el sueño profundo. Bahabón entre dos ríos: Cobos y Esgueva. En Gumiel de Hizán la carretera tiene un reflejo azulenco de armadura. (...) Habían dejado atrás Milagros, Pardilla, Honrubia, Carabias. Viajaban hacia el Fresno de la Fuente. (...) De Fresno a Cerezo, cambio de temperatura, cambio de altura, cambio de velocidad. El camión ascendía lentamente hacia los escarpados de Somosierra. La luna, desde Cerezo, regateaba por las cimas. La carretera estaba vendada de una niebla rastrera. En lo alto de Somosierra no había niebla»[71].

Y entretanto, en los cuentos, apenas ha sucedido nada reseñable que se salga de la cotidianidad. Son testimonios de la normalidad de la vida de gentes normales. «Tras de la última parada» se inicia con la llegada del tranvía al final de la ciudad; y acaba cuando el empleado de la embajada vuelve a cogerlo otra vez de vuelta. En medio de ambos momentos, no ocurre ninguna acción importante, nada excepcional: el relato ha disecado un momento cualquiera de la vida de unos personajes normales y ha ido sugiriendo datos significativos, para insinuar su historia. Lo que importa es el testimonio vivo de un cuadro sacado de la realidad.

c) Los cuentos de Aldecoa: un testimonio de la España de su tiempo

De este modo los relatos de Aldecoa se convierten en un testimonio de la época que vivió. Su obra es «una ventana abierta sobre su tiempo, un tembloroso noticiario retrospectivo. (...) En realidad, Ignacio Aldecoa ofrece —y no sólo en sus cuentos— la textura sociológica de la posguerra, todo el tremendo "seguir de pobres", para decirlo con un título suyo, de aquella sociedad subdesarrollada»[72].

En esa España de los años 50 todavía eran claramente visibles las huellas de la guerra civil. Aunque se habían reanudado ya las relaciones con los países occidentales, finalizando así el aislamiento de la Península, sin embargo, en España no existiría un plan efectivo de relaciones económicas hasta 1959. Eran tiempos difíciles para los trabajadores y para la clase media. La agricultura padecía el abandono oficial y la posterior expansión de la industria moverá a muchos campesinos a buscar mejores condiciones en los focos industriales. La emigración interior a las ciudades será la causa de crisis urbanas y del desarraigo que sienten familias enteras. España presentaba en conjunto un mundo pobre, un panorama para la compasión y la denuncia, cargado de posibilidades narrativas:

---

[71] «En el Km. 400», *Ibíd.,* págs. 79, 80, 84 y 85.
[72] Martínez Ruiz, Florencio, «Nueva lectura de Ignacio Aldecoa», *ABC,* 4 de diciembre, 1973.

Lo que nos regala pues, Ignacio Aldecoa, son fragmentos de vida y de palabras, trozos de una historia que casi no lo parece —de la que Unamuno llamaba intrahistoria—, de la que él acecha y presencia pausas de vida de este tiempo nuestro ya medio muerto o malherido, abocado a la afasia. Intrahistoria compuesta por pequeñas historias que emiten bocas y rostros que Aldecoa ha conocido y ha visto gesticular mientras miraban, como buscando espejos, a otros rostros distraídos que escuchaban sólo a medias o no escuchaban en absoluto. Pero Aldecoa sí escuchaba, por eso estaba allí, para dejar constancia de la escena trivial e irrepetible, para trascenderla[73].

Muchas veces se ha señalado —y el mismo Aldecoa ha insistido en ello— el carácter experiencial de estos relatos. «Creo moverme en un terreno seguro, porque hablo de hombres y ambientes con los que me he mezclado», afirmaba ya en 1955[74]. Y más aún la objetividad del testimonio, la serenidad expositiva, la independencia de criterios por parte del escritor. Aldecoa no se sirve de la literatura como instrumento para desarrollar una determinada intención ideológica; Aldecoa huyó siempre de encasillamientos y partidismos. Su intención fue representar al país y a sus hombres sin tópicos ni prejuicios.

El escritor tiene que bucear en sí mismo e inventarse un matizado modo nuevo de novelar y no adscribirse a ninguna escuela. Los críticos podrán adscribirlo y él podrá sentirse incómodo en esa adscripción. Todo esto son escolasticismos estrechos[75].

Pero si en alguna categoría Aldecoa nunca se sintió incómodo fue en la del realismo:

—Soy un escritor al que se puede incluir con pocas dudas en el realismo o en lo que damos como valor común al término. Supongo que soy un escritor social, porque tengo preocupaciones de carácter social, y aunque no las tuviera también lo sería, porque toda la literatura es social[76].

Cuando se encargó de dirigir la colección sobre narrativa breve de la editorial Taurus, en la solapa de los libros figuraba este significativo propósito: «Taurus ediciones se propone con esta colección testimoniar literariamente la realidad española actual.» En realidad, este fue el primer propósito que impulsó toda su tarea de escritor. Por eso, en los apartados siguientes de este capítulo estudiaremos cómo se manifiestan los temas sociales en

---

[73] Martín Gaite, Carmen, *El Norte de Castilla,* 10 de mayo de 1973.
[74] Vázquez Zamora, R., *Destino,* 3 de diciembre, 1955.
[75] Clemente, José Carlos, «Al habla con Ignacio Aldecoa», *Nuevo Diario,* 16 de febrero de 1969. Cfr. Corrales Egea, J., *op. cit.,* pág. 127.
[76] Fernández-Braso, M., *Índice,* octubre, 1968.

sus relatos y las matizaciones que conlleva el término «social» aplicado a los cuentos de Aldecoa, con respecto a otros escritores. Se trata de ir descubriendo cómo expresa Aldecoa su testimonio de los bajos fondos urbanos, de los hombres trabajadores o de los ambientes burgueses, en aquella España zaragatera y triste, pueblerina y pobre que le tocó vivir.

3.3. *Los bajos fondos de la sociedad*

«La España de Aldecoa suele ser la España de la escasez, la España del jornal y de los oficios, la España del vagabundo y del mendigo»[77]. El mismo Aldecoa explicó en varias ocasiones por qué prestaba atención en sus relatos a ese «mundo circundante negro y feo»:

> Me acuerdo de haber leído en un prólogo de O'Flaherty a un libro de Green, *De la mina al cementerio,* que él «no tenía la culpa de que su mundo circundante fuera negro y feo y que él escribía de lo que tenía cerca y le hería[78].

El panorama social que Aldecoa veía en torno no era ciertamente estimulante: en «El autobús de las 7,40», la situación escolar es deficiente y obliga al niño a trasladarse cada día a otro pueblo, a un colegio «barato, destartalado» (pág. 249). Otros ni siquiera van: «Si aquí hubiera un colegio... A los míos prefiero criarlos como salvajes» (pág. 247). Los transportes están aún desorganizados: el tren apenas avanza en la cuesta y el soldado para llegar hasta su pueblo sólo encuentra dificultades: «un tren, un autobús, un largo camino a pie...» (pág. 252). La pobreza le obliga al niño a enfriarse cada mañana, porque «el abrigo lo guarda mi madre para el invierno» (pág. 246). Y el raquítico nivel humano de la gente aparece claro a través del cobrador, que grita con la boca llena y se limpia la grasaza del bocadillo con el periódico; o a través de las dos mujeres de grandes nalgas yeguales, divertimiento nocturno de los reclutas.

«La vida está muy mala» (pág. 251) y el ambiente social se va deteriorando. Aldecoa fija entonces su mirada compasiva en los rincones más abandonados de la sociedad: en los gitanos y mendigos, en los callejones sucios y en la gente que malvive en las chabolas de los arrabales. «En mis cuentos hay muchos pobres —me dijo en cierta ocasión— pero España era así»[79]. Los relatos se convierten en un testimonio de esos bajos fondos sociales, con actitudes diversas, que van desde la resignación a la esperanza, la denuncia o la protesta.

---

[77] Mellizo, C., *Ignacio Aldecoa. A Collection of Critical Essays,* University of Wyoming, 1977, pág. 11.

[78] Texto de una conferencia en la Escuela de Arquitectura, citado por Josefina Rodríguez en el prólogo a la antología de cuentos de Aldecoa, editada por Cátedra, cit., págs. 37-38.

[79] Brandenberger, Erna, *op. cit.,* pág. 64.

a) El mundo de los arrabales: los gitanos, los vagabundos, los barrios bajos.

«La humilde vida de Sebastián Zafra» es un testimonio de la vida humilde de los gitanos, expuesta a la miseria, al vagabundeo, a la cárcel y a la muerte. Al referirse a ellos, el narrador los denomina, compasivo, «la comitiva de los humildes que viven bajo los puentes»[80]. A través del relato se revelan sus actividades, su escala de valores, la condición de la mujer en la sociedad gitana. Por eso el protagonista no destaca con rasgos claros de su carácter: no importa él como protagonista sino como muestra de una vida gitana que acaba trágicamente. De Sebastián Zafra apenas conocemos algunos datos de su modo de ser, «humilde, vago y tierno» (pág. 200); por lo demás, es «como todos».

En ese afán de testimonio realista, Aldecoa sitúa concretamente hasta el lugar en el que se desarrolla la historia. Cuando Sebastián y Virtudes pasean, adolescentes, por el campo, y se oyen repicar unas campanas de vísperas de fiesta, comentan:

—Debe ser en Foronda.
—No, deben ser las de Antezana (pág. 276).

El cuento aparece así situado a las afueras de Vitoria, en el campo de los extramuros, más allá de la ciudad, donde los gitanos establecen sus cabañas. Lugares que fueron bien conocidos por Aldecoa, aficionado al andar caminero, a bordear montes y cruzar los recintos de las ciudades.

«Quería dormir en paz» refleja el abandono de los hombres que viven en los arrabales de la ciudad, en «chabolas construidas con adobes y trozos de latas»[81]. Su desamparo social está relacionado con un oficio pobre y mal asegurado, que apenas les da para vivir:

—Ahora peón, aunque mi profesión es maestro entibador. Estuve en las minas; he perdido mucha vista y ya no sirvo (pág. 260).

Existe una actitud realista testimonial, por parte de Aldecoa, en este relato publicado en 1952, que sugiere situaciones de injusticia. No manifiesta directamente el rechazo de esa situación injusta y miserable; no hay un grito de rebeldía; pero queda claro el testimonio de unos personajes y unos ambientes pobres que no deberían existir.

Este es el primer relato en el que Aldecoa contempla esos mundos orillados de la ciudad y sugiere razones de injusticia como la causa de ese estado de cosas. Desde la publicación del cuento en el diario *Alcalá*, el 10 de agosto de 1952, hasta que Jesús Fernández Santos editara *Los bravos*

---

[80] «La humilde vida de Sebastián Zafra», *Cuentos completos 2*, cit., pág. 273.
[81] «Quería dormir en paz», *Cuentos completos 1*, cit., pág. 262.

en 1954 o Rafael Sánchez Ferlosio *El Jarama* en 1956, habrían de transcurrir todavía algunos años. Esas novelas citadas se consideran tradicionalmente como el inicio del realismo en la literatura española de posguerra. Ignacio Aldecoa varios años antes escribía ya con una dedicida actitud testimonial. El testimonio realista se mezcla aquí con tonos melodramáticos al acumular, junto a la pobreza de esos hombres, la enfermedad de muerte de su hijo:

> —Es que salí de mi casa a pasear, ¿sabe? Tengo un chico enfermo, muy grave y he estado todas estas noches velándole, sin dormir, y luego a trabajar, ¿entiende? Por eso me quedé en el banco. Estaba cansado. Quería dormir en paz (pág. 261).

Esta tragedia humana está dispuesta para reforzar más el injusto desamparo social de ese hombre. Y ante una y otra situación, Ignacio Aldecoa destaca fundamentalmente la impotencia del protagonista. José Fernández Loinaga es un hombre resignado —como tantos otros de los cuentos— que sufre en silencio la situación social y existencial injusta que padece. No se rebela ni ante la miseria social ni ante la enfermedad. Las padece impotente. Como si no pudiera salir de sus condicionantes, de ese destino. La impotencia o la pasividad para superar condicionantes es —lo hemos visto ya— uno de los temas claves de los relatos de Aldecoa. Ante tales situaciones sólo cabe la conmiseración, como hace el guardia al darle esos dos billetes de cinco pesetas: pobre consuelo, miserable solidaridad, símbolo de la impotencia humana ante la miseria, ante la enfermedad, ante el destino y la muerte. Y esa misma actitud conmiserativa es la que Aldecoa muestra ante sus personajes, porque comprende su desamparo.

«Pájaros y espantapájaros» hace referencia a la historia de cuatro obreros caminantes que coinciden durante la comida en una venta: un afilador, un jornalero de la siega, un mago levantino y un andaluz limpiabotas. Los cuatro están obligados a recorrer las tierras para malganarse la vida, para comer, pobres, una mesa de pan y vino. Hombres nacidos en la miseria, de vida dura, «hartos y desengañados».

> Literariamente, yo creo que se produjo en Ignacio Aldecoa una reducción nihilista de la realidad social, de la misma raíz de la que se advierte en Quevedo, por ejemplo, en el *Chitón de las Taravillas* o en *El Criticón* de Gracián; con ella una correlativa respuesta, que yo llamaría de melancolía social, que le llevaba a entrar ahora en el mundo de los humildes con una especie de desesperanzada resignación, fuera de cualquier dinámica rebelde y reformista, y encaminada a producir tan sólo un veraz y dolorido testimonio, lleno de sensibilidad realista, de plenaria comprensión y de ternura —único bálsamo que estaba a su alcance[82].

[82] Gómez de la Serna, G., *Ensayos sobre literatura social,* Madrid, Guadarrama, 1971, págs. 91-92.

Muy pocas veces asoma entre la miseria la esperanza. No hay salida para estos hombres. Por eso destaca como excepción el relato titulado «Los vecinos del callejón de Andín». Es un testimonio realista de la vida miserable en un callejón apartado y sucio de la ciudad. Más que cualquier otro elemento —la acción, la estructura, los procedimientos técnicos— importa sobre todo el testimonio de un ambiente y de unos personajes vulgares: sus conversaciones, sus modos de ser, su abandono social, su miseria humana. Algunas de las secuencias son un cuadro vulgar, anodino, diario, pero lleno de vida, de los diálogos de esos hombres en la taberna. Y en este propósito testimonial Aldecoa no se detiene ante desagradables detalles naturalistas:

> Andín pertenecía al invierno: a las lluvias, a las nieves y a los fríos intensos. En el verano parecía una fosa común, con gordos gusanos de vecindad en albornoz; en la primavera, conmovía la angustia su soledad, y en el otoño, sucio, de luz siniestra, de penumbras, de crimen alevoso y deyecciones, repugnaba.
> Un reflejillo de grasa se notaba en el mostagán. Comían torpemente, con las manos agarrotadas. Comían como unos estupendos animalillos. Paraba Volante en su deglutir, se pasaba el pañuelo, calloso de sonadas, por los labios y se echaba un trago[83].

Los vecinos del callejón de Andín tienen todos en común rasgos negativos de hombres sin horizontes: el descuidado tabernero Gorrinito, el tronado relojero, los borrachos Piorrea, Panchito, el ciego y el sacristán, las pelanduscas Paca y Cecilia, los holgazanes Antonio y Bayoneta. La miseria social en la que están atrapados esos personajes aparece explícita desde el primer momento, desde el epígrafe que encabeza el primer capítulo, desde la primera frase con la que se abre el relato: «El callejón de Andín olía mal» (pág. 149). Abundantes detalles descriptivos insisten en esa degradación del ambiente, reflejada en las sensaciones desagradables, en la suciedad, en la miseria del callejón. «En su entrada avisaba el celo municipal al transeúnte, por medio de un cartelón, que estaba prohibido, bajo multa de cinco pesetas, hacer aguas» (pág. 149). Y sin embargo «todos los borrachos de la ciudad orinaban creyendo molestar a los vecinos, pero ellos ni se enteraban» (pág. 150).

El callejón sin salida parece convertirse en símbolo de la imposibilidad de superar esos condicionamientos. Y sin embargo al final queda abierta una esperanza: desaparece el prostíbulo, se castiga a Panchito con la cárcel, se coloca un mingitorio cercano... «Después el callejón no olió tan mal» (pág. 179). Y lo que era una sucia cloaca, fue una «cloaca, en verdad, luminosa desde aquel día» (pág. 180).

Todo el relato manifiesta un tono levemente divertido y oculta la miseria con el aderezo de la ironía y del humor. Desde el subtítulo se percibe

---

[83] «Los vecinos del callejón de Andín», *Cuentos completos 2*, cit., págs. 150 y 154.

esa actitud irónica suavizadora: «Los vecinos del callejón de Andín. Jácara de poca, pero buena intención.» Otros detalles aislados buscan también a lo largo del relato la comicidad[84]. Con todo ello Aldecoa manifiesta una actitud optimista, esperanzadora ante el desamparo en el que se encuentran todos esos personajes. La fiesta de fin de año convoca a todos amigablemente y trae promesas de entendimiento: en el callejón parece hacerse realidad el tópico «año nuevo, vida nueva».

> La noche de fin de año es la noche en que las viejas bailan con los adolescentes y el anís se le atraganta a la jamona, que tose y llena de aspavientos el mundo, mientras que su marido, consumido de carnes, le golpea la espalda, riéndose. Es la noche en que todos los diablillos danzan entusiasmados por los tejados y espantan el sueño de las ratas, trayéndoles la primera inquietud de enero. Es la noche en que alguien —el calaverón de Panchito—, a temprana hora, desafía a beber a un pellejo de vino —el caballero Piorrea— y pierde la apuesta y empieza a trompazos con todo hasta que es reducido y la severa mano de un hombre de paz —Eutiquio, el tabernero— lo silencia de modo contundente. Es la noche en que, para fin de cuentas, dos enemigos hacen la paz y un padre que tenía cierta prevención a un muchacho que enamoraba a su hija bebe con él unas copas de más y siente que le cae simpático y lo trata como a su futuro yerno. Es la noche en que un chófer grandullón y simpático viene con su mujer al callejón y la presenta en sociedad y logra un gran éxito. Es la noche, además, en que Paca aparece y sonríe y los vecinos no se sienten comprometidos por saludarla; porque la vida, en buena filosofía, da muchas vueltas, y ¿quién sabe?... Es la noche, por fin, en que San Silvestre está ojo avizor por si alguien, sacristán o perillán, en vino o ladino, siente que la carne le quema y pretende otra paz que no la pura de la diversión. San Silvestre mira, y los diablos, como perros rabiosos, se escapan a las huertas a esconderse en los montones de estiércol que parecen montones de cadáveres de gorriones.
> La noche fue una maravilla (págs. 177-178).

También es una excepción en los relatos la actitud idealizadora de la pobreza. «Los bienaventurados» refleja la miseria, y sin embargo bienaventuranza, de la vida de unos hombres vagos, mendigos, de corazón ingenuo, mal conducidos por la vida y que se conforman con su mala fortuna.

No hay denuncia social en sentido estricto por la existencia de estos hombres abandonados de la sociedad. Se percibe una cierta extrañeza de que haya gentes que actualmente puedan vivir de este modo; asombro e incluso envidia, por su vida independiente, sin ataduras. Por eso son bienaventurados:

> Bienaventurados los vagos, porque sólo son egoístas de sombra o de sol, según el tiempo.

---

[84] Cfr., por ejemplo, págs. 173, 174 y 176.

Bienaventurados porque son despreciados y les importa un comino.
Bienaventurados porque son como niños y les gusta jugar a cazadores para alimentarse y no para divertirse.

Bienaventurados porque tienen el alma sensible y se duelen de las desgracias del prójimo: de que el prójimo trabaje demasiado, de que el prójimo luche por una posición en la vida, de que el prójimo sea tonto.

Bienaventurados los vagos porque son temerosos de la ley, aunque nada tienen que perder.

Bienaventurados porque son como minerales con alma y porque les gusta divertirse honestamente y porque lloran cuando se les hace daño y porque hablan de tú a las estrellas y porque dicen «el padre sol» y «la madre luna» y «la noche está serena» o «el día está amurriado», o «la trucha se pesca en los pocillos frescos y el cangrejo mejor es el de agosto», y saben refranes antiguos y a los vientos les cambian los nombres. Bienaventurados los vagos (pág. 233).

En esta relación de las bienaventuranzas hay cierta idealización de la vida del mendigo y una repulsa de la sociedad trabajadora, organizada, propensa a la rutina y al sometimiento. Frente a ella se exalta el vivir despreocupado, independiente, vago, «libre».

Por los personajes y por el ambiente, el cuento adquiere un tono de realismo decimonónico, al estilo de los pobres que pinta Galdós en *Misericordia*. Sin embargo en éste había un decidido rechazo de esa realidad, una actitud de denuncia, destacando los aspectos más miserables. En «Los bienaventurados» el autor se distrae más en la ingenuidad idealizadora.

b) Las miserias de la emigración

Una de las fuentes de pobreza es la emigración. El éxodo forzoso se convierte en semillero de frustraciones, de desarraigo y de abandono. En la España que vivió Aldecoa la situación de pobreza obligaba a los trabajadores pobres a buscar un mejor futuro en la emigración; unas veces a lejanas tierras de Europa o América («Tras de la última parada»), otras, dejando el campo hacia la ciudad («A ti no te enterramos», «Al otro lado», «La chica de la glorieta»). Los hombres que han abandonado el campo y se encuentran en las ciudades sin recurso alguno y sin trabajo, viven en la más absoluta miseria. Son «las gentes de afuera», los hombres de los extramuros, los que viven en los barrizales. Sus míseras chabolas sólo albergan la miseria. Malviven en el abandono:

> Los enseres son pocos en la chabola: un colchón de saco y paja; algunas cajas vacías; una maleta de cartón roídas las cantoneras; dos cubos; platos de metal y pucheros ahumados; la ropa colgada de un clavo junto a la puerta; mantas dobladas haciendo cojín de una silla de las llamadas de tijera; un rebujo de trapos...
> La chabola está construida con un trozo de valla, hojalatas, piedras

grandes, ladrillos viejos, ramas y papeles embreados, además de otros materiales de difícil especificación. Los papeles embreados han sido cubiertos de limo, ya seco, para que no se ablanden con el calor. A pesar de las precauciones tomadas por Martín se descuelgan breves estalactitas negras por alguna juntura del techo y churretones lacrimosos por las paredes.

En la chabola huele a brea, a recocido de ranchada, a un olor animal, violento, de suciedad y miseria. Se sienten los ruidos de las chapas, el zumbido de los insectos, un largo gemido de madera seca de sol (páginas 278-279).

«Al otro lado» se publicó el 25 de enero de 1953. Son patentes el realismo y la actitud testimonial de un ambiente mísero, de una situación socialmente injusta y detestable. El paro, el aislamiento forzoso al que les someten los hombres de la ciudad, la desconfianza inmotivada que les manifiestan, la necesidad de acudir a la limosna para sobrevivir, les obliga a tomar una triste decisión de desengaño:

—Nos tenemos que volver al pueblo. (...) No vamos a esperar a tener que pedir, a que nos echen por pedir. Mañana nos largamos (página 281).

c) El contraste de la pobreza en la sociedad

En algunos relatos aparece explícito el contraste entre los bajos fondos y otro grupo social. Así se manifiesta en «El mercado» y «Solar del Paraíso». En «El mercado» se contraponen con la mediocre clase media. Los nueve capítulos que lo forman alternan sistemáticamente ambos mundos. El contrapunto sirve para destacar las diferencias de los dos ambientes. El cuento se compone de dos historias paralelas, con personajes diferentes, que al sucederse alternadas contrastan las dos clases sociales. Tan sólo una vez, aisladamente, se tocan ambos mundos: cuando Antonio va a comprar plomo a casa del basurero Florencio.

Lo principal en el ambiente de los basureros es la miseria. Abundantes detalles contribuyen a resaltarla: la suciedad, la enfermedad, el barro. En la clase media es la hipocresía, que guarda las apariencias y busca figurar.

De este modo, en el recorrido testimonial de Ignacio Aldecoa sobre la realidad que le rodea, el escritor parece haber dado un paso más en su actitud de denuncia, al representar este contraste de dos clases sociales. Tanto en una como en la otra, al final todo sigue como al principio: el Remedios —redimido por el trabajo—sustituye a Florencio enfermo en la tarea de recoger las basuras; y don Matías lee, un día más, el periódico, después de la boda apresurada de su hija. Queda como resultado el convencimiento de que «la vida sigue igual», la sensación de incomunicabilidad de ambos mundos, la imposibilidad de salir del propio medio y superar ataduras[85].

En «Solar del Paraíso» la mirada es algo más esperanzadora al final del cuento. El tema dominante es la pobreza en la que están encerrados los personajes: viven en un chamizo de adobes construido en un solar; no tienen ni para celebrar con un vino en la taberna el cumpleaños; apenas hay trabajo y escasea la comida. Han de luchar para vivir cada día míseramente. El testimonio del abandono en el que viven estos hombres se hace entonces denuncia dramática: viven pobres en el solar y de él acaba expulsándoles «la ira sin límites del negocio»[86].

Se sugiere también una separación dialéctica de los personajes: los habitantes del solar viven su miseria en una chabola con «una puerta chiquitina, estrecha como el ojo de la aguja bíblica, por donde es seguro que no cabe el opulento y bien nutrido de su propietario: don Amadeo» (pág. 229). Y cuando han de marcharse, porque pronto empezarán a construir en el solar, piensa Ramón que su salida no le preocupará a don Amadeo: «Es justo que nos marchemos. A don Amadeo no le importará a dónde» (pág. 253).

Concluyendo, en ningún caso el tema de los bajos fondos de la sociedad está tratado con rabia, con rebeldía furiosa. Por el contrario, predomina una actitud serena, de aceptación: estos hombres son «gentes de pobreza absoluta de medios económicos y de absoluta riqueza de medios para ser felices. Esto es: son millonarios de resignación y alegría» (pág. 229). En los cuentos interesa sobre todo el testimonio —más o menos objetivo— de estos ambientes. Los personajes aparecen humanamente ennoblecidos, tratados con admiración, con respeto, con ternura. La aceptación y el acercamiento comprensivo del autor hacia ellos no le permiten hundirles con acritud en la miseria. Les contempla con resignación: «Todo se arreglará. No hay que desesperarse» (pág. 249).

3.4. *El mundo del trabajo*

a) Los oficios: eje temático de los cuentos de Aldecoa

«Un artista llamado Faisán» es el más antiguo de los cuentos publicados por Ignacio Aldecoa en revistas (*La Hora*, marzo, 1950), entre todos los que después volvería a editar en antologías de cuentos. En él se lee la siguiente afirmación: «Su industria de limpiabotas le llevaba a conocer tipos muy raros y sabía, desde luego, lo que da de sí la vida y lo mucho y lo poco

---

[85] Cuando Julita contempla admirada al Remedios, «veía en él (...) una especie de producto perfecto del medio en que ella había nacido y vivido», «El mercado», *Cuentos completos 2*, cit., pág. 199.

[86] «Solar del Paraíso», *Ibíd.*, pág. 258.

que hay que trabajar para comer»[87]. Desde aquí hasta las últimas narraciones publicadas póstumamente, hay un tema que sirve en los cuentos de hilo conductor: es el tema del trabajo. A lo largo de su vida fue fiel al programa que se había marcado al escribir:

> En líneas generales, mi propósito es desarrollar novelísticamente, en la medida de mis fuerzas, la épica de los grandes oficios[88].

Sus relatos se convierten en un testimonio ennoblecedor del trabajo humano. Con una actitud admirativa, los personajes sienten orgullo cuando se sienten trabajadores: al Remedios —hasta cierto punto holgazán, hasta cierto punto pendenciero y chulón— el primer día que salió con el carro para recoger los productos útiles de las basuras, «le entusiasmaba saberse un trabajador, un obrero que gana su pan saliendo todas las mañanas al trabajo»[89]. Todos los oficios, las pequeñas y grandes faenas de la sociedad, quedan reseñadas en los cuentos por la presencia de protagonistas que tienen como rasgo básico su condición de trabajadores. El muestrario de tareas es inabarcable y un mínimo rastreo pone en evidencia su importancia y las perspectivas fundamentales desde las que Aldecoa enfoca este tema.

«Crónica de los novios del ferial» es un testimonio del mundo ruidoso y jaranero en el que trabajan los feriantes: artistas pintarrajeados, saltimbanquis, churreros, cómicos y bailarinas, hombres de trapo, cantadores y ventrílocuos. Hombres que conocen la feria, que la viven, que son de la feria y en ella ganan para mantenerse e ir tirando.

Y otros protagonistas de los cuentos son el guardia caminero, el vendedor de melones («Muy de mañana»), los alguaciles, ujieres, guardias y alcaldes pueblerinos («La espada encendida»), «el aprendiz de cobrador» en el tranvía, los militares («La tierra de nadie»), los obreros de la construcción («Hasta que lleguen las doce»), el empleado de la embajada, que se pasa todo el día andando y se agota en un «empleo insuficientemente pagado» («Tras de la última parada»).

b) El trabajo como rutina o como esfuerzo

El mundo del trabajo no aparece ingenuamente idealizado en los cuentos de Aldecoa. En «Camino del limbo» hay un rechazo explícito del trabajo rutinario, adormilante, que ata al hombre sin enriquecerlo. «Yo soy un hombre cualquiera que trabaja por unas pocas pesetas»[90] —piensa con desilusión Miguel. E Ignacio Aldecoa, oculto tras el narrador, afirma:

---

[87] «Un artista llamado Faisán», *Cuentos completos 1,* cit., pag. 134.
[88] Vázquez Zamora, R., art. cit.
[89] «El mercado», *Cuentos completos 2,* cit., pág. 216. Véase también «Entre el cielo y el mar», *Cuentos completos 1,* cit., págs. 33-38.
[90] «Camino del limbo», *Cuentos completos 1,* cit., pág. 132.

La ciudad en que Miguel vive cierra el camino de las acciones y abre el de los sueños. Pasarán los años y ni los sueños quedarán. Se convertirá en un hombre mamotreto, insensible, pesado, sucio de polvo, lleno de números, reventado de trabajar tontamente» (pág. 131).

Aldecoa rechazó siempre ese trabajo hecho de rutina y horario fijo. Fue un escritor de un hacer libre. Se mostró contrario al funcionariado de nueve a dos, «haciendo números, escribiendo anotaciones, respondiendo a las preguntas del jefe, con el señor, después de la afirmación y la negación» (pág. 131). Exaltó como nadie el mundo de los oficios; todos: hasta los más miserables. Por las dificultades que ofrecen y la vida esforzada que exigen, Aldecoa elevó hasta los más humildes a una verdadera epopeya literaria. Pero el trabajo circular, monótono, de las oficinuchas oscuras y los funcionarios serios y aburridos aparece como algo penoso y frustrante: «Yo soy un hombre cualquiera que trabaja por unas pocas pesetas.»

Sin embargo, en conjunto, en los cuentos destaca el carácter ennoblecedor del trabajo. Sin idealismos, porque todas las tareas le obligan al hombre a un esfuerzo constante; muchas veces le atan a la monotonía o le exponen al peligro; tantas otras le dejan al borde de la injusticia.

c) Testimonio de todos los oficios:

1. Los temporeros

«Seguir de pobres» es un testimonio de la vida de los jornaleros que han de contratarse cada año por los pueblos para ayudar en las faenas de la recolección. Su vida aparece esforzada, expuesta a un penoso abandono social: la falta de trabajo, la miseria, la enfermedad, tal vez la muerte, para seguir —sin otra esperanza— siempre de pobres. Apareció publicado en la revista *Juventud* el 30 de abril de 1953. Es el momento en que Ignacio Aldecoa se manifiesta decididamente empeñado por los temas sociales. Tras éste aparecerán publicados otros cuentos en los que insiste en una actitud de denuncia contra situaciones sociales lamentables.

> (...) están los tiempos malos. No se marcha la gente de su tierra porque estén buenos, ni porque la vida sea una delicia, ni porque los hijos tengan todo el pan que quieran[91].

En «Seguir de pobres», sin estridencias pero con crudeza, el autor constata la situación injusta de desamparo de los segadores, «cuadrillas de segadores que, como una tormenta de melancolía, cruzan las ciudades buscando

---

[91] «Seguir de pobres», *Ibíd.*, pág. 29.

el pan del trabajo por los caminos del país» (pág. 25). Con múltiples detalles evidencia su miseria:

> De la bota del pobre se bebe poco y con mucha precaución. Al pan del pobre no se le dan mordiscos; hay que partirlo en trozos con la navaja. El queso del pobre no se destroza, se raspa (pág. 27).

Duermen en un pajar, como animales, con una manta, teniendo por compañeros arañas y ratones; comen sin más un trozo de tocino; trabajan todo el día al sol; el compañero enfermo queda tirado solo, sin apenas asistencia... El desamparo se hace más lamentable en la secuencia última, cuando «El Quinto» queda abandonado en el camino de la ciudad, enfermo, para ir al hospital... si es que llega. Escena última que es la imagen imborrable y clara de un total abandono: enfermo, pobre y solo en mitad del camino[92].

2. Los ferroviarios

El trabajo de los ferroviarios es el motivo de «Santa Olaja de acero». Un trabajo esforzado y de mala remuneración:

> —¡Qué oficio, Dios! —murmuró.
> —Quéjate, quéjate, que tienes boca.
> —No hay dinero para pagar esto, hombre.
> —Tampoco lo hay para estar metido en una mina o al pie de un horno durante ocho horas, quemado por fuera y por dentro. Aquí, cuando quieres, puedes respirar y pegarte un trago en cada estación que paremos.
> —Tienes razón, Higinio; peores los hay[93].

Ante su trabajo los hombres se resignan, porque no pueden hacer otra cosa, porque a pesar de todo, «peores los hay». El oficio se manifiesta así en toda su dureza, como una carga que arrastra cada día a los personajes y les quita todo, hasta su vida familiar.

Y el oficio es también una acumulación de ocasiones peligrosas, en las que el hombre pone en juego su vida, sin aspavientos, sin darlo importancia: «No eran los compañeros gentes para extenderse en comentarios sobre los peligros pasados» (pág. 23). Higinio y Mendaña han estado a punto de descarrilar. Como hoy, también otros días sufrirán situaciones difíciles, y sin embargo no se quejan de ello: se resignan. Su actitud es heroica. No es el heroísmo de una situación extraordinaria; es el heroísmo manifestado en el deber cotidiano. Cuando, de vuelta, despierta su mujer y le pregunta por

---

[92] «El corazón y otros frutos amargos» se refiere también al mundo de los jornaleros del campo, hombres que han de correr de aquí para allá en busca de un mínimo salario, pan, vino y torrezno.

[93] «Santa Olaja de acero», *Cuentos completos 2*, cit., pág. 15.

el trabajo del día, su respuesta es lacónica, sin dar más importancia a lo ocurrido:

> —¡Hola, Higinio! —dijo con ronca voz de sueño—. ¿Qué tal hoy?
> Higinio contesto:
> —Bien. Como siempre.
> Luego cerró los ojos[94].

Josefina Rodríguez ha señalado este rasgo fundamental en el tratamiento de los oficios por parte de Aldecoa:

> Para Ignacio el hombre se hace hombre en lucha con el obstáculo. Cuando este obstáculo es el trabajo, la lucha adquiere una extraordinaria dignidad. Los trabajos de sus personajes son trabajos humildes a los que, sin embargo, una dedicación entrañable confiere grandeza. Es el amor al oficio, la sabiduría en el oficio, por modesto que sea, lo que ennoblece el trabajo[95].

3. Los pescadores

Uno de los mundos de los trabajadores que más presente está en los relatos de Aldecoa es el faenar pesquero. A veces está relacionado con la añoranza de acción, con el deseo de mar y de nuevas tierras («La sombra del marinero que estuvo en Singapur»). Otras veces es un testimonio del trajinar de cada día en los puertos pesqueros del Cantábrico («La nostalgia de Lorenza Ríos», «Entre el cielo y el mar», «Rol del ocaso», «La noche de los grandes peces»). Es la vida de unos hombres en lucha continua con la naturaleza, con los vientos y el mar bravío. Hombres expuestos al oleaje, a la galerna que destroza y mata, a la pesca siempre variable, de la que depende el sustento de la familia.

> En el barrio viejo, la alegría y la tristeza ponían la vida en el fiel. Alegría de trabajo y tristeza de peligros. Las mujeres de los pescadores no pueden dormir después de la madrugada hasta los finales del otoño. Ha empezado la pesca[96].

«Rol del ocaso» se centra en los hombres que trabajan en pequeños barcos de carga. Refiere el último viaje del *Ispaster*, cuando ya después hay que

---

[94] *Ibíd.*, pág. 24. Una situación similar es la de los camioneros que conducen de noche, para llevar el pescado desde el Cantábrico hasta Madrid: «Luisón pensaba en el oficio. Frío, calor, daba igual. Dormir o no dormir, daba igual. Les pagaban para que, con frío y calor, con sueño y sin sueño, estuvieran en la carretera. Mal oficio.» «En el Km. 400», *Cuentos completos 1*, cit., pág. 83.

[95] Rodríguez, Josefina, *op. cit.*, pág. 26.

[96] «La nostalgia de Lorenza Ríos», *Cuentos completos 1*, cit., pág. 397.

retirarlo al dique porque está acabado. «El *Ispaster* estaba fatigado de proa a popa, herido de estribor a babor, exactamente como un toro que embiste, que guarda fuerza en su cabeza, que tiene energía en sus cuartos traseros, pero que ya está llamado por la muerte y da los bandazos de agonía»[97]. También el patrón siente —como su barco— que está ya acabado, que le falta autoridad y le faltan facultades. Dos elementos aparecen tratados en este cuento: el oficio de marinero y la idea de un final irremediable que llega siempre, para el barco y para sus hombres.

La faena de los marineros aparece revestida de heroicidad. Esos hombres se gastan cada día en un trabajo esforzado, en una tarea penosa, expuestos en cada salida al temporal, al oleaje, al accidente o a la muerte. Y mientras, el trabajo se hace agotador y nada estimulante. Como el del fogonero José María, que llevaba ya «veintitrés años a la mar con ratas; veintitrés años sin codornices ni gorriones; (...) veintitrés años a la mar sin romerías» (pág. 63).

Sin embargo, a pesar de la pobreza en la vida del pescador, a pesar de los sinsabores de su esfuerzo, de tantas mañanas en las que la pesca se da mal, a pesar de todo, el hombre asume con orgullo su trabajo. La pericia en el oficio y esa identificación del hombre con su tarea le ennoblece, y rescata el trabajo de la monotonía y del agobio. El joven adolescente de «Entre el cielo y el mar» se mira con ilusión en el oficio duro de su padre. Con entusiasmo, se sueña ya pescador adulto:

> «Le gustaría ser pescador de mar, dejar de pescar desde la playa. Le gustaría salir con las traíñas y estar encargado en ellas de los faroles de petróleo. Y sobre todo hablar del viento de Levante. Decir al llegar a casa, con la superioridad del trabajador del mar: "Como siga esto así vamos a comer piedras. El Levante nos ha llenado hoy la traíña tres veces..."»[98].

4. El mundo de los toros, del boxeo y otras ocupaciones

Nunca destaca Aldecoa de los oficios lo más fulgurante, lo heroicamente llamativo. No se centra en relatar la vida del torero triunfador, con plaza llena en una capital importante. No es el brillo, los aplausos, la belleza y la fama del torero rico lo que le atrae. Es el torerillo pobre, que se ata a un capote por necesidad, que pasa miedo y sufre revolcones, que ha de torear en cualquier sitio y cambiarse en cualquier rincón:

---

[97] «Rol del ocaso», *Ibíd.*, pág. 68.
[98] «Entre el cielo y el mar», *Ibíd.*, pág. 35. En el relato aparece contrastada la idealización del oficio, en los sueños del trabajador joven, con el realismo de los hombres curtidos ya en la faena.

—¿A que no te has vestido nunca en una sacristía? —preguntó Perucho.

—Yo me he vestido en muchos sitios. En todos los sitios que tú quieras.

—Pero no en una sacristía.

—En una sacristía, no; pero me he vestido en una cuadra con mulos zaínos, y en un carro andando, y debajo de un puente, y en un rincón tras de una sobrecama en la plaza Mayor de un pueblo, y bajo un tendido viendo las pantorras a las mujeres, y donde tú me digas..., y en las afueras, en el campo[99]...

Torerillos pobres que se esfuerzan en las plazas de los pueblos, entre carros. Miedo, pobreza y suciedad. El agobio de la faena y la obligación de malvivir. Porque es preciso trabajar con desgana para comer. Son personajes que no viven aventuras extraordinarias, ni se encuentran en situaciones excepcionales. Viven tan sólo la aventura cotidiana de malvivir, de esforzarse en un trabajo duro, de verse sometidos al cansancio, a la soledad y al hastío. Y en esas situaciones rutinarias, sin brillo, ellos son heroicos por la actitud esforzada con la que enfrentan la vida. Así lo señala Esteban Soler:

> La novedad que aporta Aldecoa a la literatura española consiste en descubrir la excepcionalidad dentro del vivir cotidiano, la épica en la aparente vulgaridad, las terribles crisis, los valores eternos del hombre en la sociedad que le es más inmediata, pero menos observada. Para ello tiene un material inagotable: los oficios, las ocupaciones monótonas e ineludibles de cada ente humano en el esfuerzo por la supervivencia y la dignidad y felicidad en ella[100].

Por eso la retahíla de oficios insignificantes que aparecen en los cuentos es inabarcable: ambulantes limpiabotas, titiriteros, alambristas, vendedores de periódicos y feriantes, cazadores de ratas, víboras o avispas para venderlas después a los laboratorios... En «Un cuento de Reyes» se refiere a «la gente sin abrigo y sin gabardina que no se puede quedar en casa, porque no hay calefacción y vive de vender periódicos, tabaco rubio, lotería, hilos de nylon para collares, juguetes de goma y de hacer fotografías a los forasteros»[101]. Hombres de trabajo pobre, de vida callejera, de sueldo para pensión barata, de costumbres ambulantes y comida escasa. Oficios miserables,

---

[99] «Los pozos», *Cuentos completos 1*, cit., pág. 146.

[100] Esteban Soler, H., tesis doctoral, pág. 116. Citado por Rodríguez, Josefina, *op. cit.*, páginas 44-45. Sobre el mundo de los boxeadores de gimnasio a los que el sacrificio se les impone como una necesidad, recuérdese —además de «Young Sánchez»— el libro *Neutral Corner*. Cfr. el capítulo II de este estudio, págs. 60-61. Sobre los toreros pobres, «Caballo de pica» revela también el mal vivir de un extorero ramplón, que ha de ganarse el sustento divirtiendo a los señoritos, aguantando burlas ridículas y bromas pesadas hasta la muerte.

[101] «Un cuento de Reyes», *Cuentos completos 1*, cit., pág. 293.

a los que han de atarse los hombres porque no hay más remedio, porque «no se puede uno cruzar de brazos. Hay que trabajar»[102].

d) ¿Literatura de denuncia social o testimonio de la resignación?

Aldecoa se asombraba ante todos estos personajes olvidados de la sociedad. Acostumbrado a una vida acomodada, de burgués sin problemas, se sentía desconcertado por esos otros modos de vivir pintorescos, tan distintos del ambiente en el que se había criado desde niño. Por eso le atraían, en una mezcla de curiosidad y asombro, compasión y envidia. Envidiaba la anarquía y la independencia de esos hombres; compadecía su miseria y su abandono; le asombraban sus modos pintorescos de malvivir. Y les hace protagonistas de sus cuentos. Evidencia entonces el abandono en que viven, su pobreza material y su miseria humana. Pero en la mayoría de los relatos no hay una reivindicación político-social por el modo de vida de esos personajes. No grita ni se rebela: se pasma. Aldecoa se asombra ante la vida que llevan los comediantes («La farándula de la media legua», «El teatro íntimo de doña Pom», «Función de aficionados», «Crónica de los novios del ferial»); y le desconcierta que haya personas capaces de vivir pescando animales en los riachuelos («Los hombres del amanecer») o revendiendo trozos de metal recogidos en el campo («Los bienaventurados») o limpiando fangosos las alcantarillas («Vísperas del silencio»). ¿Destaca en la lectura una protesta por esa vida, por la situación de injusticia social que eso supone? Sólo en alguno de los relatos («Seguir de pobres», «Caballo de pica», «Quería dormir en paz», «Al otro lado», «Vísperas del silencio», «La urraca cruza la carretera»). En la mayoría de los cuentos no. Pone en evidencia la dureza de la vida de esos hombres, pero no sugiere razones políticas como la causa de esa situación. Más bien queda patente una actitud existencial, que hace referencia al abandono del hombre en el mundo, al sinsentido de su vida esforzada, a la dureza de su vivir resignado: porque no queda más remedio.

Quizá por eso se ha entendido mal la afirmación de Aldecoa en 1955, en una revista: «Yo he visto y veo continuamente cómo es la pobre gente de España»[103]. Se han interpretado estas palabras como un manifiesto de literatura social, como un alegato de crítica contra determinadas situaciones que él trataría de reflejar en sus cuentos. Más bien esta declaración es —sin más— un testimonio de su actitud de hombre asombrado y compasivo ante esas «pobres gentes». Él mismo continuaba: «No adopto una actitud sentimental ni tendenciosa. Lo que me mueve es, sobre todo, el convencimiento de que hay una realidad, cruda y tierna a la vez, que está casi inédita en nuestra novela.»

---

[102] «Los hombres del amanecer», *Ibíd.,* pág. 45.
[103] Vázquez Zamora, R., art. cit.

Aldecoa fue un hombre volcado hacia fuera: le gustaba el paseo a pie por los caminos y por las calles de la ciudad[104]; le gustaba la charla sosegada y sin prisas en las tabernas; y le apasionaba contemplar las faenas de los puertos, la vida de los toreros, de los cómicos, de los pescadores. Eran mundos desconocidos para él, desconcertantes, asombrosos, atractivos, en los que descubría también riesgos y miserias. Y esos mundos le servían como fuente de inspiración para las narraciones. Un detalle, un personaje, un suceso le llevaban a imaginar y sugerir en un relato cómo sería la vida de ese hombre. Pero no eran para él en primer lugar motivo de denuncia crítica de hechos sociales, sino motivos inspiradores de su literatura. Sus escritos son realistas: porque nacen de la realidad y pretenden reflejar esa realidad. Pero su realismo no es social en el sentido de la literatura española de los años 50, que perseguía una crítica social de situaciones injustas concretas[105].

Aldecoa no tenía tampoco nada que ofrecer a esos ambientes. Por carácter, era un hombre decididamente independiente, poco inclinado al compromiso. Por convicción o por la peculiar situación política de la época, se mantuvo al margen de iniciativas sociales y políticas de cualquier bando. Por su formación ideológica estaba convencido de que el hombre tenía que aguantarse y malvivir el tiempo que le quedara en la vida. No había esperanza. Nada podía ofrecerles, ni tampoco pretendía ofrecerles·nada. Su única alternativa era la resignacion:

> Ejercita la paciencia
> como la tierra misma...

Y así son socialmente los protagonistas de los cuentos: hombres resignados a vivir la vida que tienen por delante tal y como se les presente. Sin más iniciativa, sin rebeldía[106].

---

[104] «Somos partidarios del vagabundeo, de ir a donde le lleven a uno los pies, de no fijar itinerarios, porque todos los itinerarios están fijados de rutina. Preferimos las rutas, las personales rutas, aunque se acompañen de equivocaciones y de vueltas sobre los propios pasos, que abre a su arbitrio quien echa a andar sin más brújula que la curiosidad por todo», Aldecoa, Ignacio, *El País Vasco*, Barcelona, Noguer, 1962, pág. 15

[105] Me refiero a las corrientes del realismo social o del realismo crítico, estudiadas en el apartado «Su generación», págs. 26-34. Sobre este aspecto, son fundamentales las precisiones de algunos autores sobre qué es la narrativa social: cfr. Gil Casado, Pablo, *La novela social española*, Barcelona, Seix Barral, 1968, págs. 8 y ss.; Sobejano, Gonzalo, *Novela española de nuestro tiempo. En busca del pueblo perdido*, Madrid, Prensa Española, 1975, pág. 299.

[106] Si alguna vez pretenden romper con la situación social o humana que les envuelve, la respuesta de la vida será el fracaso: «Los bienaventurados», «Al otro lado», «A ti no te enterramos». Hay que considerar también en este sentido el problema de la censura, al que me referiré en el apartado 7 de este capítulo.

3.4.1. La solidaridad humana

La vida del trabajo es difícil, agotadora, pero la presencia cercana del compañero alivia sequedades. La solidaridad se da en los cuentos entre los trabajadores pobres de la calle: entre el fotógrafo, la cerillera, los vendedores de periódicos o de lotería. Así se manifiesta en «Un cuento de Reyes»: ante la enfermedad, ante la pobreza y ante el hambre:

> —Casilda, ¿tú me puedes prestar un duro?
> —Sí, hijo sí; pero con vuelta.
> —Bueno, dámelo y te invito a café[107].

Los hombres que comparten un mismo oficio se muestran solidarios entre sí, en lo poco en lo que pueden solidarizarse: en compartir su esfuerzo y su pobreza:

> (...) a un compañero hay que darle ocasión, sin molestarle, de un suspiro, de una lágrima, de una risa. Un compañero puede estar necesitado de descanso y es necesario saber, cuando cuente, el momento en que hay que balancear la cabeza o agacharla hacia el suelo o levantarla hacia el sol[108].

Como el maquinista Higinio y el fogonero Mendaña («Santa Olaja de acero»), Luisón y Anchorena («En el km. 400») son dos compañeros solidarios, que se entienden y se llevan bien, que comparten sus mutuas preocupaciones. Igual que los otros protagonistas de los cuentos. Los personajes de Aldecoa nunca aparecen enfrentados; no hay tensión constante en las relaciones de la sociedad; no es el choque la fuerza motriz que enfrenta a los hombres de los relatos[109]. Por el contrario, los personajes de Aldecoa se entienden, comparten sus desdichas y sus esperanzas. El dramatismo de sus vidas nunca está provocado por los demás hombres, porque les ignoren o les maltraten. Su tragedia, si existe, es producto de la fatalidad o de la mísera condición del hombre o de su incapacidad para superar el dolor, la desgracia o el sufrimiento. Y en estas situaciones, Aldecoa siempre añade la solidaridad de los otros, una solidaridad que supone a veces compartir la impotencia, asumir la resignación. En «Quería dormir en paz», al descubrir el guardia la mísera chabola en la que viven José Fernández Loinaga y su familia, «sacó algo de un bolsillo y le dio la mano a José. (...) En las manos de José quedaban arrugados, sucios y misericordiosos dos

---

[107] «Un cuento de Reyes», *Cuentos completos 1*, cit., pág. 294.
[108] «Seguir de pobres», *Ibíd.*, pág. 28.
[109] Si existe, aisladamente, un conflicto en alguno de los cuentos, el final es siempre positivo, esperanzador, como en «Los vecinos del callejón de Andín» o «Los atentados del barrio de la Cal». Son una afirmación de la capacidad humana para entenderse y superar rencillas y enfrentamientos distanciadores.

billetes de cinco pesetas»[110]. Es la manifestación de una solidaridad humana ante situaciones tristes de desamparo. Una solidaridad, en los cuentos, más simbólica que efectiva, porque apenas va a solucionar nada esa mínima ayuda económica. Una solidaridad que no es más que el reflejo de la conmiseración. Porque la solidaridad absoluta es imposible. El drama del hombre es individual. Nada puede eliminar la desgracia o el dolor del otro; tan sólo aliviarlos... hasta cierto punto.

De este modo, los relatos de Aldecoa que manifiestan un carácter social evidente añaden siempre un trasfondo existencial que los universaliza. «Seguir de pobres», por ejemplo, es uno de los relatos en los que más insistencia se hace sobre el desamparo social. Y en él la solidaridad del compañero aparece continuamente destacada:

> Cinco hombres solos. Cinco que forman un puño de trabajo (página 26).

Los jornaleros han aceptado, solidarios, la compañía de «El Quinto»; acaban llamándole por su nombre, Pablo, como un signo de amistad íntima; le dejan la manta cuando está enfermo; le dan al despedirse algunos de sus ahorros; pero al final, le dejan solo en el puente, enfermo, camino del hospital:

> Por la orillita de la carretera caminaba, vacilante, Pablo. Los segadores volvieron las espaldas y echaron a andar. Se alejaron del puente (página 32).

Parece como si fuera la suya una pobre solidaridad —tan sólo a medias generosa— porque obliga el trabajo de cada uno, el hambre de los hijos y las necesidades de la familia. Quizá es que ellos no pueden hacer nada más. Y Martínez Cachero acaba sugiriendo una interpretación existencial a este relato, uno de los más decididamente sociales. Se pregunta si su trasfondo no será «la soledad del hombre como radical situación, con escasos y débiles contrapesos, simbolizada en el personaje "El Quinto", víctima propiciatoria de los demás y de su hado»:

> Andar, andar sin sentido ni objetivo, a la mala ventura, temeroso siempre y de todo, ¿así el hombre durante su existencia?[111].

Esta conjunción siempre de aspectos sociales y planteamientos existenciales es por lo tanto, uno de los fundamentos sobre los que se basa la universalidad de los relatos de Aldecoa. Lo anecdótico concreto queda trascendido,

[110] «Quería dormir en paz», *Cuentos completos 1,* cit., pág. 262.
[111] Martínez Cachero, José María, «Ignacio Aldecoa: Seguir de pobres», *El comentario de textos 2,* Madrid, Castalia, 1974, pág. 211.

evitando la tendenciosidad, y sobre todo ello se impone la voluntad artística.

3.5. Contra la burguesía

La fuente de inspiración de la narrativa de Aldecoa fue siempre —ya lo hemos dicho— la realidad social. Pero esa realidad fue distinta en los distintos momentos de su vida. Al principio se interesaba por los estratos menos favorecidos: los ambientes sórdidos de tabernas, callejones malolientes, gitanos, hombres de los arrabales; y con ellos todos los trabajadores asalariados que se esfuerzan en oficios intrascendentes: torerillos, cobradores de tranvías, jornaleros del campo, ferroviarios, barberos, peones de la pala y de la azada, pescadores, pensionistas, camioneros... La actitud ante ellos es de conmiseración, de una tierna comprensión de sus miserias, de su sometimiento, de su resignada incapacidad.

Después, la clase media empieza también a aparecer con más frecuencia en los relatos, especialmente a partir de *Caballo de pica* («Los bisoñés de don Ramón», «Arqueología», «El diablo en el cuerpo», «El porvenir no es tan negro», «Dos corazones y una sombra», «Fuera de juego»). Por último, está cada vez más presente la clase burguesa, a la que ridiculiza grotescamente y pone en evidencia su vacío y su abulia. La actitud del narrador es distinta: ha evolucionado desde la compasión por los socialmente desposeídos a la crítica de las gentes ociosas mejor situadas[112].

El predominio de una actitud opuesta a la burguesía se intensifica sobre todo en la década de los 60: «La piel del verano», «Al margen», «Ave del Paraíso», «Los pájaros de Baden-Baden», «Party», «Amadís». Fue éste un tiempo de rápidas transformaciones sociales y económicas. La industria experimentó un auge considerable, especialmente en algunas zonas de desarrollo; las grandes ciudades vieron aumentar desacompasadamente su población; se extendió un panorama económico favorable, de inversión, de seguridad, de confianza y de desarrollo. Los grupos sociales dedicados al mundo de los negocios recibieron estos aires propicios y los aprovecharon. Mientras, en las ciudades, la emigración amontonaba barrios caóticamente urbanizados, y la industria acumulaba obreros no siempre en las condiciones más deseables. La burguesía vivía este ambiente con despreocupación. Surgió entonces una corriente novelística que criticaba su actitud abandonada, olvidadiza: su vida al margen[113].

---

[112] Este cambio de materia novelable y de actitud hacia ella exige también una técnica diferente: no estará presente el lirismo, porque no hay compasión, sino ironía, deformación y esperpento. Estos rasgos, que ya se manifestaban en los primeros relatos, ahora se intensifican. Cfr. capítulo VII de este estudio, págs. 257-266.

[113] Se considera a Juan García Hortelano como el autor que inaugura en la novela esta corriente narrativa en 1959, con *Nuevas amistades;* dos años después publicaría, con un trasfondo

a) Los nuevos ricos animalizados

«Los bisoñés de don Ramón» es el primer cuento publicado por Ignacio Aldecoa en el que arremete burlón contra la burguesía[114]. Su actitud es desde el principio decididamente crítica, sirviéndose de la caricaturización de los personajes. Los sufijos y la comparación de los protagonistas con animales son para este propósito pieza clave. Así comienza el relato: «Él era rubito, gordito, culoncito». Y era conocido por «un apodo que sonaba a batería de cocina; en la casa le decían el señorito Cuchín»[115]. La madre, «pechugona», el día de la Primera Comunión de Cuchín «transpiraba vanidad de pavota en su sofoco burgués» (pág. 195). Y el padre, que volvía de la oficina sonriendo «becerril», siempre «tenía la tripa a punto de reventar, como una sandía madura» (pág. 197). Irónicamente, cuando son nombrados en el cuento, no aparecen como padres e hijo, sino con otras denominaciones: «intervenía la madre del genio sonriendo de la contestación de su vástago» (pág. 196). «El niño, modosito y solemne, besaba en ambas mejillas a su progenitor» (pág. 197). Cuando Cuchín acabó su carrera de Derecho, se afilió a un partido político «moderado, aburrido, triste y feo» (página 197). El relato termina con la siguiente frase referida a él ya mayor: «Era un farsante y podía hacer carrera» (pág. 202). Aldecoa ha ido acumulando elementos para ridiculizar con un tono burlón a la clase media burguesa: movida sólo por ambiciones políticas, económicas y sociales, egoistona, siempre tristemente insatisfecha, que vive de apariencias hipócritas y de la farsa. Más allá se percibe también la filosofía del fracaso de Aldecoa. Y tras el humor de lo grotesco y lo ridículo se esconde la amargura y la crítica.

b) Señoritos y parias

El valor de denuncia se hace más patente cuando contrasta dos grupos sociales y evidencia así el olvido de unos hacia los otros. «Caballo de pica» refiere una juerga nocturna de vino, cante y borrachera en un ambiente andaluz. Dos grupos sociales se reúnen en el mismo lugar: los señoritos, que se gastan en juergas de vino y parranda, y los socialmente desfavorecidos, que han de divertirles y aguantar el desprecio como una de las formas de ganarse la vida:

> —Aquí me tenéis ustedes con este jamelgo —dijo señalando al torero— que no le quieren ya ni para la pica, dispuesto a hacerles pasar un buen rato. (...)

social parecido, *Tormenta de verano*. Aldecoa, varios años antes, había editado ya algunos cuentos con esta temática.

[114] Apareció publicado por primera vez en la revista *Juventud*, el 7 de junio de 1951, con el título «Los bisoñés de don Ramón Martínez, secretario».

[115] «Los bisoñés de don Ramón», *Cuentos completos 1*, cit., pág. 195.

Rodrigo le llevaba (se refiere al torero) para hacer palmas, gracias y recados. Lo ridiculizaba con bromas estúpidas para levantar la risa de la gente de juerga[116].

Los primeros son despreocupados, vividores, juerguistas, hombres de guitarra y borrachera. Los segundos aparecen sometidos por imperativos sociales; es «la necesidad» (pág. 121). Aquellos, grotescamente, acaban con la vida del extorero: «Pepe el Trepa, de cincuenta y siete años, sin un clavel y sin amigos, se ahogaba. (...) Como los caballos de la pica» (pág. 125). Se ahogaba con el vino que los señoritos le hacían tragar brutalmente con un embudo, hasta matarle. Aparecen así animalizados, por el efecto de la borrachera, inconscientes, embrutecidos hasta la diversión grotesca, hasta la tragedia.

c) El injusto contraste del ocio y el sudor

La contraposición más frecuente se establece entre el mundo del trabajo de unos y el ocio de los otros, la abundancia y la pobreza, el bienestar y la escasez de lo más imprescindible: «Vísperas del silencio», «La noche de los grandes peces», «El mercado», «La humilde vida de Sebastián Zafra», «Esperando el otoño». Este último relato puede servir como paradigma de los demás. Se centra fundamentalmente en la holgazanería de una juventud vividora. Los jóvenes protagonistas malgastan despreocupados una tarde insulsa y aburrida, mientras beben, juegan al ajedrez, resuelven crucigramas o hacen solitarios con los naipes. Manifiestan una actitud burguesa y allí donde van pierden su tiempo inútilmente:

> Juancho Miranda había estudiado Medicina en Valladolid. Había jugado al mus en Valladolid. Había bebido mucho vino en Valladolid. Tuvo que dejar la Medicina, el mus, el vino y Valladolid[117].

Los demás preparan oposiciones o fingen estudiar delante de sus padres o evitan el trabajo en las empresas de la ciudad:

> —¿Por qué no entras en *La Química*? ¿Por qué no te busca tu padre un enchufe?
> —Lo que me faltaba —dijo amargamente Manolo—, entrar de chupatintas en *La Química* (pág. 53).

---

[116] «Caballo de pica», *Ibíd.*, págs. 123 y 121 respectivamente.
[117] «Esperando el otoño», *Cuentos completos 1,* cit., págs. 48 y 49. Este cuento apareció publicado por primera vez el 14 de julio de 1957 en el diario *ABC.* Reúne todos los elementos que son propios de la narrativa social: protagonista colectivo y reducción del tiempo y del espacio. El diálogo es el soporte básico de la narración; un diálogo insulso, coloquial, de frases a medias,

El mundo del trabajo está presente a lo largo de todo el cuento como fondo de contraste. En varias ocasiones se cita la actividad de ese otro mundo de hombres trabajadores en *La Química* o en la empresa de cemento. Aparece así un contraste, no explícito sino sugerido, entre estos jóvenes que se aburren holgazanes y los hombres que trabajan en esos momentos. Significativamente surge el rechazo de esa actitud abúlica, pasiva, frente a la tarea de los trabajadores: mientras los jóvenes corren hacia la taberna de la estación para continuar su aburrimiento, el relato finaliza con una referencia a los hombres de las fábricas:

> Por la calle de la estación subían hacia el pueblo los hombres de las fábricas y volvía a llover (pág. 54).

A través de los cuentos citados, puede formularse también la conclusión que se desprendía del análisis de otros sectores de la sociedad: se refiere a la presencia constante en los cuentos de Aldecoa de rasgos existenciales. En estas narraciones contra la burguesía, cargadas de intencionalidad social, aparecen especialmente destacados el aburrimiento, el malestar, la abulia («Al margen», «La piel del verano», «Amadís», «Ave del Paraíso»), la frustración y la apatía («Party», «Los pájaros de Baden-Baden»), el hastío.

3.6. *Denuncia de la injusticia*

La intencionalidad social de los relatos culmina en la denuncia de las condiciones desiguales en que viven los miembros que forman la sociedad. Desvelar las situaciones injustas se convierte entonces en el objetivo prioritario del escritor. Ignacio Aldecoa manifiesta con claridad estos propósitos en algunos de los cuentos. Dos son especialmente significativos en este sentido: «La urraca cruza la carretera» y «Vísperas del silencio».

«Vísperas del silencio» relata, alternadas, la situación de dos familias: una pertenece a la clase burguesa y al mundo de los negocios; la otra está incluida en la clase pobre y el trabajo miserable de pocero. Cada una tiene sus problemas peculiares: la primera, orgías, fiestas, celos, un desfalco en los negocios y preocupaciones por el hijo Rafael: es mal estudiante, se escapa de casa con su novia, se emborracha con más frecuencia de la que su padre, su novia y su cuerpo le toleran. La segunda familia aguanta la pobreza y la enfermedad del padre, y se consuela con la esperanza de que el hijo llegue a ser jugador de un importante equipo de fútbol. En muchos aspectos coinciden las preocupaciones o la situación de los dos ambientes. El contrapunto

---

sobre temas que han sido mil veces hablados, con fórmulas tópicas. Los personajes forman un grupo anodino, casi anónimo, en una situación vulgar calcada de la vida: distraer un rato de aburrimiento en la taberna.

resulta al comparar las distintas soluciones en cada caso. En cuanto al hijo enfermo, Fonchi se cura, rodeado de caprichos y de mimos:

> —Este niño —comentó Crisanto— se va a educar muy mal. Le damos todos los caprichos, y claro...
> —Todavía está convaleciente. Hay que mimarle[118].

Mientras, Paquito muere sin remedio.

En cuanto a la preocupación por el porvenir de los hijos, Rafael malgasta su tiempo y el dinero de su padre con una irresponsable frivolidad, mientras Víctor y Mariano han de ganarse la vida con su trabajo. Destaca así con absoluta claridad el tema básico del cuento: las diferencias sociales contrastadas, la injusticia social. No está expresada con tonos rabiosos, con recargos naturalistas, como una denuncia panfletaria. Tan sólo constata unos hechos, refleja una situación social con formas literarias comedidas.

Los subtemas del relato expresan diversos aspectos de esa idea general, reflejados con un planteamiento dialéctico: los ricos aparecen como hipócritas, derrochones, dados a las borracheras, a fiestas y negocios poco claros, dominados por la indiferencia y la abulia, «el mismo común denominador de indiferencia que regía para todos» (pág. 91). Su actitud social es despreocupada e injusta. Don Orlando «algunas veces había dicho, lo recordaba, cuando le decía que la gente pasaba hambre: "Prefiero que la pasen ellos a pasarla yo, que es lo que ocurrirá en cuanto ellos dejen de pasarla"» (pág. 94). Por el contrario, los pobres sufren malos tratos, padecen la escasez, la enfermedad y finalmente la muerte. La miseria es su eterna compañía: la madre «estaba planchando unos cómicos calzoncillos» y «recosía calcetines de pardas soletas» (pág. 60). Viven en una buhardilla.

> La habitación tenía en un rincón la cocina; en medio, una mesa de comedor con hule azul y blanco; un jergón pegado a la pared. Sillas, todas distintas: de paja, de madera barnizada y asiento de cartón imitando cuero repujado, de tijera, de culoinquieto.
> A la habitación daban dos puertas: la del dormitorio de los padres y la del de los dos hijos mayores, empleados el uno de manguero del Ayuntamiento, el otro en un taller de mecánica. En el jergón de la cocina-comedor dormía Paquito, el niño enfermo (pág. 61).

Su trabajo es monótono e inhumano:

> —Como siempre. (...) Ratas, lodo, porquería y oscuridad (pág. 62).

Es una situación de pobreza que no aparece aislada, sino formando un trasfondo social miserable y abandonado. Se refleja en todas las actividades, en cualquier situación: «Los jugadores de fútbol se lavaban en una fuente

---

[118] «Vísperas del silencio», *Cuentos completos 2,* cit., pág. 74.

pública frente a un bar. Se vestían y desvestían en un corro formado por los partidarios de su equipo» (pág. 69). Y alrededor del campo de fútbol triste en el que juegan hay «unas casas en ruinas consecuencia de la guerra. Las ruinas, todavía habitadas (pág. 69).

Publicado por primera vez en 1955, este relato se inserta plenamente en la corriente literaria del realismo social dominante. Es significativa su preocupación por ambientes y profesiones más abandonados y el interés por destacar la pobreza social y la injusticia. Para ello recurre el autor a la técnica del contraste, alternando esas dos historias de dos familias que pertenecen a dos escalas sociales tópicas: la burguesía de los negocios y el trabajo de los poceros. El contraste queda muy patente ante la enfermedad de los niños:

> Don Orlando reflexionaba que si él no hubiera tenido el dinero que tenía, su nieto, pobre angelito, hubiera volado al cielo (pág. 64).

Mientras que a César no le queda otro consuelo que lamentar la muerte de su hijo Paquito:

> —(...) Pensar que cogido antes, con las medicinas que hay...
> —Pero se necesitaba dinero y nunca lo hemos tenido (pág. 68).

En el cuento titulado «La urraca cruza la carretera» los camineros descansan del trabajo bajo un sol de plomo. Su tarea se hace esforzada y difícil: «Tenía la frente lloviznada de sudor, y bajo los párpados inferiores, una sensación de mojadura salina. (...) De la caldera de la brea llegaba un aliento ardoroso»[119]. Todo es agotamiento, sudor y cansancio. Sólo satisface un poco la búsqueda de cualquier sombrajo o la frescura de un sorbo de agua. El trabajo se hace duro y agobiante. Pero lo que destaca fundamentalmente en el cuento es la descompensación social que lleva a esos hombres a gastarse en tareas tan sofocantes, mientras otros, con más dinero, viven una vida desahogada. Es «la gente rica», a la que se refieren los peones camineros varias veces en el relato:

> —Uno —añadió una barbaridad—, uno —repitió— es una porquería sin remedio. Está uno aquí peor que una piedra para que esa gente...

> (...) —Cálmate —dijo lentamente el señor Antonio a Justo Moreno—, cálmate, hombre. A veces no se sabe por dónde viene el dinero; hay que esperar. Te puedo contar casos...
> —No es sólo eso, Antonio. El dinero de los demás, cuando uno... No sé, no lo puedo explicar... Estamos bien fastidiados para que todavía... (pág. 71).

---

[119] «La urraca cruza la carretera», *Cuentos completos 1*, cit., págs. 69-70.

Aparece explícita la queja de estos míseros peones camineros que se asfixian al sol agobiante del verano, mientras otras personas...

> —Estaba pensando —repitó el señor Antonio— en el automóvil que ha pasado.
> Casimiro Huertas se rascó las crecidas barbas canas. El señor Antonio miraba hacia las colinas.
> —No hay derecho —dijo suavemente el señor Antonio—. Son cosas a las que no hay derecho. Tanto dinero es un pecado.
> (...) —Como comer brea hirviendo —dijo—, o aún peor. Es que hay cosas... Uno no sabe decir, pero habría que decirlo... (pág. 73).

En estos párrafos sí existe conciencia de la mala situación social, por parte de los protagonistas; y queja y denuncia. Aparece un planteamiento dialéctico simple, que contrasta a los pobres camineros con los ricos que pasean su coche. Y se expresa la necesidad y el deseo de decir ciertas cosas que «uno no sabe decir, pero habría que decirlo». En el cuento destaca sobre todo el sometimiento de estos grupos sociales: al final, los camineros vuelven al trabajo. Abandonan las sombras de la cuneta para agobiarse de nuevo al sol. Se muestran impotentes en una situación en la que hay tantas cosas «a las que no hay derecho».

Fue en el año 56 cuando apareció publicado este cuento en el diario *Arriba*. Eran los años en los que la literatura expresaba todo su ardor social, como una furia. El tema de la injusticia aparecía constantemente tratado. Y Aldecoa se suma también decididamente a esta corriente de literatura social de denuncia.

> —¿Contra qué escribirías? —le preguntaron en cierta ocasión a Aldecoa.
> —Contra la injusticia. Contra lo que escribo. Pero mi temática es más amplia[120]...

Esta misión la había asumido como un deber desde el inicio de su tarea como novelista. Así lo afirmaba en unas declaraciones el año 54:

> Esta justicia humana para todos, para el fuerte y para el débil, para el hombre con fin en su vida y para el que se acoge por casualidad, por flaqueza, por miedo a la vida, a un oficio duro, pero justificativo, es, a mi modo de ver, algo de lo más importante que el hombre novelista tiene que llevar a su obra literaria[121].

---

[120] «Entrevista con Ignacio Aldecoa», *Diario SP,* 5 de junio de 1968.
[121] Narvión, Pilar, «Entrevista con Ignacio Aldecoa», *El Ateneo,* 1 de noviembre de 1954.

3.7. *Su ideología política y la censura*

Aldecoa no ejerció su denuncia de situaciones sociales de abandono o de actitudes injustas desde una postura política determinada. Nunca estuvo afiliado a ningún partido ni a organización alguna. En unos momentos de radical politización de la vida cultural española, Aldecoa quiso mantener siempre su independencia:

> El creador auténtico está solo, total y definitivamente solo, es animal de fondo al que no lleva la corriente. Y esa es su grandeza y su aventura[122].

Su trabajo de escritor le puso en contacto con publicaciones falangistas, especialmente del SEU; su impronta de intelectual le obligó a firmar cartas colectivas contrarias al régimen. Pero siempre lo hizo desde su independencia.

> Ignacio Aldecoa no se dejaba empujar por nadie; iba donde quería ir, sin pedir permiso ni dar cuenta más que a sí mismo; repugnaba las consignas de partido —de cualquier partido— y seguía tercamente el rumbo de su propia estrella sin atender al ruido de los que, fuera de su órbita, ofrecían, adoctrinaban, enrolaban, premiaban o sancionaban al pequeño mundo de la vida literaria española[123].

En el fondo era un escéptico ante la política. Dejó constancia de ello en varios relatos; sobre todo en «El loro antillano» y en «El libelista Benito». El primero es una clara alegoría política[124]: A doña Frasquita, a quien «la política le importaba un rábano, porque era mujer de orden y de desfiles», le regalaron un loro parlanchín de consignas mitineras y revolucionarias: «¡Viva Bolívar, mueran los gachupines!» «¡Redención del negro, redención del negro!» Hasta que llegó el loro, todos se llevaban bien y todo el mundo quería a doña Frasquita. Pero desde que llegó él, las relaciones entre los personajes eran tensas y difíciles: «El loro, que era un verdadero agitador, repetía lo que le convenía para caldear más el ambiente y hacer la revolución.» Pronto se dieron cuenta de que «todos sus malquereres provenían precisamente del gangueo revolucionario del avechucho». Por eso, cuando murió aplastado por un coche, «la tertulia de doña Frasquita, ignorando la tragedia, siguió sin líos ni zarandajas, su marcha normal por los siglos de los siglos».

La interpretación genérica de la alegoría aparece con claridad y casi expresamente sugerida en el relato: el loro es símbolo del revolucionario, que

---

[122] Nota escrita de Ignacio Aldecoa, citada por Rodríguez, Josefina, *op. cit.*, pág. 34.
[123] Gómez de la Serna, Gaspar, *Ensayos sobre literatura social*. Madrid, Guadarrama, 1971, pág. 206.
[124] Se publicó en la revista *La Hora* el 30 de abril de 1950.

allá donde llega insiste en su tarea de revolución. La gente «de orden y de desfiles», cuando se percata de ello, busca el modo de eliminarlo, para continuar en un estado de pacífica inmovilidad rutinaria.

El tema está tratado con un tono jocoso, divertido, mediante comentarios de humor e ironías constantes. Al final nadie queda bien parado: ni las solteronas inmovilistas ni el loro revolucionario. Es una manifestación literaria de su irónico escepticismo ante las actitudes políticas, de su decidida independencia.

«El libelista Benito» es una divertida visión de la vida de este extraño personaje absurdo. Con la caricatura, se percibe una mirada satírica del politiqueo barato de la época y de la falta de formación e interés político serio. Benito se enfada ante la censura de un artículo de fondo del periódico. Marcha a discutirlo con sus amigos en la taberna; se suceden vino y discusión, ataques personales y panfletos. Benito vuelve borracho a casa y después todo sigue igual.

Los personajes representan las dos Españas: él, liberal y parlanchín, con una cultura superficial para hacer poesías de postales; ella, bravucona, inculta y decidida, que suprime el periódico —la cultura, la información— para evitar problemas. Y él, «mientras tanto, callaba»[125]. Con un tono humorístico, de caricatura divertida, hay un trasfondo crítico de la mísera situación cultural y de las desanimantes perspectivas políticas. Se refleja en la palabrería hueca y mitinera:

> Yo creo en el individuo y en las instituciones, pero una institución elevada sobre los cimientos de la tiranía es una institución —acentuaba estrambóticamente la ene— que hay que hacer arder por los cuatro costados. Yo soy la antorcha. Mis libelos serán la gasolina. Seguidme (páginas 325-326).

Se refleja también en una política de ataques personales y panfletos:

> Que si el concejal Sánchez persiste en no poner la eléctrica en la calle y seguimos con los faroles de gas a cien metros uno de otro, cuando vuelva a su casa borracho no va a saber dónde agarrarse (pág. 325).

En una actitud de bravuconadas momentáneas y después silencio. En la incultura y en la formación superficial:

> Benito creía que era un hombre ilustrado; era de oficio más bien vago que impresor (pág. 321).

Ante este cúmulo de negaciones que crean un panorama desalentador, Aldecoa manifiesta su escepticismo con una actitud de burla y de caricatura, sin ocultar la crítica de esas realidades.

---

[125] «El libelista Benito», *Cuentos completos 1*, cit., pág. 328.

En «Los atentados del barrio de la Cal» expresa, sin embargo, una visión política esperanzadora. Dos bandos dividían a las gentes del barrio, en una vieja «tradición de política extremista», con enfrentamientos semanales. Después de un providencial accidente, «acabaron entendiéndose. (...) El terrorismo inútil del barrio de la Cal había terminado»[126]. Aldecoa, políticamente independiente, distanciado de la tarea política inmediata, escéptico ante ella, aboga sin embargo por una actitud social pacífica, de entendimiento, lejos de inútiles rencillas o de enfrentamientos fanáticos.

Quizá por esa independencia política, no tuvo en su vida choques con la censura. Sorteó siempre sus exigencias con habilidad; en realidad, no daba ocasión al enfrentamiento. En una carta abierta al director de *La Estafeta Literaria* tenemos su propio testimonio de la incidencia superficial de la censura para la publicación de su segunda novela *Con el viento solano:*

> (...) me lo devolvieron con diecinueve o veinte tachaduras. No muchas, no me quejo; simplemente, me duelo, porque me parece que está mal que don Sebastián no diga de cuando en cuando una palabrota. Hay que tener en cuenta que don Sebastián es de los que no cumplen ni por Pascua Florida y que transporta un alma bastante negra, y que seguramente si le dan garrote vil, que se lo darán, tal como están las cosas, y no tiene un punto de contricción se va a ir de patitas a la caldera de Pedro Botero[127].

De los casi ochenta relatos que publicó, tan sólo uno de ellos fue censurado. No por razones políticas, sino religiosas. «Biografía de un mascarón de proa» le fue devuelto en pruebas, como impublicable, porque la censura advertía «mofa de cosas sagradas», según la firma de D. Porres al retirar el cuento[128].

La historia que refiere es sencilla. Un viejo mascarón de proa de un barco del siglo XVIII, después de servir en viajes de piratería y contrabando, estaba algo harto de navegar y de meterse en negocios sucios.

> ¡Había visto tantas cosas! Había visto con sus propios ojos huevones contrabandear a todos: a los capitanes, a los marineros y a los grumetes. Había visto asesinar a un pobre hombre; llegar borrachos a los tripulantes; embarcar negros.

Un naufragio pone fin a su vida marinera. En la playa lo recogen unos indígenas, que le adoran como ídolo; y después de alguna otra malandanza, acaba como exvoto en una iglesia. Le rodean ofrendas y promesas de los feligreses. Un anarquista acabará con todo al incendiar el templo.

---

[126] «Los atentados del barrio de la Cal», *Ibíd.*, pág. 231.

[127] Aldecoa, Ignacio, «Carta abierta al director de *La Estafeta Literaria*», 5 de mayo de 1956.

[128] La lectura de este cuento no publicado me ha sido posible gracias a la amabilidad de Josefina Rodríguez de Aldecoa.

El buen cura sorprendió al día siguiente una nube de forma extraña balanceándose sobre las ruinas de la iglesia. La contempló detenidamente y salió corriendo hacia la casa del alcalde. El alcalde era poco crédulo y acabó creyendo que el párroco veía visiones después del incidente. La nube sonreía al buen sacerdote desde la altura.

El relato fue devuelto en las pruebas de imprenta. Era el 9 de julio de 1951. Ignacio Aldecoa tenía entonces veinticinco años y éste era el vigésimo cuento que intentaba publicar en las revistas de la época. A partir de entonces evitaría cualquier otro encontronazo con la censura. Esta fue su única experiencia. Todo lo demás se resolvió en su propio retraimiento:

—No me he sentido jamás libre para expresarme y me siento coartado con la idea de la censura.
. . . .
He tenido, como todos los escritores, el problema de mi propia autocensura, ya que escribimos pensando en que la obra sea publicable[129].

3.8. *Conclusión*

A lo largo de este capítulo he señalado con especial insistencia las fechas de publicación de alguno de los relatos más significativos. Su interés es clave, porque reflejan cómo Ignacio Aldecoa vivió las preocupaciones de la narrativa de su época, adelantándose en los cuentos a algunas novelas que se consideran paradigmáticas de la literatura social, en sus diferentes tendencias durante estos años. Algunos de sus relatos adquieren así un papel directorio, impulsor de una actitud realista en la que el narrador se vuelca en observar la realidad que le rodea.

En los cuentos de Aldecoa esa realidad era al principio los estratos más pobres de la sociedad: hombres sin futuro olvidados en los arrabales de la vida —tabernas, callejones, barrios... Pronto el mundo del trabajo absorbe la atención casi exclusiva de los cuentos, diversificándose en todos los oficios nimios del entramado social. Finalmente, en las últimas narraciones, se observa un predominio de personajes burgueses, hombres de un ambiente acomodado, holgazán y derrochador.

La actitud frente a esos ambientes es en cada caso distinta: evoluciona desde la compasión por los desposeídos hacia la crítica de las gentes ociosas mejor situadas. En este sentido, su evolución es similar a la que observa Sobejano en la novela de posguerra, que recorre un camino desde el hombre trabajador hasta la mirada acusadora contra la burguesía. Pero en todos los casos, el tono de los cuentos es más testimonial que de rebeldía o de protesta explícita desde una postura ideológica concreta.

---

[129] Los dos textos citados corresponden respectivamente a *Índice,* octubre, 1968, y *ND,* 16 de febrero 1968.

Una característica decisiva de los relatos sociales de Ignacio Aldecoa es que nunca aparecen desligados de un trasfondo existencial: junto a la situación de abandono, injusticia o desamparo de los hombres más desfavorecidos socialmente, siempre se señalan también notas de abandono existencial. Se pone en evidencia el desvalimiento del hombre, su esfuerzo inútil por superar situaciones difíciles, su condena al fracaso, la imposibilidad de desligarse del dolor, la enfermedad o la muerte. La realidad social concreta aparece así trascendida hacia apreciaciones humanas de carácter general. En los hombres que viven por sus manos se hace patente sobre todo el desvalimiento del hombre; en los estratos consolidados de la sociedad destaca el hastío y el desencanto; en todos, sin embargo, está presente una misma ausencia de sentido. En el fondo, destaca el desconcierto ante la vida, motivo de asombro y de resignación.

Finalmente, ninguna otra preocupación borra en los cuentos —como veremos en los capítulos siguientes— el interés estético, el cuidado por la palabra. La voluntad artística los redime del prosaísmo y la preocupación por el hombre los salva de un carácter perecedero, efímero y estereotipado.

CAPÍTULO IV

Los personajes

En los cuentos de Aldecoa hay que señalar la ausencia de determinados personajes, sobre todo los personajes históricos; destaca también la escasa presencia de la mujer como protagonista y la ausencia absoluta de agentes no humanos como protagonistas de los cuentos. Ni objetos ni animales ni monstruos, seres sobrenaturales, fuerzas de la naturaleza o ideas abstractas son personajes de los cuentos[1]. El carácter realista de las narraciones impide la aparición de estos elementos propios de relatos en los que predomina la fantasía.

Por el contrario, otros grupos de personajes adquieren un papel de predilección en los cuentos de Aldecoa. Son los niños y los ancianos y los hombres del mundo del trabajo y del vivir bohemio independiente. El objeto de este capítulo es estudiar los rasgos característicos de cada uno de ellos, la función que desempeñan en los relatos, la actitud que adopta ante ellos el narrador y los procedimientos de los que se sirve para caracterizarlos.

1. LOS ANCIANOS Y LOS NIÑOS

Los niños forman dos grupos de protagonistas importantes en los cuentos de Aldecoa. El autor siente hacia ellos una especial predilección, porque representan mejor que ningún otro la condición de abandono a la que se ve sometido el hombre en el mundo. De los ancianos destaca especialmente dos rasgos básicos: su soledad y su espera impotente de la muerte.

a) Los ancianos como símbolo del desvalimiento del hombre

La soledad de los ancianos está a veces relacionada con la nostalgia, con el aislamiento en los recuerdos viejos, en un mundo propio que nadie

---

[1] Hay que señalar dos excepciones, entre los ochenta cuentos publicados por Ignacio Aldecoa: «El loro antillano» y el cuento que no llegó a publicarse por motivos de censura, «Biografía de un mascarón de proa».

133

comparte. Entonces al anciano solitario sólo le queda encerrarse en sus sueños, desmadejar los recuerdos del pasado, vivir a solas su tristeza («La sombra del marinero que estuvo en Singapur», «La nostalgia de Lorenza Ríos»).

Son muchos los personajes ancianos de los cuentos de los que Aldecoa compadece su soledad: Doña Ricarda en «... y aquí un poco de humo», que entretiene las tardes contándole historias al hijo de sus vecinos, hasta que éste se aburre y la deja; el anciano Sánchez de «Las piedras del páramo», Don Julián Rodríguez, «el caballero de la anécdota», la Hermana Candelas, anciana sola y pobre, los viejos de «Muy de mañana» y «Aunque no haya visto el sol», a quienes la muerte de sus compañeros los obliga a vivir el drama de la soledad,... Siempre aparecen tratados con una actitud compasiva, porque son víctimas inocentes, símbolos del desvalimiento de la vida humana[2].

b) la niñez: en busca del tiempo perdido

En todos los escritores de la Generación del Medio Siglo la infancia es uno de los más importantes motivos inspiradores de sus narraciones. Estos escritores vivieron su niñez en medio de un mundo en ruinas, obligados a padecer situaciones de difícil reconstrucción social. Con asombro contemplaron escenas de odio, de indiferencia y de pobreza. Con asombro se vieron rodeados por un mundo que se debatía en locuras de muerte, entre confusiones de guerras. Aquella experiencia dramática constituyó para ellos un motivo importante de narración.

En «Patio de armas» los niños viven el desconcierto de la guerra, como víctimas inocentes. Y en «Aldecoa se burla» el mismo escritor revive recuerdos de su infancia colegial, víctima de una educación basada en la disciplina inflexible y en el orgullo del profesorado.

El tratamiento temático de la infancia está motivado en estos cuentos por el afán de recuperar el tiempo perdido, el propio pasado en momentos trascendentes. Uno de estos momentos claves de la vida por su significado crítico es la adolescencia. Aldecoa le presta atención en alguno de los cuentos. En el que titula «... y aquí un poco de humo» describe ese momento en que el niño comienza a traspasar el umbral de la infancia hacia la juventud. Es significativo el símbolo del humo, con el que titula el cuento y que cierra el relato. Ese humo es el símbolo de un final: el final de la infancia, la muerte de un mundo de ensueño y de ilusiones niñas. Es en el fondo el símbolo del paso del tiempo en la vida humana, que lo consume todo, que todo se lo lleva.

---

[2] Raramente aparece en estos cuentos la caricatura de estos personajes. Son excepción «El loro antillano. Cuento de solterones y carcamales» y «El silbo de la lechuza».

c) La niñez como metáfora de la vida

El mundo de los niños tiene en los cuentos de Aldecoa una importancia decisiva como metáfora de la vida humana. Ellos son los que mejor reflejan —junto con los ancianos— las preocupaciones existenciales del autor. Por eso protagonizan en conjunto una cuarta parte de los cuentos. Dos características destacan sobre todo en los niños: su inocencia y la debilidad para sobreponerse a las circunstancias. En este sentido aparecen como símbolos de la condición humana en el mundo. Por su desvalimiento, por su abandono, por su debilidad, que les hace estar sometidos al ambiente y a los caprichos de la vida con resignación.

«Chico de Madrid» es uno de estos niños: solitario, pobre, atado a los arrabales, inocente y bueno como el buen salvaje. Pero a la vez desvalido e impotente ante el mundo, indefenso ante la enfermedad y la muerte. El tifus que agarró en una alcantarilla acabó con él, y «Chico de Madrid» murió de niño «porque no había más remedio».

Juan, distraído y soñador, protagonista del cuento «Hasta que lleguen las doce», asombrado ante la vida, es objeto de castigos que no merece y todo lo soporta con resignación. Su predicado de base es ser víctima de amenazas y peligros que se ciernen en él, sin que los merezca.

También el protagonista de «Un corazón humilde y fatigado» es un niño desvalido, enfermo. Y en el cuento «Quería dormir en paz» el hijo de José Fernández Loinaga muere, niño aún, impotente ante la enfermedad:

> Dos mujeres sentadas en unas sillas pequeñitas miraban una mesa de madera blanca, sobre la que estaba extendido un niño. (...) Al atardecer se lo llevaron camino del cementerio[3].

2. LOS GRUPOS SOCIALES EN LOS CUENTOS

2.1. *Los hombres de los extramuros*

Desde el primer relato «La farándula de la media legua» Aldecoa manifiesta interés por personajes de vida aventurera, no sujeta a horarios ni rutina. Su carácter independiente le hacía admirar esos modos de vivir. Por eso los convierte en protagonistas de sus cuentos. Tal es el mundo de los cómicos ambulantes, trotones de un lado para otro, sin más cama que un pajar ni otra comida que la que obtienen en cada pueblo. Independientes, inclinados a la bohemia, como Doña Pom, que «un día de otoño en que llovía mansamente abandonó al bueno del homeópata (su marido) y se largó a vivir una vida bohemia, llena de literatura, de celos y de café con leche al

---

[3] «Quería dormir en paz», *Cuentos completos 1*, cit., pág. 262.

lado del joven cómico»[4]. Personajes libres, vocingleros, acostumbrados al barullo, a las luces de todos los colores y a los ruidos. Y personajes también solitarios y libertinos, soñadores, aficionados al aire libre del campo, independientes, sin atarse a nada ni a nadie.

Son muchos los personajes de los cuentos que tienen este rasgo básico de hombres independientes. Son muchos los personajes de Aldecoa que viven en los extramuros. Hombres acostumbrados a dormir sobre la hierba y a levantarse cuando los despierta el sol calentándoles los pies con un grato hormigueo. Así es «Chico de Madrid»:

> Su puesto no estaba en la ciudad sino en el límite de ella: entre el campo grande de las anchas llanadas y la apretura estratégica de los primeros edificios. En aquel terreno de nadie, suyo, con gorriones vestidos de saco y lagartijas pizpiretas, con perros famélicos y sabios y gatos alucinantes, con ratas y mariposas, con grillos y ranas, con el hedor de su río y el perfume lejano del tomillo campesino. (...)
>
> Su vida era tranquila y medieval: comer, dormir, cazar. No comía muy bien, ni dormía muy blandamente, ni cazaba otra cosa que animales inmundos, pero él estaba muy a sus anchas (pág. 352).

Sin embargo la mirada de Aldecoa hacia estos ambientes no siempre está matizada de optimismo. Percibe también con tristeza las ataduras existenciales a las que están sometidos los personajes. En el «Cuento del hombre que nació para actor», por ejemplo, aparecen los personajes en una tasca al amanecer: estudiantes troneras, pelanduscas, cómicos ambulantes, una vieja, un dipsómano... Al testimonio de un mundo socialmente descuidado, se añade la sinrazón vital de su comportamiento.

Y a veces los extramuros se identifican con los bajos fondos de la sociedad («Los atentados del barrio de la Cal», «Los vecinos del callejón de Andín», «Solar del Paraíso», «Al otro lado», «Cuento del hombre que nació para actor», «El figón de la Damiana»...). En estos casos los cuentos evidencian consideraciones sociales, tratadas en el capítulo anterior.

2.2. *Los trabajadores*

El trabajo es el tema medular en la narrativa de Aldecoa. De ahí que un gran número de sus personajes tengan como rasgo básico su condición de trabajadores. Ya hemos estudiado en el capítulo anterior la importancia de este tema, el amplio abanico de oficios que aparece en los cuentos, el significado del trabajo para Aldecoa y el trato que da a los trabajadores. A ese capítulo me remito para cualquier consideración sobre estos aspectos. Ahora bien, hay que señalar una característica de los trabajadores que aparecen

---

[4] «El teatro íntimo de doña Pom», *La Hora*, 1 de noviembre, 1950.

en los cuentos: su individualidad; no forman grupo sino que reflejan la tragedia personal de un protagonista. «Quería dormir en paz» es la tragedia de José Fernández Loinaga, trabajador pobre que pierde a su hijo enfermo. «Al otro lado» es el drama de Martín, hombre sin trabajo que ha de volverse a su pueblo otra vez, porque allí no hay nada. Su desgracia es común a la de muchos otros que están en su misma situación; pero él aparece como protagonista individual del relato, con un fondo de colectividad doliente.

Sólo en dos cuentos los personajes están contemplados fundamentalmente como un grupo: «Seguir de pobres» y «La urraca cruza la carretera». En «Seguir de pobres» pertenecen a dos grupos sociales: los poseedores y los desposeídos. Los primeros no aparecen apenas: son los que fijan el precio, contratan a los segadores, les pagan y les echan, acabada la faena; ni siquiera ayudan al enfermo que yace tirado en el pajar:

> —(...) y también que levante con vosotros.
> —Pero si es imposible, si está tronzado.
> —Y yo qué quieres que le haga[5].

Los segundos son fundamentalmente trabajadores resignados: todo el día en la faena y aceptan resignados el jornal, esa vida y esa situación: las cosas son así y basta. Sólo les queda el regusto amargo al contrastar su miseria con las posesiones de quienes los contratan. Así lo entona Zito Moraña en una copla:

> Al marchar a la siega
> entran rencores
> trabajar para ricos
> seguir de pobres (pág. 30).

De los cinco jornaleros apenas sabemos algo más que sus nombres. «El Quinto», que es el más destacado, calla; cuando más, sí y no. Todos ellos forman un grupo, protagonista colectivo del cuento. No interesan sus rasgos individualizadores, que no aparecen, sino lo que entre sí tienen en común: su condición de hombres asalariados, jornaleros de temporada, de trabajo duro y escasa retribución.

Igualmente, «La urraca cruza la carretera» es un testimonio del trabajo agobiante de los peones camineros, expuestos al sol agotador del verano. De los personajes apenas sabemos nada; sólo la dureza de su oficio, su asfixia, su cansancio y su queja: no importan ellos como individualidades sino como grupo. El relato asume entonces un protagonista colectivo, que es un grupo social expuesto a la injusticia de un trabajo exigente mal remunerado. Y ellos sufren y callan. Josefina Rodríguez lo justifica así, aunque cabría insistir más en motivos existenciales: en la radical impotencia con que Aldecoa contempla al hombre en general:

---

[5] «Seguir de pobres, *Cuentos completos 1*, cit., pág. 32.

Algunos críticos han subrayado que los personajes de Aldecoa, los obreros, los jornaleros, los trabajadores, la gente humilde que desfila por sus cuentos, no tiene conciencia de clase, no se rebela contra la situación de explotación que sufre.

Quizá olvidan que los cuentos de Ignacio con mayor contenido social son cuentos escritos en los años 50 y reflejan situaciones incluso anteriores. Creo que, si recordamos aquellos años de modo vivo y real, admitiremos que la clase obrera vivía y sentía —salvo excepciones de los entonces pequeños grupos políticos clandestinos— como Ignacio los retrata: con un gran sentimiento de injusticia y a la vez con resignación y fatalismo[6].

2.3. *La clase media*

a) La hipocresía de la clase media

Contra la clase media adopta Aldecoa una actitud crítica. Le reprocha su postura hipócrita, de guardar ridículamente unas apariencias que no son reales: su interés absurdo por figurar. Doña Leonor, en «El mercado», hace representar a la criada la comedia del uniforme y la cofia, que jamás se había puesto, sirve en tazas de porcelana fina y cucharillas que conservaban aún «el apresto de no haber sido usadas nunca»[7]; e «hizo los melindres que creyó oportunos para demostrar a Antonio que ella era una mujer elegante» (pág. 190). A su sufrido esposo Don Matías Cerro le obligó a asistir a la boda de su hija con chaquet, aunque él «no entendía de tales pompas y vanidades» y «sospechaba su aire carnavalesco» (pág. 218).

En «Los bisoñés de Don Ramón» queda también patente la ambición de la clase media, su ridiculez y su mediocridad; pero sobre todo su farsa. Los dos rasgos básicos que destacan en los personajes del cuento son la apariencia y la falsedad. El relato está dividido en tres secuencias y en cada una de ellas éstos son los rasgos comunes: la apariencia de Cuchín cuando era niño, ante las visitas; después ante el jefe en busca de éxito profesional; y finalmente, ya cuarentón, la farsa ante su propia madre.

b) La murmuración

Los personajes del cuento titulado «Para los restos» son Don Francisco José y su hermana solterona Doña Engracia. De aquél destaca el sinsabor de su vida mediocre, gastada entre la Arqueología que le aburre, y su señora hermana, que le martiriza. De ésta sobresale su afán por la murmuración chismorrera, a la que Aldecoa aplica comparaciones despreciativas de aque-

---

[6] Rodríguez, Josefina, *op. cit.*, pág. 25.
[7] «El mercado», *Cuentos completos 2*, cit., pág. 190.

larres y brujerías. El cuento se convierte en un rechazo de la clase media, murmuradora, de baja profesionalidad, humanamente vulgar y vitalmente aburrida. Contra esos personajes arremete Aldecoa de un modo decidido:

> Doña Engracia revienta de noticias; de noticias envenenadas, exageradas, dadas en tono bajo y confesional, que el coro de amigas ha empollado, brujas cluecas, en el aquelarre dominguero[8].

Igualmente en «El silbo de la lechuza», en el que destaca la calumnia, la murmuración, el hervidero de voces curiosas maldicientes que forman las tres ancianas Doña Úrsula Villangómez, Doña Lucía Martínez y Doña Matildita. La postura del narrador ante su comportamiento se torna burlona, destacando lo ridículo y calificando sus gestos con las denominaciones más agresivas. Sus reuniones son un aquelarre: «Aquelarre con merengues», «Aquelarre con cinta magnetofónica», «Aquelarre con lelo resignado» son los títulos de algunas de las secuencias.

c) La mediocridad: rasgo básico de la clase media

Pero sobre todo, la clase media aparece en los cuentos de Aldecoa zarandeada siempre por su vulgaridad. En todo momento quedan patentes las ridículas ambiciones de su vida. Puede ser representativo el análisis de dos de los relatos: «Un buitre ha hecho su nido en el café» y «El porvenir no es tan negro».

«Un buitre ha hecho su nido en el café» evidencia el aburrimiento rutinario de Fortunato y Doña Francisquita, su actitud hipócrita y murmuradora y la pobreza de sus pensamientos tópicos. La presentación es ya decididamente contraria a estos personajes chabacanos:

> Doña Francisquita era la virtud; la ebúrnea, achaparrada e inasequible torre de la virtud. Llegaba sobre las once al café, pedía su tila y comenzaba a horrorizarse tan ricamente y de consuno con su peón de brega y marido Don Fortunato. Entre condena y repulsa se refrescaba la maternal, también briosa, pechuga a golpe de abanico. Doña Francisquita era una viciosa de la virtud como otras gentes son virtuosas del vicio y se las saben todas. Don Fortunato de vez en cuando rebuznaba una aquiescencia a la plática de su señora mientras cargaba la andorga de anís[9].

Junto a ellos aparece también la monotonía de la clientela del café, la inactividad rutinaria de sus diversiones, la codicia de los viciosos del naipe y la mercadería de las relaciones entre el hombre y la mujer:

---

[8] «Para los restos», *Cuentos completos 1*, cit., págs. 205-206.
[9] «Un buitre ha hecho su nido en el café», *Cuentos completos 2*, cit., pág. 102.

Son como buitres... En cuanto ven a una mujer, buitres (pág. 102).

En conjunto queda dibujado el modo de ser mediocre de la clase media, que vulgariza todo hasta destruirlo; también el amor. Hacia ellos Aldecoa derrocha su capacidad deformadora, su tendencia a la burla y su facilidad para poner en evidencia lo ridículo. Los personajes aparecen entonces grotescamente deformados, tratados como esperpentos, denominados siempre con nombres que destacan aspectos negativos animalizadores: percherón, buitre, palafrén.

«El porvenir no es tan negro» relata la celebración familiar de los cuarenta y dos años del oficinista Antonio Guerra. A ella invita a los vecinos y a algunos compañeros de trabajo. El cuento recoge así un momento sin mayor trascendencia en la vida de esos hombres. Se construye con las versiones tópicas de los personajes: las mismas ideas de siempre con palabras iguales. Conversaciones triviales, frases anodinas, fórmulas que se repiten constantemente en torno a preocupaciones económicas. Una esperanza lejana en la lotería —«de otro lado no va a venir la suerte, digo yo» (página 102)—; o en el remolón aumento de sueldo —«¿crees que se pueden hacer milagros con dos mil setecientas treinta y seis con cincuenta, di?» (página 164)—; o algún mínimo ascenso en el trabajo... Y mientras tanto a esperar:

> (...) Te tomas cuatro vermuts y el porvenir no es tan negro. Ni piensas en la oficina, ni en el sueldo, ni en nada. Hay que tomar la vida como viene (pág. 163).

Aunque el cuento está encabezado irónicamente con el título «El porvenir no es tan negro», se trasluce por los poros del relato un pesado ambiente de insatisfacción, una cansada rutina, una falta de motivaciones y ausencia de ideales, que es para Aldecoa el rasgo característico de la medianía de la clase media: su mediocridad. En casa, en la oficina y en la calle, vulgaridad, aburrimiento y rutina. Por no pasar, ni en el relato pasa nada, como un reflejo de esa vida monótona, de nimias preocupaciones, casi sin acción argumental[10].

2.4. *La gente acomodada*

La burguesía media o la burguesía acomodada sufre en los cuentos de Aldecoa un zarandeo constante. No hay piedad para ellos. De aquélla critica su mediocridad, su rutina y su afán murmurador; de ésta sobre todo su

---

[10] Farsantes, hipócritas, aburridos, rutinarios, murmuradores, mediocres, son los adjetivos fundamentos con los que aparecen calificados en los relatos los hombres de la clase media. A esta lista hay que añadir también la crítica de la codicia y del carácter sectario de estos hombres. Véanse, por ejemplo, «El diablo en el cuerpo» y «Fuera de juego». En éste se lee, en boca de uno de los personajes: «—(...) No todos somos iguales. Aunque lo debiéramos ser; pero ya la vida te enseñará y no vas a venir tú a reformar la vida. Lo demás son ideas anarquistas que para nada valen.» *Cuentos completos 1*, cit., pág. 178.

abulia y su despreocupación: su vida al margen de los demás grupos sociales. Y ésta es la actitud que adopta ante ellos en todos los relatos: «Ave del Paraíso», «Amadís», «Party», «La piel del verano», «La noche de los grandes peces»...

«Ave del Paraíso» tiene como protagonistas a jóvenes despreocupados que viven una vida insulsa, sin ninguna atadura, sin norma alguna, sin ninguna convicción: se emborrachan, gozan el contacto de sus cuerpos, se drogan. El capricho, la pereza, la diversión, son los únicos valores que les mueven. Y el relato adquiere un tono de vacío, de ruina humana, de decadencia.

«Amadís» refleja también la vida acomodada de hombres que se gastan en deudas, en negocios, en amoríos, hasta que la muerte pone fin a su existencia. El cuento es un relato de la clase social burguesa, despreocupada y vacía, ociosa y parásita, que vive del trabajo de los demás. La actitud del narrador es satírica, con intenciones críticas transformadas en ironía y en parodia.

El aburrimiento es uno de los rasgos fundamentales con los que aparece en los cuentos la gente acomodada. El aburrimiento engendra desencanto, abulia y hastío. Los protagonistas de «Party» distraen su aburrimiento en fiestas de sociedad. Aunque la extensión del relato es mínima, se adivinan en él las relaciones rutinarias del matrimonio protagonista —que con el tiempo ha sustituido el amor por los celos—, sus vidas de hastío y la bebida como el único recurso de anestesia.

Otros personajes distraen su ocio en el letargo de las playas veraniegas. Como los jóvenes de «La piel del verano»: sin nada que hacer, sin entusiasmo, cansinamente:

> Debía de irme, pero no me iré. Me voy a emborrachar de la forma más imbécil.
>
> (...) Ni un poco de aire hasta que anochezca. Cuando anochezca iremos otra vez a casa Mañanet. Luego, a «La Isla». Mientras, beberemos. Mientras, beberemos, y beberemos, y beberemos[11].

Como causa motivadora del hastío destaca la perezosa falta de voluntad, la abulia que pesa y dificulta romper condicionantes, a pesar de desearlo:

> Dos días dando vueltas con este tipo es demasiado. Tengo que marcharme a casa (pág. 426).
>
> Soy un idiota y un cobarde. Me debía haber marchado a casa. Debía haberle dejado. No tengo remedio. (...) Me estafo a mí mismo. Esto es lo último. He perdido del todo la voluntad (pág. 428).

El relato se construye sobre esta dicotomía deseos-comportamiento. Pero Rafael, perezoso, abúlico, en verano, no se decide a romper con la playa, el

---

[11] «La piel del verano», *Cuentos completos 1,* cit., pág. 430.

puerto, la taberna, la costa. Y es ya el tercer día. «Tengo que decidirme de una vez a marcharme a casa» (pág. 431).

Por último, en «La noche de los grandes peces» se establece el contraste entre el mundo trabajador y los jóvenes ociosos —aunque destaca más aquél, un tema primerizo en las narraciones de Aldecoa, al que añade ahora el contrapunto de los jóvenes observadores por diversión.

Hay hastío en las gentes acomodadas de los cuentos de Aldecoa; hay abulia en su comportamiento. Pero esto no parece estar motivado sólo por razones sociales, porque los personajes pertenezcan a una u otra escala social, sino que se debe sobre todo a razones de carácter existencial. Los personajes acomodados de los cuentos de Aldecoa se convierten, como los demás, en una metáfora de la vida humana. Su desencanto y su hastío es consecuencia de la sinrazón de una vida sin esperanzas. Los motivos existenciales se imponen también en ellos como criterio de interpretación de los relatos.

3. ACTITUD DEL NARRADOR ANTE CADA GRUPO DE PERSONAJES

En los epígrafes anteriores han ido apareciendo comentarios sobre la postura que adopta el narrador ante los personajes de los relatos; trataré de escribir ahora una visión global. Ante el mundo de los niños y de los ancianos, el humor se entremezcla con la ternura («Chico de Madrid», «Hasta que lleguen las doce», «La despedida»), a veces con la nostalgia de su infancia perdida («Aldecoa se burla», «... y aquí un poco de humo», «Lluvia de domingo», «Patio de armas») o con la comprensión de esos personajes débiles («Un corazón humilde y fatigado», «Muy de mañana», «Aunque no haya visto el sol»).

Ante los hombres abandonados, que sufren la miseria y el desamparo en los arrabales de la ciudad, Ignacio Aldecoa muestra una actitud compasiva, de comprensión y de ternura. Se acerca a ellos, les observa con ojos humanos y los representa como víctimas inocentes de una sociedad injusta («Al otro lado», «La urraca cruza la carretera», «Quería dormir en paz», «Un cuento de Reyes», «La chica de la glorieta»...). Algunas veces los contempla con esperanza en el futuro («Los atentados del barrio de la Cal», «Los vecinos del callejón de Andín», «Solar del Paraíso»). Ante estos ambientes sórdidos, con personajes de vida ramplona, que Aldecoa ha sabido captar con realismo, sin desconocer ni ignorar sus deficiencias, sin falsas poetizaciones, manifiesta a pesar de todo una visión social y humana esperanzadora. Otras veces no vislumbra soluciones a su miseria. «Mitiga, entonces, su desaliento o su fracaso con un piadoso lirismo melancólico»[12].

---

[12] Martínez Ruiz, Florencio, «Nueva lectura de Ignacio Aldecoa», *ABC,* 4 de diciembre, 1973.

La actitud del narrador nunca es de crítica agria o de denuncia punzante. Se sirve más de la sugerencia y de la insinuación que del reproche explícito. Y los personajes y las situaciones quedan suavizados por la ternura y por los rasgos de humor. Esa ternura hacia ellos se manifiesta en múltiples detalles que les hacen simpáticos, divertidos, humanamente cercanos[13]. Incluso algunos cuentos se construyen básicamente sobre una anécdota de humor («La farándula de la media legua», «El autobús de las 7,40»).

Por lo tanto, frente a la «realidad cruda y tierna a la vez», Aldecoa adopta una actitud compasiva, mostrando la crudeza, pero sintiéndose cercano a esos personajes: destaca valores positivos de ese mundo o nos acerca, humano, a los hombres que lo pueblan, o lo suaviza con los comentarios de humor.

Sin embargo, frente a la sociedad acomodada, ante la gente ociosa o la clase media, el autor adopta una postura crítica que raya el desprecio: pone en evidencia los aspectos negativos de los personajes, caricaturiza sus posturas, retuerce a veces sus gestos grotescos, o se sirve de ellos como un motivo para la sátira y la parodia crítica («Amadís», «Ave del Paraíso»). El tono que adopta es burlón, buscando la caricatura para destacar el ridículo de esas gentes.

La postura contraria del narrador frente a estos grupos se refleja en la adjetivación y en las calificaciones con las que tacha su conducta. A veces en la acumulación de rasgos animalizadores o en detalles mínimos —una palabra aislada o un comentario rápido—, que bastan para reflejar la actitud opuesta y la mirada burlona dirigida hacia esos personajes.

Es cierto, sin embargo, que estos cuentos forman una minoría frente al conjunto de los relatos publicados por Ignacio Aldecoa. Y la ridiculez de sus personajes engendra la compasión, porque representan el desencanto de la vida, la vanidad de las apariencias, lo efímero de las aspiraciones humanas. En el fondo son también un aspecto más de tragedia del hombre que Aldecoa se propuso reflejar en su obra[14].

El análisis de los personajes reafirma, por lo tanto, una de las conclusiones apuntadas en el capítulo anterior: la literatura de Aldecoa es la literatura de la realidad, la literatura de la vida. Los personajes están descritos con medidas humanas: son humanos en sus enfados, en sus bromas, en sus risas, en la conjunción de rasgos de carácter. Sus problemas son los problemas cotidianos; sus entusiasmos nunca adquieren una exaltación irreal; sus tragedias son las tragedias habituales a las que está expuesta la vida del hombre. No son héroes. No son tampoco guiñapos producidos por una absoluta desfiguración. Son hombres. El autor no los contempla desde abajo

---

[13] Cfr., por ejemplo, «La espada encendida» y «Solar del Paraíso». La actitud de afecto por parte del narrador ante los sucesos que describe, los personajes que los protagonizan y el ambiente en el que se encuentran, se manifiesta también a través de diminutivos de afecto, con los que califica la realidad observada.

[14] Cfr. «Entrevista con Ignacio Aldecoa», *El Español*, 20-26 de marzo, 1955.

con una admiración mitificadora; tampoco desde arriba con desprecio. Los mira de frente, poniéndose a su mismo nivel, como seres humanos. Surge entonces, unas veces la compasión, otras la risa, o el llanto compartido o el silencio que confirma el entendimiento mutuo.

4. MODOS DE CARACTERIZAR A LOS PERSONAJES

Son múltiples los procedimientos de los que puede servirse el narrador para caracterizar a un personaje: desde la apariencia del mismo, su reacción ante el escenario y el ambiente, las acciones que protagoniza, su modo de hablar, la opinión que merece ante los otros, sus gustos, preferencias e inclinaciones, o el reflejo de los procesos mentales que se producen en su interior. Bourneuf y Ouellet, refiriéndose a la novela, aunque puede aplicarse también al cuento, sintetizan en cuatro los modos de los que puede presentarse el personaje: «1, por sí mismo; 2, mediante otro personaje; 3, a través de un narrador heterodiegético; y 4, por sí mismo, mediante los otros personajes y a través del narrador»[15].

En los cuentos de Aldecoa la misión principal en la presentación de los personajes recae sobre un narrador exógeno. La ausencia de narraciones en primera persona disminuye la importancia del personaje como presentador de sí mismo. Especialmente en los primeros relatos, cobra gran importancia la caracterización directa mediante el narrador: en rápidas descripciones aplica a los protagonistas adjetivos o elementos de comparación que ayudan a esbozar su modo se ser:

> Precisando mucho, tal vez demasiado, Doña Frasquita acababa de cumplir los cincuenta y dos. Era pomposa, rubiales, dada a la novela por entregas, y tenía un corazón caritativo y tierno. Se pintaba llamativamente, asistía a los estrenos de Muñoz Seca para aplaudir como una loca, y conservaba las buenas maneras en la mesa y en el juego del julepe con sus amigas[16].

En estos rápidos esbozos, los personajes muchas veces están contemplados en un tono de caricatura, exagerando algunos rasgos llamativos[17].

En los cuentos posteriores, sin prescindir de la caracterización directa, cada vez cobra más importancia la técnica indirecta, en la que los personajes quedan definidos por su comportamiento. Sus reacciones ante una situa-

---

[15] Bourneuf, R., y Ouellet, R., «Los personajes» *La novela,* Barcelona, Ariel, 1975, página 204. Cfr. también Anderson Imbert, Enrique, *Teoría y técnica del cuento,* Buenos Aires, Marymar, 1979 págs. 348-351.

[16] «El loro antillano», *La Hora,* 30 de abril, 1950.

[17] *Vid.* «Para los restos», *Cuentos completos 1,* cit., págs. 204 y 205, «Un artista llamado Faisán», *Ibíd.,* pág. 133, «Los atentados del barrio de la Cal», pág. 225, «Chico de Madrid», página 347...

ción los definen inmediatamente. Esta caracterización indirecta es más sugeridora que explícita: se basa en detalles, en uno, dos o tres rasgos significativos. He aquí un claro ejemplo: Young Sánchez es un joven mecánico pobre, que pelea como aficionado en los pesos pluma y aguarda su primer combate del domingo como profesional. El relato se inicia con la descripción de su salida del cuarto de aseo del gimnasio, después de un entrenamiento:

> Dejó el trozo de peine en uno de los ángulos del pequeño lavabo metálico con vaso en forma de cacerola. Con las palmas de las manos se planchó el pelo hacia la nuca. Silbaba. No se molestó en limpiar el peine; lo dejó donde lo había encontrado, junto al grifo, que daba un hilo de agua y no se podía cerrar. Orinó en el sumidero de la ducha. Recogió su reloj de pulsera de las cabillas del grifo, que tenía cortada la tubería de conducción. Distraído tocó ligeramente la lengua de jabón, áspero y azul, que resbaló, y unos instantes estuvo barqueando por el fondo del lavabo. Con el pañuelo se secó la melenilla. Se ahuecó en torno del cogote el cuello de la camisa, húmedo, gastado, seboso.
> El cuarto olía a cañería de desagüe.
> Desazogado estaba el espejo. Se le difuminaba el rostro en la neblina del cristal. Buscando dónde mirarse se alzó de puntillas. Movió la cabeza con repente de escalofrío para desorganizar de un modo natural el cuidadoso peinado. Un mechón se le desprendió. Tenía la camisa abierta, y hundiendo la barbilla en el pecho, conteniendo la respiración, miró. Y remiró entre cejas para ver el efecto en el espejo[18].

Los mínimos elementos que ha señalado del personaje sirven para caracterizarlo en sus rasgos más significativos: un hombre cuidadoso de su aspecto físico, satisfecho y seguro de sí; más preocupado por la vanidad que por el aseo; de condición modesta. Y todos estos calificativos se desprenden de apenas dos elementos escogidos del personaje mediante sinécdoque: el pelo y la camisa[19].

Lo más habitual es que Aldecoa entremezcle los diversos procedimientos caracterizadores: la definición directa por el narrador y la presentación indirecta mediante sus costumbres, su comportamiento y sus palabras. En ocasiones añade también el estilo indirecto libre, introduciéndose en la conciencia del personaje para desvelar sus sentimientos o su modo de razonar[20].

---

[18] «Young Sánchez», *Cuentos completos 2*, cit., págs. 25 y 26.
[19] Cfr. el análisis de los párrafos iniciales de este cuento, realizado por Senabre, Ricardo, «La técnica de la obertura narrativa en Ignacio Aldecoa», *Ignacio Aldecoa. A Collection of Critical Essays*, cit., págs. 95-102.
[20] Cfr. «Chico de Madrid», *Cuentos completos 1*, cit., pág. 352.

4.1. *Ausencia de procesos sicológicos en los cuentos de Aldecoa*

Los relatos de Aldecoa no manifiestan intenciones de intimismo sicológico. No es frecuente que en ellos se siga un proceso interior con las reacciones de los personajes. Interesa mucho más la objetividad, el conductismo para reflejar situaciones sociales o humanas, que los procesos sicológicos. A pesar de todo, la presentación de los personajes es una de las primeras partes obligadas de los cuentos. La primera secuencia suele estar dedicada a este fin: darnos a conocer el ámbito donde se mueven los protagonistas, sus actividades, su apariencia externa, su modo de ser y su filosofía de la vida. Tras estos datos previos, se desarrolla lineal la acción del relato, sin una evolución de procesos mentales.

Sólo algunos cuentos son una excepción a esta norma; en «A ti no te enterramos» el análisis sicológico adquiere una importancia clave. Tras la presentación del ambiente campesino y de los personajes de la familia, aparece un motivo central: la tos maligna que acompaña siempre a Valentín, que va a ser motivo de preocupación constante para él y para su familia. Progresivamente, en el relato van predominando los elementos reflexivos del protagonista, las disposiciones de los personajes, sus reacciones ante la enfermedad de Valentín, y sobre todo los pensamientos de éste, enfermo, y su estado de ánimo: se da cuenta de que es una carga inútil, «un forastero de estancia permanente que hace gastar en él mucho dinero» (pág. 270); se aburre; la enfermedad le hace sentirse inservible, acabado, le va minando su moral de vivir; empieza a sentir rabia y cierta desesperación:

> Piensa de continuo en la muerte. Cree que le da todo igual, aunque no puede sufrir nada que se relacione con su persona que esté hecho o dicho en sentido de protección, porque lo que de verdad no puede sufrir es su propia inutilidad (pág. 271).

Se apodera de él un sentimiento de frustración, de fracaso: «Un enfermo de pecho no puede ser labrador» (pág. 272). Por eso se marcha a la ciudad. Y desde entonces también siguen siendo lo más importante del relato las reflexiones que se le amontonan confusas a Valentín. Ahora no se indican con estilo indirecto libre, sino que aparecen transcritas con comillas, entre mínimas anotaciones narradoras. Se agolpan su desilusión y su fracaso, las dudas de si volver al campo o quedarse en la ciudad, el deseo del retorno, la desesperanza de una búsqueda inútil de trabajo hasta que decide el regreso.

También en «Los pájaros de Baden-Baden» interesa sobre todo el análisis sicológico de Elisa.

Sin embargo, en muy pocos casos se produce una evolución en el modo de ser de los personajes. Estos se mantienen invariables desde el principio hasta el fin[21]. Caracterizados con un rasgo individual decisivo, éste explica todas sus reacciones. Por ejemplo: en «El autobús de las 7,40», de cada personaje se destaca un rasgo definitorio: el soldado es tímido, retraído, asombrado, enclenque; las dos mujeres, desvergonzadas; el hombre, hipócrita, que sólo guarda las apariencias; la señora, altiva y tajante; el niño, ingenuo. Cada vez que el narrador se refiere a ellos lo hace con estos adjeticos y todos sus comportamientos manifiestan este modo de ser diferente de cada uno e invariable en todo el relato. Lo mismo puede decirse de los demás cuentos.

---

[21] Son excepción a esta norma de la invariabilidad del personaje la locura de «El herbolario y las golondrinas», la reacción pacífica de los habitantes en «Los atentados del barrio de la Cal» y la adolescencia de Andrés en el cuento «... y aquí un poco de humo».

CAPÍTULO V

Estructuración de los relatos

Al estudiar en el capítulo II la morfología de los libros, señalaba que éstos se componen reuniendo cuentos publicados anteriormente en revistas. La agrupación de estos relatos se realiza según las preocupaciones temáticas similares que manifiestan. De este modo, aunque no forman grupos compactos y unitarios, los diversos cuentos que componen cada obra mantienen entre sí un trasfondo común. En este capítulo abordo el análisis de la estructuración interna de los relatos, prescindiendo ya de su ordenación dentro de cada libro.

Según el tiempo en el que trascurre la acción, se distinguen los cuentos de contracción, los cuentos de situación y los cuentos combinados[1]. Las características peculiares del cuento literario, que se resumen en la intensidad, la condensación y su carácter de instantánea, hacen que predominen especialmente los cuentos de situación.

1. CUENTOS DE CONTRACCIÓN, DE SITUACIÓN Y CUENTOS COMBINADOS

1.1. *Cuentos de contracción*

Los cuentos de contracción abarcan largos periodos de tiempo, contraídos en la trama de la historia. Para evitar el esquematismo y mantener la intensidad efectiva del relato, el autor puede utilizar varios recursos: la acotación de las etapas más importantes, la disposición de las diversas etapas como sucesos paralelos o en contraste o la repetición de un mismo suceso que hace olvidar el tiempo intermedio transcurrido. «El orden cronológico pierde así su propio valor, el tiempo se convierte en experiencia vivida, y lo que en los sucesos hay de vivencia llega a adquirir mayor importancia que el momento en que se desarrollan»[2].

---

[1] En este capítulo utilizaré esta terminología acuñada por Erna Brandenberger. Cfr. Brandenberger, Erna, *Estudios sobre el cuento español contemporáneo*, Madrid, 1973, Editora Nacional, págs. 312-327.

[2] Brandenberger, Erna, *op. cit.*, pág. 319.

Entre los cuentos de Aldecoa hay algunos de contracción especialmente significativos. Todos ellos se construyen mediante la selección de momentos claves del personaje protagonista. En conjunto aparecen como instantáneas sucesivas que se funden para la relación de una historia que transcurre en varios años. Así, «La humilde vida de Sebastián Zafra» resume la vida del gitano Sebastián, seleccionando cuatro momentos: a los siete años, a los once, en su adolescencia y como joven recién casado que muere en un accidente. Cuatro capítulos corresponden a estos cuatro momentos. De un modo similar, «Chico de Madrid» ofrece resumida en varios fragmentos la vida de este chico de los arrabales.

«Un artista llamado Faisán» está formado por dos secuencias que siguen una rigurosa ordenación lógica: descripción del personaje, sus actividades, su pasado remoto, la narración fugaz de algunos hechos más destacados de su vida, la enfermedad, la muerte y el entierro. En todos estos momentos, que condensan la vida de Faisán, se destaca un mismo motivo referido a él: su desamparo.

«Los bisoñés de don Ramón» relata la vida del personaje en tres momentos, desde su niñez hasta los cuarenta años. Está dividido en tres secuencias; la primera es una muestra de la infancia del niño sobresaliente; la segunda el inicio de su carrera política; y en la tercera, don Ramón, con sus cuarenta años, soltero, trabaja en el Ministerio y participa en fiestas nocturnas frecuentes, mientras su madre se siente primero satisfecha de él, después decepcionada y finalmente compasiva. En un desarrollo cronológico lineal, aparecen seleccionados estos tres momentos significativos de la vida del personaje, que tienen también un rasgo común —la misma necesidad de aparentar—, y que son en conjunto el camino del fracaso de don Ramón.

Otros cuentos de contracción son «Biografía de un mascarón de proa», «La nostalgia de Lorenza Ríos», síntesis del proceso de desintegración de la familia de esta mujer, hasta sentir la soledad y la nostalgia de su tierra; o «El teatro íntimo de doña Pom», mujer de la burguesía a quien las inquietudes bohemias le llevan a una vida de teatro en una buhardilla alquilada y, después del estrepitoso fracaso, abre una pensión, para acabar finalmente en un pasaje hacia la Habana en un barco mercante.

La retrospección establece un puente en algunos casos entre los cuentos de contracción y los de situación. Mediante ella se intenta explicar la conducta actual del protagonista recurriendo a sucesos del pasado. Estos no aparecen plenamente desarrollados sino tan sólo sugeridos, para que no disminuya la tensión a lo largo del cuento. En «El caballero de la anécdota» se utiliza esta retrospección fugaz con un valor de intriga y de divertimiento; en «Los bienaventurados» como una explicación de la vida pasada de los protagonistas.

1.2. Cuentos de situación

He señalado antes el predominio en conjunto de los cuentos de situación. «Características del cuento de situación son la concentración en un solo escenario y la casi coincidencia entre el tiempo de la narración y el tiempo de lo narrado. A veces el tiempo de la narración concuerda exactamente con el de lectura. Si la dificultad del cuento de contracción estriba en salvar largos periodos de tiempo, la del cuento de situación radica en la necesidad de llevar la acción más allá de cada situación particular, pues si se encierra en sí misma el cuento se desmorona, pierde todo interés, queda reducido a episodios sin ilación»[3]. Para evitar este lastre, el relato rompe las fronteras del tiempo presente, abriéndose hacia el pasado («Las piedras del páramo», «La despedida», «El asesino», «Cuento del hombre que nació para actor»), hacia el futuro («Caballo de pica», «Entre el cielo y el mar», «El aprendiz de cobrador», «Hasta que lleguen las doce») o hacia ambas proyecciones temporales («Al otro lado», «Los hombres del amanecer», «Los bienaventurados», «Tras de la última parada»).

1. 2. 1. En algunas de las narraciones importa sobre todo reflejar el ambiente de una situación concreta; unas veces con una intención fundamentalmente descriptiva («Cuento del hombre que nació para actor», «Crónica de los novios del ferial», «El aprendiz de cobrador», «El autobús de las 7,40»); otras veces con una función testimonial («Al otro lado», «Tras de la última parada», «La urraca cruza la carretera», «Esperando el otoño»).

«Cuento del hombre que nació para actor» muestra una escena rápida en una churrería al amanecer. Es una mirada a ese ambiente nocherniego para reflejar la situación de los personajes —estudiantes y actores borrachos—, sin que exista un suceso definido que contar. El objeto del relato es plasmar esa situación inmediata, que no va a desarrollarse en una historia. El inicio y el final sitúan cronológicamente el tiempo durante el cual se ha detenido la mirada del narrador en ese ambiente: «Eran las cuatro de la mañana. La churrería tenía algo de vagón de tercera clase.» Y de un modo más vago acaba: «Al pasar por una iglesia sorprendió a los tres estudiantes la primera boda del domingo»[4].

«Crónica de los novios del ferial» consta de un solo capítulo con dos partes claras: la primera descriptiva del ambiente de todo el ferial; la segunda centrada en el «Teatro Circo»: sus números e intervenciones, el ambiente interno y el conflicto de Enrique y Margarita. Importa sobre todo el cuadro descriptivo costumbrista del trabajo en la feria.

Cuando la descripción del ambiente adquiere valores testimoniales, el relato se carga de intención social. «Al otro lado» refleja la situación de miseria que padece una familia joven que marchó del campo a la ciudad en busca de trabajo. «La urraca cruza la carretera» relata el momento de des-

[3] Brandenberger, Erna, *op. cit.*, pág. 319.
[4] «Cuento del hombre que nació para actor», *Juventud*, 8 de septiembre, 1949.

canso de los peones que asfaltan la calzada. Mientras comen sentados en la cuneta, buscando la frescura fugaz de alguna sombra, maldicen su mísera situación y culpan injusticias sociales. «Tras de la última parada» comprende también un tiempo breve, que es el tiempo que tarda el funcionario de la embajada en entregar el recado que trae para uno de los personajes. Lo que importa en el cuento es la situación; y más que la situación que aparece explícita, la que se sugiere a través del relato: la situación del trabajo esforzado de los personajes, las necesidades de emigrar, el abandono y la soledad del anciano impedido.

En todos estos casos la situación reflejada adquiere caracteres de pobreza y se convierte en un testimonio del abandono que padecen determinados ambientes sociales. En el extremo opuesto, otros relatos testimonian situaciones de ociosidad («Al margen», «La piel del verano», «Esperando el otoño»). En ese estado de espera y de aburrimiento, mientras transcurren los minutos cansinos y vacíos, el soporte de la narración es el diálogo insulso y coloquial.

1. 2. 2. En la situación instantánea reflejada en el cuento puede tener más importancia el estado psicológico de los personajes que la descripción de su entorno. El relato se centra entonces en los estados de ánimo del protagonista. Estos pueden referirse al pasado, mediante la añoranza, la melancolía o la tristeza («La sombra del marinero que estuvo en Singapur», «El asesino», «La espada encendida»), al presente de dolor, de aburrimiento o de soledad («Lluvia de domingo», «Quería dormir en paz», «Party», «La vuelta al mundo») o al futuro imprevisto, desasosegante, incierto («Hasta que lleguen las doce», «El aprendiz de cobrador»). Veamos algunos de los ejemplos citados:

«La sombra del marinero que estuvo en Singapur» refleja la nostalgia de este anciano que fue marinero y ahora se muere aburrido en el puerto. El cuento relata esta situación de melancolía en el personaje, que vive de recuerdos y de ensoñaciones viejas. De este modo el tiempo de lo narrado se alarga en el pensamiento de este hombre hacia el recuerdo pasado de lo que fue su vida. En «Lluvia de domingo» un solo capítulo breve basta para reflejar los estados anímicos del protagonista, sin que suceda en el cuento nada destacado. Es un trozo de vida, en el que aparece sobre todo un vago sentimiento de insatisfacción. Esa situación de aburrimiento en el protagonista adolescente constituye el motivo básico del relato. Aburrimiento hay también en la espera del marido que en «Party» aguarda la llegada de su mujer de una fiesta de sociedad; y en los dos esposos ya mayores, que entretienen sus horas con juegos y distracciones niñas («La vuelta al mundo»). Por último, la situación presente se proyecta hacia el futuro en el cuento «Hasta que lleguen las doce». En él destaca la situación de espera del pequeño Juan, que aguarda temeroso la llegada del trabajo de su padre. Poco antes de las doce avisan por teléfono a la familia que éste ha sufrido un accidente.

1. 2. 3. La situación presente puede convertirse en paradigma de otras

situaciones que han ocurrido ya sin duda o que pueden volver a repetirse. Esto ocurre sobre todo en los cuentos que se refieren al mundo del trabajo («Santa Olaja de acero», «En el km. 400»); aunque también en otros («Fuera de juego», «El autobús de las 7,40», «El provenir no es tan negro»). «En el km. 400» relata el viaje de los camioneros que transportan pescado desde Pasajes a Madrid. El cuento se centra en esas horas nocturnas que estos hombres pasan en el camión: una situación habitual, de trabajo diario, de horas que transcurren monótonas. Aldecoa hace de estas nimiedades materia narrativa y expresa el paso lento del tiempo mediante las conversaciones inconexas que surgen, el sucederse de los pueblos, uno tras otro, las distintas sensaciones que experimentan los personajes. «El porvenir no es tan negro» es un cuento de situación que relata en un solo capítulo la celebración del cumpleaños de Antonio Guerra. Tiene la estructura abierta de un relato que acota la realidad en un momento cualquiera en el que no ocurre nada destacado. El tiempo es muy breve: la salida del trabajo y la pequeña celebración. En esta segunda parte se identifica el tiempo de lo narrado con el tiempo de lectura. Reproduce sin más las conversaciones de los personajes mientras beben y toman algún licor. Sin ninguna otra acción importante, sin más trascendencia.

Hay que señalar especialmente una etapa en los relatos de Aldecoa, en torno a la mitad de los años 50, en que los cuentos se hacen muy breves, el diálogo elemento fundamental, su estructura típica de los cuentos de situación, acercando el tiempo de lo narrado al tiempo de lectura. Cuenta entonces mucho más la sugerencia, el carácter evocador, que la narración explícita. El relato se acerca más a la intuición lírica, a la relación fugaz e instantánea, fundamentalmente sugeridora: «Balada del Manzanares», «La urraca cruza la carretera», «Lluvia de domingo», «La espada encendida», «La despedida», «Hermana Candelas», «La vuelta al mundo», «La chica de la glorieta», «Los pozos»...

1.3. *Cuentos combinados*

Algunas de las narraciones pueden clasificarse como cuentos combinados. «La característica del cuento combinado es que se desarrolla hacia el futuro. Dilata, por lo general lentamente, una situación actual, se sirve de ella como premisa y describe luego las consecuencias a que da lugar»[5]. Los ejemplos entre los relatos publicados por Ignacio Aldecoa son también abundantes: «La farándula de la media legua», «Función de aficionados», «El herbolario y las golondrinas», «Los atentados del barrio de la Cal», «Para los restos», «A ti no te enterramos»...

Es significativo señalar la existencia de algunos cuentos que parten de una situación presente, retroceden hacia el pasado para intentar su explica-

---

[5] Brandenberger, Erna, *op. cit.*, pág. 323.

ción y dejan abierto el acontecer futuro. «Pájaros y espantapájaros» y «La fantasma de Treviño» podemos incluirlos en este grupo. «Pájaros y espantapájaros» se compone de seis secuencias, con una estructura simétrica: la primera es la introducción, en la que se encuentran los personajes y el narrador refiere brevemente el quehacer de cada uno; las cuatro secuencias siguientes relatan sus sueños alegóricos, llenos de fantasía y de lirismo; la última, que cierra el cuento, es el despertarse y la marcha de los cuatro juglares de la venta. La situación de encuentro de los personajes es momentánea y concreta, pero a partir de ella se reconstruye en síntesis la vida penosa de estos hombres y se hace referencia al vagabundeo futuro que les aguarda. En «La fantasma de Treviño» la primera secuencia, muy breve, es una visión fugaz de la vida que llevó «la Brígida» hasta su muerte, ahogada en un riacho. Es una panorámica previa, necesaria para crear el clímax de la siguiente secuencia, que es la aparición de su fantasma. Esta situación confusa y misteriosa se resuelve al descubrir que evidentemente no se trata de un fantasma, sino de su hermana gemela. Y despejada la duda, finaliza el cuento sin que se añadan más datos a la historia: ni sobre los personajes, ni sobre el lugar, ni sobre cualquier otro suceso pasado o por venir. «Eran las cinco de la tarde y el ganado salía a la aguada.» El carácter de instantánea del cuento es evidente; la condensación, la selección de detalles, el decir ajustado de lo que debe decirse y nada más, aparecen como elementos fundamentales del modo de hacer el relato. La situación presente se explica por lo ocurrido en el pasado y permanece abierta hacia el futuro.

2. El tiempo

2.1. *Tiempo de la acción y tiempo de la narración*

Un cuento es la narración de una acción. Esta acción transcurre en principio como una sucesión cronológicamente ordenada de acontecimientos. Pero el narrador no siempre nos los da a conocer en un orden lineal. Unas veces ambos procesos temporales —el de la acción y el de la narración— avanzan emparejados; otras veces la trama narrativa enreda el suceder lineal de los acontecimientos.

Sin embargo, en la mayoría de los cuentos de Ignacio Aldecoa se emplea el tiempo de una forma tradicional: linealmente se relata una historia. Esta dura más o menos; se alarga varios años o se comprime en la situación de un momento. Algunas mínimas retrospecciones sirven para entender al personaje o los sucesos presentes de la acción. Pero no hay por parte de Aldecoa experimentación en el empleo del tiempo; no hay una reelaboración literaria del tiempo en los cuentos: las cosas suceden en ellos como en la vida: una tras otra. El tiempo es una coordenada más en la que se sitúan los acontecimientos, pero no un recurso técnico para ser manipulado por el autor. Nunca adquiere importancia; nunca pasa a un primer plano.

Se mantiene como trasfondo necesario en el acontecer de los sucesos. Y en este sentido contrasta con la importancia progresiva que el tiempo ha adquirido en la narrativa contemporánea; sobre todo desde las obras de Proust, Thomas Mann, Virginia Woolf o Michel Butor.

a) Función estructuradora del tiempo

Solamente en algunos relatos el tiempo tiene un valor estructural; en éstos sirve como indicador de las etapas sucesivas en las que se desarrolla la historia. «Biografía de un mascarón de proa» consta de tres secuencias y cada una de ellas se encabeza con un subtítulo, que supone una referencia temporal: «1. Año mil ochocientos.» «2. Año mil ochocientos treinta.» «3. Año mil ochocientos noventa y cinco. Otoño.» La narración tiende a convertirse en biografía y por ello el tiempo aparece como elemento ordenador primordial. «Amadís» es un cuento combinado que abarca un amplio margen de tiempo y en el que alguno de los capítulos se inicia también con señalizaciones temporales: «París, un otoño...», «En una isla, durante un invierno», «Los almendros han florecido»[6]. «Aunque no haya visto el sol» consta de dos partes de extensión similar. La segunda narra un día concreto en la vida del ciego y de Teresa, «el 24 de octubre, sábado, un día triste desde que amaneció»[7]. Ese día, beben, se emborrachan, Teresa muere en un accidente y el ciego queda dramáticamente solo. Esta parte se estructura mediante anotaciones horarias en las que el alcohol es mayor, hasta acabar en la muerte de Teresa: a las doce, a la una, a las cuatro y media, a las seis y media, a las diez.

En la mayoría de los relatos, sin embargo, el tiempo lineal se hace impreciso, sin señalizaciones concretas que sitúen la acción en unos momentos determinados. El predominio de los cuentos de situación, que transcurren en un margen temporal breve, favorece la ausencia de indicadores temporales concretos: «El porvenir no es tan negro», «La urraca cruza la carretera», «Lluvia de domingo», «La vuelta al mundo», «Fuera de juego», «Al margen», «Esperando el otoño»... Basta tan sólo una referencia mínima para situar el momento de la acción. Nada más. El tiempo, brevísimo, identifica el tiempo de lo narrado con el tiempo de la lectura. El relato se convierte en una instantánea que sorprende un trozo de vida, con una estructura abierta en su inicio y en el final[8].

---

[6] Sobre la función en la narrativa de los indicadores temporales, cfr. Pérez Gallego, Cándido, *Morfonovelística*, Madrid, Fundamentos, 1973, págs. 275-290.

[7] «Aunque no haya visto el sol», *Cuentos completos 1*, cit., pág. 410.

[8] «El autobús de las 7,40» sitúa, sin embargo, con precisión horaria el tiempo de la acción. Pero ésta corresponde a un día cualquiera, similar a tantos otros, en el trayecto del autobús desde las afueras hasta Madrid.

b) El simultaneísmo

El simultaneísmo es uno de los procedimientos técnicos ordenadores del tiempo que Aldecoa emplea con alguna frecuencia. «A ti no te enterramos» y «Solar del Paraíso» son dos ejemplos claros. En «A ti no te enterramos» se suceden escenas fugaces, que hacen referencia a la tarea de personas distintas, en distintos lugares, pero simultáneamente. La familia de campesinos se ha distribuido el trabajo al comenzar la mañana; cada grupo de personas sigue el camino señalado hasta su parcela:

a_1
> (Valentín) alza el pértigo del carro. Se mete entre los bueyes. Hace que el pértigo se introduzca en la correa del yugo y lo ajusta fuertemente con el sobeo. El carro avanza con lentitud. A la salida de la era, junto a la barrera, una rueda resbala en las losas del umbral dejando una huella blanca. Cayetano y Tomás, con los

b_1
> aperos en los hombros, van por el camino adelante hablando de sus cosas.

a_2
> Valentín piensa en su enfermedad. Muchas noches siente en el pecho un inexplicable calor. Tose. Hace dos años no tosía. Hace más... Hace más trabajaba desde el amanecer hasta que se ponía el sol y no se cansaba. Volvía con un hambre de cazador. Ahora debe ser la tos lo que le da ganas de vomitar. Hay alimentos que no puede comerlos. Y cada día que transcurre le molesta más trabajar en el campo. En la ciudad se encuentran empleos modestos, pero cómodos...

c_1
> Salvador y su hijo Ezequiel caminan hacia el río, seguidos de «Negro». «Negro» recibe caricias de Valentín, mas nunca abandona a Salvador. En la cocina ha quedado Berta pelando las patatas

d_1
> de la comida que guisará con chorizo de la última matanza y que ella ha elaborado magistralmente; chorizo picante para que sus hombres beban con alegría el vino seco y delgado de la tierra.

a_3
> El sol está alto. La carretera se lista con las sombras de los chopos. Las hierbas de los bordes, a las que alcanzan las sombras, tienen todavía grandes gotas de rocío, que a veces las alas de un revoloteante insecto hacen caer hasta la húmeda tierra.

d'_2
> Los dos gatos pequeños en la casa se tienden sobre un rayo de sol, que corre desde la ventana hasta la mesa; cuando el sol avanza ellos avanzan. Estas primeras horas de la mañana las emplea

d'_3
> plea el gallo blanco, orgullosamente, en hacer la corte a sus gallinas.

c_2
> Salvador habla con su hijo Ezequiel, que escucha sorprendido[9].

---

[9] «A ti no te enterramos», *Cuentos completos 1,* cit., págs. 266-267. La estructuración que he señalado al margen indica la alternancia de escenas que transcurren simultáneamente.

El mismo prodecimiento se observa en el relato «Solar del Paraíso»: en la chabola, la familia se dispone a comer, sin esperar al padre, que está celebrando en la taberna su cincuenta y nueve cumpleaños. Así acaba el capítulo V:

> Pío celebra entre tanto el veintisiete de abril con sus buenos amigos[10].

La secuencia siguiente cambia de escenario, cambia de personajes y discurre en la taberna donde está Pío. Empieza retomando las palabras con las que finalizaba la secuencia anterior:

> Entre tanto, Pío, con dos de sus amigos, bebe de una botella con caña a pequeños tragos y charla a retazos (pág. 238).

Casi al final de esa misma secuencia otra vez se produce un salto de escenario para hacer una referencia rápida a la actividad del solar en ese momento:

> Ya uno de los amigos había dicho la frase que arrojaría, al hacerse espada llameante, a Pío y su familia del solar donde sus tres nietecitos, en este momento, han descuartizado de común acuerdo la rana (pág. 241).

El simultaneísmo no obliga necesariamente a un cambio de escenario. Ignacio Aldecoa gusta de relatar en paralelo las acciones que están realizando distintos personajes, en el mismo instante, reunidos en un mismo lugar, dedicado cada uno de ellos a su propia tarea. La acción va progresando simultánea, alternando los comentarios que se refieren a unos y a otros. Es destacable en los relatos de Ignacio Aldecoa esa capacidad narradora, que hace avanzar acciones —muchas veces nimias—, para formar una escena compuesta. No se sirve para ello sólo de elementos narrativos, que facilitaría la tarea, sino fundamentalmente del diálogo. El capítulo VII de «Solar del Paraíso» reúne en la chabola a los siguientes personajes, que realizan cada uno de ellos las siguientes acciones:

---

[10] «Solar del Paraíso», *Cuentos completos 2*, cit., pág. 238.

Pío	Ramón	María y Agustina	Emilio, la Casi y Mariano
Llegada	Felicitación a su padre		Juegan con un coche roto.
			→
Conversación con Agustina y María	Sestea después de la comida	Conversación con Pío	
Comida		Agustina friega los platos	
Conversación con Ramón	Conversación con Pío	Conversación con Ramón	
	Conversación con Agustina		
Conversación con Ramón	Conversación con Pío	Conversación con Pío	
Conversación con Ramón			
Acaba de comer	Se despide		Despiden a su padre.
Sestea después de comer		Conversan entre sí	Siguen sus juegos.
«Ronca como un bendito»		«Charlan en voz baja de sus cosas»	→

También simultáneamente han ido apareciendo otros elementos secundarios que hacen cobrar realismo a la escena: el perro que muerde furiosamente las garrapatas o que se sienta a contemplar los juegos de los niños; las moscas que revolotean sobre los restos de la rana y que después se pegan a la tierra, a las paredes, a las hojas de las plantas, sintiendo el bochorno y anunciando tormenta; el pitido del tren en la estación, el ruido del tranvía en la calle, las sirenas que llaman de nuevo al trabajo. La escena se hace real, viva, por el detallismo con que está descrita, por el realismo de las acciones cotidianas que reproduce y por ese simultáneo desarrollo de la actitud de los distintos personajes, que le dan al cuadro la tercera dimensión necesaria para reproducir la vida.

c) Retrospecciones y prospecciones

La narración en todos los relatos progresa lineal, ordenada. Sólo en algunos momentos, para entender mejor la situación presente del personaje, se hace precisa la retrospección en su pasado. Estas retrospecciones son siempre rápidas, más sugeridoras que explícitas. Así ocurre en la presentación de Panchito, de la madre del gitano Sebastián, de Pedro Lloros, Lorenza Ríos o de los hombres del amanecer[11].

Más importancia cobra en algunos relatos el adelantamiento desde el presente de lo que ocurrirá en el futuro; unas veces como verdaderas prospecciones, otras veces como simples premoniciones de hechos que pueden suceder. Así se observa en el cuento titulado «Hasta que lleguen las doce». Refiere una historia que transcurre en un tiempo muy breve: desde la mañana, cuando sale Pedro Sánchez al trabajo, hasta las doce del mediodía, cuando se le comunica a su familia que se ha accidentado. El desarrollo temporal es sencillo pero destacable. Una cita inicial, que recoge una nota del periódico, adelanta ya el desenlace. La cita previa al relato es la siguiente.

> A las doce menos cuarto del mediodía de ayer se derrumbó una casa en construcción.
>
> (De los periódicos.)

El relato es precisamente la reconstrucción de esa mañana en casa de Pedro Sánchez, hasta que su mujer recibe la noticia del accidente por teléfono. Entre los dos extremos, que forman como un círculo —la cita previa al relato anuncia ya el desenlace—, la narración transcurre linealmente. Tan sólo en un momento se produce una retrospección breve para sintetizar en el nacimiento de sus hijos la historia del matrimonio:

---

[11] Cfr. respectivamente: «Los vecinos del callejón de Andín», *Cuentos completos 2*, cit., páginas 151-152; «La humilde vida de Sebastián Zafra», *Ibíd.*, pág. 270; «Los bienaventurados», *Cuentos completos 1*, cit., pág. 233; «La nostalgia de Lorenza Ríos», *Ibíd.*, pág. 394; «Los hombres del amanecer», *Ibíd*, pág. 40.

Llevaban diez años casados. Un hijo; cada dos años, un hijo. El primero nació muerto y ya no lo recordaba; no tenía tiempo. Después llegaron Luis, Juan y el pequeño. Para el verano esperaba otro. Pedro trabajaba en la construcción; tuvo mejor trabajo, pero ya se sabe: las cosas... No ganaba mucho y había que ayudarse. Para eso estaba ella, además de para renegar y poner orden en la casa. Antonia hacía camisas del Ejército (pág. 356).

En el cuento titulado «Aunque no haya visto el sol» pueden distinguirse dos partes de extensión similar. La primera narra diversos detalles de la vida del ciego, reconstruidos con retazos del pasado: su guitarra, sus relaciones difíciles con Teresa, los comentarios burlones de la vecindad. La segunda parte relata el acontecer de un día concreto: el 24 de octubre, sábado. Se inicia con una premonición de tragedia expresada en forma de sarcasmo: «Nada pasó el 24 de octubre, sábado, un día triste desde que amaneció»[12]. Más adelante referirá explícitamente lo contrario: «Nada fue bien en el día» (pág. 411). De este modo se adelanta la noticia de alguna desgracia que ha de venir. La muerte de Teresa y la soledad del ciego confirman esas predicciones.

Este mismo procedimiento es utilizado por Aldecoa en varios relatos: desde el principio sugiere un posible final, como una advertencia, como una premonición del desenlace. Podemos rastrearlo en algunos ejemplos. En «Seguir de pobres» el tiempo trancurre lineal y abarca el tiempo de duración de la cosecha. Sólo hay una breve retrospección, para señalar el momento en que se unió «El Quinto» a la cuadrilla de segadores[13]. Con la llegada del viento pardo, el cuento se carga de un dramatismo repentino. Sin embargo esta posibilidad estaba ya apuntada, desde los primeros párrafos, pesando como una amenaza más sobre los míseros jornaleros:

> Cuando a un segador le da el aire pardo que mata el cereal y quema la hierba —aire que viene de lejos, lento y a rastras, mefítico como el de las alcantarillas—, el segador se embadurna de miel donde le golpeó. Pero es pobre el remedio. Ha de estar tumbado en el pajar viendo a las arañas recorrer sus telas (pág. 26).

El párrafo queda como una premonición negativa de lo que va a suceder, como un adelantamiento de hechos futuros desastrosos. Porque efectivamente el viento pardo azotó las espaldas del «Quinto», le dieron miel —remedio pobre— y tuvo que permanecer en el pajar, tiritando de frío, observando con aburrimiento las arañas.

«En el km. 400» relata el viaje nocturno de unos camioneros que transportan pescado desde el Cantábrico hasta Madrid. En algún momento la referencia rápida al pasado se mezcla con el presente y con el adelantamiento de sucesos futuros que son habituales. En este contexto cobran importancia ciertos presagios del futuro que parecen predecir una tragedia ve-

---

[12] «Aunque no haya visto el sol», *Ibíd.*, pág. 410.
[13] Cfr. «Seguir de pobres», *Ibíd.*, pág. 26.

nidera. El drama está insinuado mínimamente: sugerido por referencias. Esta es la conversación que mantienen Luisón y Ansorena sobre los compañeros que después sufrirán el accidente:

> —Severiano, ¿viste a Martinicorena en Pasajes?
> —Se acabó el hombre.
> —Cuando yo le vi estaba colorado como un cangrejo; cualquier día le da algo.
> —Se duerme al volante. Eso dice Iñaqui (pág. 76).

Poco después nos enteramos de que esa noche Iñaqui se quejaba de fiebre —«debo tener cuarenta grados» (pág. 78)—; y de que seguramente no podrá conducir. Le dice a Martinicorena:

> —Vas a tener que conducir tú todo el tiempo. Estoy medio amodorrado (pág. 78).

Hasta la naturaleza parece presagiar la desgracia:

> En Pancorbo salió la luna al cielo claro y las peñas se ensangrentaron de su luz de planeta moribundo. Una luna que construía tintados escenarios para la catástrofe (págs. 79-80).

En medio del relato de hechos sin importancia, de conversaciones intrascendentes y ˙ucesos habituales, el narrador señala dispersas algunas anotaciones dramáticas que presagian la tragedia final. El accidente con el que culmina el cuento aparecía ya suficientemente apuntado como posibilidad.

En algunas narraciones los saltos temporales son mucho más significativos: mezclan con mayor libertad el pasado, el presente y el futuro. Aunque constituyen una minoría, es preciso consignarlos y analizar su modo de proceder. «El figón de la Damiana» relata la historia en cuatro secuencias. Las dos primeras transcurren, una tras otra, en el mismo momento; la tercera, tres días después, recoge fundamentalmente las palabras de la dueña, quien narra en la conversación cómo ocurrieron los hechos que acabaron con la muerte del mendigo. Hay por lo tanto en esta breve secuencia una retrospección temporal para reconstruir un suceso que había comenzado en la narración «in media res». Después se completa la historia en una prospección hacia el futuro, respecto a ese momento en que «La Damiana» cuenta la riña y el navajazo:

> Por los papeles supieron que la Guardia Civil había detenido a un individuo llamado Fulgencio, de oficio limpiabotas, autor de la muerte de un mendigo en un figón de la capital, y que al intentar fugarse, no teniendo más remedio que hacer uso de la fuerza que su autoridad les confería, recibió el tal sujeto tres balazos en la espalda y uno en el cuello, y trasladado en grave estado a un pajar cercano, en espera de asistencia médica, dejó de existir.
> Esto cerró el romance (pág. 216).

Con este párrafo acaba la historia, una vez resueltos todos los enigmas del asesinato inicial con que empezaba la narración. En una misma secuencia han aparecido cruzados distintos tiempos: el presente en el que «la Damiana» sirve copas a los clientes, mientras Antón y «el Ventura» limpian platos y cantan en la cocina; el pasado de cómo sucedieron los hechos hasta la muerte del mendigo, relatados por «la Damiana» en el mostrador; y finalmente, desde la perspectiva del narrador, la muerte del asesino por disparos de la guardia civil.

Esta mezcla de tiempos influye también en el cambio de perspectivas para que progrese la narración. Habitualmente los cuentos de Ignacio Aldecoa están contados en tercera persona por un narrador ajeno a la historia, omnisciente, que maneja arbitrariamente los personajes, los sucesos y los diálogos. Aquí el narrador deja que sea la dueña del figón quien relate los hechos; y más adelante finge el lenguaje de la nota del periódico en la que se relata la muerte del asesino por la guardia civil: el estilo, las construcciones y el léxico utilizado imitan los modos que emplean las notas oficiales para comunicar estos casos.

d) Los tiempos verbales de la narración

La narración se realiza en la mayoría de los cuentos en tiempo pasado; algunas veces en presente histórico. Es frecuente, en todo caso, la alternancia de formas presentes y pretéritas con valores diversos; unas veces de carácter temporal, otras fundamentalmente expresivos de la actitud del narrador, otras con una intención indiscriminada. Los analizaré en algunos ejemplos.

«Crónica de los novios del ferial» refleja la situación de la feria al atardecer. Esta es el verdadero protagonista, el centro de atención del relato. El tiempo pretérito de las formas verbales se hace presente en los últimos párrafos. El cuadro que ha quedado esbozado en el cuento adquiere así un valor atemporal, de estampa descriptiva del ambiente de todas las ferias.

«Al otro lado» comienza la narración en tercera persona, tiempo pasado:

> Desde el interior, por el hueco de la puerta, lanzaron un cubo de agua sucia a la calle[14].

Ese primer párrafo alterna narración y descripción, utilizando en todo momento el pretérito. Sin embargo el segundo párrafo se inicia en presente:

> En el interior de la chabola, oscuridad; oscuridad cargada de modorra. Una mujer friega platos metálicos en un cubo (pág. 277).

El relato transcurre así, en presente, hasta que de pronto vuelve a retomar la forma verbal del pasado:

---

[14] «Al otro lado», *Ibíd.*, pág. 277.

Martín *echa a andar* sin tener que sortear a la gente. Se le ocurre volver la cabeza. Se fija en la esquina. Su vecino extiende la mano en un gesto tímido de petición. Alguien le deja algo en ella.
No supo Martín si era ira lo que sentía. Apresuró el paso. Buscó las calles vacías. Fue bajando hacia el río. Cruzó el puente (pág. 281).

Si tenemos en cuenta la distinción entre tiempos existenciales del verbo y formas no existenciales, que corresponden al mundo de lo narrado, a la contemplación de la vida desde fuera, el narrador de los párrafos anteriores alterna su actitud respecto a la realidad contemplada, dramatizando en algunos casos la situación con el empleo de formas verbales que transmiten un contenido existencial. Este es el valor que adquiere también la alternancia de formas verbales presentes y pretéritas en «Seguir de pobres» o en «Camino del limbo». En este cuento la narración se inicia en pasado —«Partió el tren» (pág. 126)— y de pronto, sin más motivos aparentes, continúa en presente en las páginas posteriores —«Miguel cuenta, suma, hace multiplicaciones en la vuelta de un sobre usado» (pág. 130). En la línea final vuelve nuevamente a las formas del pasado: «A las diez de la noche, después de acompañar a Anita, Miguel volvió a su casa» (pág. 132). La vivencia del aburrimiento y la rutina, la ausencia de futuro en el trabajo monótono de Miguel, quedan destacados mediante las formas vivenciales del presente histórico.

2.2. *El «tempo» de la narración*

El «tempo» hace referencia al ritmo de la narración, a la «velocidad» que el autor ha querido imprimir a su relato. «Un mismo asunto puede ser narrado más o menos prolijamente. De la agilidad o lentitud sintáctica —es decir, de la amplitud o brevedad del periodo—, del manejo del diálogo, de la descripción —según se haga ésta morosamente o con sólo un toque de color— dependerá que el *tempo* novelístico sea lento o rápido»[15].
Es frecuente que Ignacio Aldecoa utilice procedimientos diversos para retardar o acelerar el «tempo» de la narración; podemos observarlo en algunos relatos:
En «La nostalgia de Lorenza Ríos» se anuncia al comienzo la muerte de un personaje. Después lentamente se van desvelando las circunstancias en las que ocurrió, las características personales de ese hombre y cómo llegó a enterarse su familia del siniestro. Para producir esta tardanza en la revelación de todos los datos precisos, el narrador congela el tiempo, deteniéndose en descripciones, retrocesos al pasado, presentación de los personajes...

---

[15] Baquero Goyanes, Mariano, «Tiempo y "tempo" en la novela», en Gullón, G., *Teoría de la novela,* Madrid, Taurus, 1974, pág. 234. He preferido utilizar esta terminología por considerarla más clarificadora: tiempo de la acción (tiempo de lo narrado), tiempo de la narración (trama), tiempo de lectura y «tempo» de la narración (velocidad narrativa).

En otras ocasiones se produce el efecto contrario. La acción avanza con rapidez, movida con una cierta aceleración por el predominio de las formas narrativas y verbales. Estilísticamente aparece entonces la frase breve, rápida, sin elementos calificadores, eliminando los aspectos superfluos o alguno de los componentes oracionales:

> Algo ha crujido; ha debido ser una de las débiles vigas. La pared de adobes puede fallar. Las tejas se separan. Y no hay remedio. Procuran la abuela y los niños cubrir como pueden sus enseres más íntimos y queridos. Y no hay remedio. La fuerza de la tormenta aumenta. Otro rayo más cegador. Un trueno que apisona, que machaca el valor. El chamizo es una charca. Chal ha salido de su escondrijo y fija sus ojos húmedos, temblantes, en la abuela. No hay remedio[16].

A veces el tiempo queda paralizado, como si se congelase la escena para volver a reanudarla más adelante. Mientras tanto se transcriben las reflexiones de los personajes o la descripción de sus rasgos característicos o del ambiente que los envuelve:

> Berta llamó a Valentín, al que oía avanzar tosiendo. En el fogón bramaban las llamas con el tiro de la chimenea abierto. Valentín entró tosiendo.
> Por Valentín sentía Berta un cariño distinto que por sus otros hijos. Creía, además, que así debía de ser. Al primogénito hay que quererle de otra forma que a los restantes. El primogénito en el campo ha de suceder al padre; ha de ser al que consulte el padre sus opiniones sobre lo que se deba o no se deba hacer en ciertos casos. Toda la ciencia, todo el conocimiento de la tierra pasa del padre al hijo mayor. *Valentín entró tosiendo*[17].

Con la repetición de esta última frase, la escena se reanuda otra vez, después de haber quedado paralizada en las consideraciones anteriores.

En «Santa Olaja de acero» la historia transcurre linealmente, centrada en un día de trabajo del maquinista Higinio. El tiempo adquiere un valor estructurador para remarcar el carácter habitual de esas escenas, idea esencial al tema del relato. Entre los sucesos hay uno que es clave: el peligro de descarrilamiento, al verse obligados a ir marcha atrás, cuesta abajo, porque los raíles de la vía están levantados:

> —Bajar con tanto peso tirando de *Olaja* va a ser muy peligroso —dijo Mendaña—. A ver si nos arrastra la composición y[18]...

El peligro es aún mayor, porque puede producirse un choque con el mixto. Esta situación dramática no se presenta de repente. Antes había sido ya sugerida en los comentarios intranquilizantes de Higinio:

---

[16] «Solar del Paraíso», *Cuentos completos 2*, cit., pág. 246.
[17] «A ti no te enterramos», *Cuentos completos 1*, cit., pág. 264.
[18] «Santa Olaja de acero», *Cuentos completos 2*, cit., pág. 18.

—Las traviesas están medio podridas. Un día nos vamos monte abajo con todo el percal (pág. 16).

También con el temor repentino en los túneles «de que *Olaja,* hasta entonces obediente, podía dejar de serlo allí mismo» (pág. 17). Cuando se realiza la difícil maniobra y el peligro es inminente y la situación realmente dramática, la escena está vivida con la angustia de los minutos, como si no pasara el tiempo, como si el peligro se alargase presagiando un desenlace fatal. El suspense aumenta este dramatismo, vivido en un «tempo» lento paralizador[19].

Como síntesis al estudio del factor tiempo en los relatos de Aldecoa, señalaremos la utilización de éste en un sentido tradicional. Generalmente predominan los cuentos de situación. Los acontecimientos se disponen linealmente, intercalando algunas prospecciones y retrospecciones o haciendo uso del simultaneísmo. El tiempo gramatical más común es el pasado, que alterna con el presente histórico en aquellos cuadros que buscan una dramatización de la escena. Con la misma finalidad, Aldecoa vivencia los sucesos de modos distintos, empleando el tempo narrativo lento o acelerado.

3. El espacio

Espacio y tiempo están íntimamente relacionados entre sí. Ninguna de estas dos coordenadas se entienden aisladamente. Ricardo Gullón se pregunta acerca del espacio: «¿puede pensarse separado, independientemente del tiempo? Hace medio siglo, Samuel Alexander estudió el espacio y el tiempo en la física, en la matemática y en la metafísica, y se declaró por una terminante interdependencia: "no hay espacio sin tiempo, ni tiempo sin espacio (...); el espacio es por naturaleza temporal y el tiempo espacial"»[20]. Otros autores adoptan posturas similares, refiriéndose ya expresamente a la literatura. Cándido Pérez Gallego dedica un capítulo de su *Morfonovelística* a estudiar «El espacio tiempo»; Anderson Imbert analiza conjuntamente las «Funciones del marco espacio-temporal»; Erna Brandenberger relaciona sistemáticamente el espacio con las diversas formas de tratar el tiempo en los cuentos de contracción, de situación y en los cuentos combinados[21].

Pero no sólo se relacionan entre sí estos dos elementos estructurales del relato, sino también con todos los demás aspectos narrativos, para se-

---

[19] Cfr. *Ibíd.,* págs. 18-20.
[20] Gullón, Ricardo, «Espacios novelescos», *Teoría de la novela,* cit., pág. 243.
[21] Cfr. respectivamente, Pérez Callego, Cándido, «El espacio tiempo», *Morfonovelística,* cit., págs. 269-290; Anderson Imbert, Enrique, «Funciones del marco espacio-temporal» *Teoría y técnica del cuento,* cit., págs. 334-336; Brandenberger, E., «El lugar», *Estudios sobre el cuento español contemporáneo,* cit., págs. 328-329.

ñalar el carácter unitario y coherente de la historia. En los cuentos la relación entre el espacio, los personajes y el tema es evidente. En ellos cada clase social tiene su escenario propio. La playa es el lugar idóneo para el ocio abúlico de la clase adinerada o de los jóvenes perezosos, inactivos («La piel del verano», «Al margen», «Amadís», «Ave del Paraíso»); la taberna, el lugar de olvido y borrachera de las gentes que viven en los barrios bajos, que trabajan esforzadamente en todos los oficios o que soportan el desarraigo de haberse trasplantado a la ciudad («Cuento del hombre que nació para actor», «El figón de la Damiana», «Los atentados del barrio de la Cal», «Los vecinos del callejón de Andín»...). El café es el rutinario anclaje de la clase media, lugar para los comentarios de la murmuración, hervidero mediocre, aburrida inercia de estos personajes («Un buitre ha hecho su nido en el café»).

«Cuento del hombre que nació para actor» se desarrolla en el interior de una taberna-churrería, a altas horas de la noche. El lugar, acorde con los personajes y la situación general de borrachera, está contemplado con abundantes detalles negativos, que hacen de él «un mundo cochambroso»[22]:

> La churrería tenía algo de vagón de tercera.(...) Olor de tren, con aceitazo y dejo axilar, pegaba un tufo inolvidable.

«El figón de la Damiana» transcurre en una taberna, lugar de vino y olvido, de inconsciencia brutal. En el cuento «Aunque no haya visto el sol» los personajes en la taberna beben y se emborrachan, gritan, discuten y se divierten, pasan horas ociosos, encuentran a los amigos, olvidan penas, pobrezas y miserias. Como en «Los atentados del barrio de la Cal», «El libelista Benito», o «Caballo de pica». En todos ellos, los protagonistas, agobiados por la miseria o aburridos por la despreocupación, van en busca de las compensaciones del vino, como un estímulo o como una anestesia de las penas del cuerpo «que son muchas»[23].

La taberna es también el escenario de «Los vecinos del callejón de Andín»: un antro sucio instalado en medio del callejón. Todas las descripciones del ambiente tienen una connotación fundamental de miseria, de abandono, de degradación: olores, suciedad, enfermedades. Y el callejón sin salida aparece como símbolo de la vida sin salida de esos hombres.

En los cuentos de Aldecoa hay una clara predilección por los espacios cerrados, en difícil comunicación con otros espacios. Estos contribuyen a reforzar el trasfondo existencial de muchas de las narraciones[24].

Los espacios vitales cobran entonces una importancia decisiva en los cuentos; tanto en aquellos mayoritarios que destacan el encierro del hom-

---

[22] «Cuento del hombre que nació para actor», *Juventud*, 8 de septiembre, 1949.

[23] Cfr. «Caballo de pica», *Cuentos completos 1*, cit., pág. 123.

[24] Aldecoa en este sentido se inserta en las corrientes predominantes de la narrativa de su época, en la que abunda el espacio opresor. Cfr. Bourneuf, R., y Ouellet, R., *La novela*, Barcelona, Ariel, 1975, pág. 144.

bre, como en aquellos otros que transcurren en lugares que —de acuerdo con el personaje y el tema— son libres y abiertos: la naturaleza, el campo, una arboleda, el río... («Chico de Madrid», «Los bienaventurados», «La humilde vida de Sebastián Zafra»); o en los cuentos que testimonian el vacío de ciertos grupos sociales. La abulia de estos personajes acomodados se sitúa en el bar o en la terraza del café, lugares de aburrimiento y bebida, como símbolos de su vacío vital («Ave del Paraíso»); también en el mar, la playa, la costa o los clubs de baile, escenarios tópicos de los hombres de la burguesía, de vida frívola, despreocupada y ociosa.

El espacio adquiere así en algunos cuentos un valor simbólico, que se refiere a los temas estudiados en el capítulo III; «no es ya simplemente una coordenada necesaria para hacer verosímil la historia. El espacio, además de existir como soporte de la ficción, *significa;* la historia es dicha no sólo *en* el espacio, sino también *a través de, por* el espacio»[25]. El marco ambiental aparece por eso especialmente destacado en las narraciones. Los pasajes descriptivos son los que manifiestan su estilo más cuidado, un tono más poético y una mayor expresividad.

Al margen de esto, hay que destacar que en los cuentos de Aldecoa predominan los ambientes urbanos. Él mismo lo justificaba en una entrevista del año 1965:

> Testificación de lo que es la vida del campo y de provincias a la novela española le sobra. En cambio, lo que falta es la novela de la gran ciudad, porque no ha habido hasta ahora una gran ciudad. Ahora Madrid empieza a ser una gran ciudad[26].

La ciudad en los cuentos no es sólo el núcleo urbano céntrico, sino también sus alrededores: las fábricas donde los hombres ejercen sus oficios, los arrabales donde se arremolinan para vivir, las tabernas en las que gastan con vino las horas ociosas de su vida. Los escenarios rurales sólo pueden señalarse con carácter de excepción («Las piedras del páramo») y relacionados con el problema emigratorio a la gran ciudad («A ti no te enterramos»).

Hay que señalar, por último, el escaso valor del espacio como elemento estructurador de los cuentos. Paralelamente a lo que concluíamos respecto al tiempo, el espacio no es tampoco una coordenada estructuradora de las acciones. Sólo pueden apuntarse en este sentido algunos relatos excepcionales en los que aparecen fenómenos de simultaneísmo o de simetría en la composición, para insistir en el carácter habitual de los hechos relatados[27].

---

[25] Lasagabáster, Jesús María, *op. cit.,* pág. 419. Estas palabras concluyentes, que se refieren en Lagabáster a las novelas de Aldecoa, pueden también aplicarse a sus relatos.

[26] Entrevista en *Griffith,* diciembre, 1965.

[27] Cfr. Esteban Soler, Hipólito, «Estructura y sentido de Santa Olaja de acero», *Ignacio Aldecoa. A Collection of Critical Essays,* Universidad de Wyoming, Ed. Board, pág. 73.

4. El valor del título

El significado del título es diverso y los criterios en los que se basa Aldecoa para titular son también muy variados. A veces el título sitúa simplemente el lugar donde se desarrolla la acción: «Tras de la última parada», «El figón de la Damiana», «En el km. 400», «Solar del Paraíso».

Otras veces el título refleja el momento en el que transcurre la historia («Muy de mañana», «El autobús de las 7,40»); o presenta a los protagonistas: «Maese Zaragosí y Aldecoa, su huésped», «Young Sánchez», «Hermana Candelas», «Los novios del ferial», «Los hombres del amanecer», «Un artista llamado Faisán», «Chico de Madrid», «El libelista Benito», «El aprendiz de cobrador», «Los vecinos del callejón de Andín», «Amadís», «La chica de la glorieta»...

El título puede ser una síntesis del tema tratado en el cuento («La nostalgia de Lorenza Ríos», «Esperando el otoño», «La tierra de nadie») o puede hacer referencia a la situación del protagonista. Este es uno de los procedimientos que con más frecuencia utiliza Aldecoa para titular los relatos. Aparece en *la despedida* de la mujer a su marido anciano que marcha en tren para operarse en la ciudad; en la dejadez de Rafael y Antonio, que se aburren en las tabernas de la costa pero no se deciden a hacer nada más: les retiene *la piel del verano*, abúlica y perezosa. Aparece en la queja de Zito Moraña:

> Al marchar a la siega
> entran rencores
> trabajar para ricos
> *seguir de pobres*[28].

También en «Aldecoa se burla»: Don Amadeo le reprocha al último alumno de la clase:

> —Usted lleva mucho tiempo burlándose de mí, y de mí no se burla...
> —se calló a tiempo—. Usted se burla demasiado[29].

Con un criterio similar se forma el título «A ti no te enterramos». Es una amarga ironía al referirse a un tuberculoso incurable:

> —No te preocupes, Valentín, que lo tuyo no es nada. Como sigas así está seguro que nos entierras a todos. Ya verás. Pierde cuidado que *a ti nosotros no te enterramos*[30].

La ironía está también presente en «El porvenir no es tan negro». Los personajes, oficinistas de la clase media, entretienen su aburrimiento y distraen

---

[28] «Seguir de pobres», *Ibíd.*, pág. 30.
[29] «Aldecoa se burla», *Ibíd.*, pág. 363.
[30] «A ti no te enterramos», *Ibíd.*, pág. 271.

la rutina y el cansancio, en la celebración familiar del cumpleaños de Antonio Guerra. Sus vidas aparecen dominadas por la insatisfacción; y sin embargo, «el porvenir no es tan negro»:

> —(...) A mal tiempo, buena cara. Te tomas cuatro vermuts y *el porvenir no es tan negro.* Ni piensas en la oficina, ni en el sueldo, ni en nada. Hay que tomarse la vida como viene.
> —Eso digo yo. Lo que ocurre es que siempre viene mal[31].

De todos modos, el procedimiento más significativo empleado por Aldecoa para titular los cuentos es la búsqueda de una imagen simbólica que resuma el contenido de la acción o el trasfondo temático del cuento. Los ejemplos en este caso se multiplican: «...y aquí un poco de humo», «Caballo de pica», «Para los restos», «La urraca cruza la carretera», «La espada encendida», «El mercado», «Vísperas del silencio», «Esperando el otoño», «La tierra de nadie», «El silbo de la lechuza», «Fuera de juego», «Los pozos», «Un buitre ha hecho su nido en el café»... Analizar el simbolismo de cada uno de estos títulos es el objetivo de los párrafos siguientes[32].

En «Caballo de pica», Pepe el Trepa es tratado en el cuento como un animal inservible y viejo, como un animal para el espectáculo ajeno, como un caballo de pica. El extorero cobarde y pobre tiene que sufrir las burlas de los demás para poder comer. Su misión es servir para la juerga de los otros, sin límites, como un jamelgo, como un caballo desechado y en desuso. El caballo de pica es símbolo de su vida miserable; pero lo es sobre todo de su muerte brutal, ahogado con vino por los otros entre risotadas absurdas.

«La urraca cruza la carretera» es el título de uno de los cuentos que más decididamente expresan la preocupación social de Aldecoa. Denuncia el trabajo mísero de los peones camineros, mientras otros —más ricos— pasean por delante de ellos sus coches enriquecidos. «Son cosas a las que no hay derecho. Tanto dinero es un pecado»[33]. El relato finaliza cuando a esos peones se les acaba el tiempo del descanso mañanero y vuelven a trabajar:

> Cuando una urraca parada en un espino alto levantó el vuelo y cruzó la carretera, el señor Antonio dijo:
> —Ya es hora.
> La brigadilla abandonó las sombras de la cuneta por el sol del trabajo.
> La urraca andaba picando en medio del campo (pág. 73).

---

[31] «El porvenir no es tan negro», *Ibíd.,* pág. 163.
[32] Sobre el significado del título «... y aquí un poco de humo» véase la pág. 134 de este estudio.
[33] «La urraca cruza la carretera», *Ibíd.,* pág. 73.

La urraca es el pájaro recaudador de objetos valiosos, que se apropia injustamente de lo que pertenece a los demás. Aparece como símbolo de la burguesía adinerada frente a la miseria de los camineros.

En «El mercado» las dos historias paralelas relatadas tienen como núcleo argumental las relaciones matrimoniales entre Julita y el Remedios y Leonorcita y Antonio. El título se refiere especialmente a éstas, porque el matrimonio entre ambos tiene mucho de conveniencia. Está concebido casi como un mercado en el que se compran los personajes por su dinero. Doña Leonor reprocha a su hija:

> —(...) Esta mema no se da cuenta que la vida sin posibles, y los posibles están en el bolsillo de Antonio, no se puede resistir[34].

Y don Antonio le urge a su hijo:

> —A ver si os decidís pronto. La situación se está haciendo inaguantable. Ahí hay dinero. No mucho, pero sí el suficiente para sacarnos del aprieto. (...) Con la dote de la chica, sea en especies, valga un piso, por ejemplo, o en metálico, podemos ir arreglando los desperfectos. Tú verás (pág. 204).

En «La espada encendida» el título hace referencia a la espada de fuego con que fueron expulsados Adán y Eva del Paraíso. El alcalde le ordena al guardia Benítez que saque del soto a todas aquellas parejas que busquen el cobijo de la noche:

> —Hoy me expulsas del Paraíso a todos los adanes y evas que haya y me los multas de diez pesetas a cincuenta, según familia. ¿Me entiendes?[35].

La acción mínima de «La tierra de nadie» se desarrolla en un espacio significativo por su valor simbólico. Los soldados han transcurrido la mañana haciendo ejercicios por compañías en su campo habitual de maniobras, que es el aeródromo viejo:

> La única tierra calveriza del gran valle era el aeródromo viejo. (...) La única zona parda, malyerbada, sin cerco de chopos, aparamada y hostil era la del aeródromo viejo y sus lomas[36].

Aparece como una zona abandonada de la ciudad, tierra de nadie, símbolo de esa otra tierra de nadie abandonada socialmente, de la que procede el soldado.

[34] «El mercado», *Cuentos completos 2*, cit., pág. 188.
[35] «La espada encendida», *Cuentos completos 1*, cit., pág. 140. Véase «La narración como alegoría», pág. 241.
[36] «La tierra de nadie», *Ibíd.*, pág. 112.

«Esperando el otoño» relata cómo gastan una de las últimas tardes del verano un grupo de jóvenes en la taberna. Su inactividad se transforma en una espera aburrida del otoño. Pero aunque ésta es literalmente su actitud, la espera sugiere un valor simbólico, porque esos jóvenes no esperan nada, dejan sin más pasar el tiempo, casi esperando la vejez, hasta que llegue el otoño de sus vidas.

«Fuera de juego» se refiere también metafóricamente a la situación de los personajes en el relato. La familia está reunida el domingo a la hora de comer, para ir después al partido de fútbol. Comerciantes de la clase media, todos mantienen una clara conciencia de clase; todos excepto el hijo menor, Pablo. Es el único que está «fuera de juego».

«Un buitre ha hecho su nido en el café» adquiere un valor metafórico al referirse a los asaltos que sufre Encarna en el café por parte de los hombres, sometida a miradas rapaces. Ella es la carnaza que se disputan varios hombres con tácticas individuales silenciosas:

—Son como buitres... En cuanto ven a una mujer, buitres[37].

También «Los pájaros de Baden-Baden» tiene un valor simbólico similar. Los hombres que le rondan a Elisa, solitaria, son volanderos: pican el amor como alimento y se van. El título se refiere a esos «pájaros» del Madrid veraniego, con dinero y sin la familia en la ciudad. Y un comentario también degradador de los personajes se encuentra en «El silbo de la lechuza». Se refiere a la anciana oliscona, siempre con la mirada curiosa al acecho como una lechuza, siempre siseando silencio como un silbido.

A veces la contemplación metafórica se centra en alguno de los elementos más destacados del relato. La plaza provinciana del pueblo donde han de torear Antonio Abanales, «el Migas», Chato la Nava y Perucho está rodeada de carros. Al atardecer la ensombrece la torre de la iglesia. Más que un círculo de luz parece un pozo, un pozo de sombra, de silencio, de soledad y quizá, si salta la desgracia, un pozo de muerte[38].

En todos estos casos en los que el título expresa simbólicamente el contenido del cuento, su misión consiste en desvelar desde el principio la estructura profunda del relato. Su valor significativo se le revela al lector previamente a la lectura y tras ésta queda definitivamente inteligible. El título adquiere entonces una función anticipadora y sintética[39].

---

[37] «Un buitre ha hecho su nido en el café», *Cuentos completos 2,* cit., pág. 102.

[38] Todos los elementos descriptivos hacen referencia a esta observación metafórica: «Desde el brocal de talanqueras y carros les contemplaba el pueblo entero. (...) Cuando salió el toro, viejo y negro, el pozo se fue llenando de su sombra. (...) En el brocal se hizo un silencio de campo.» «Los pozos», *Cuentos completos 1,* cit., pág. 149.

[39] Con esta misma intención Aldecoa solía añadir en los primeros cuentos publicados un subtítulo, que era el resumen irónico de la narración. Después abandonó tal empeño, pero volvió más tarde —hacia el año 55— a la costumbre de intercalar en algunos cuentos, entre el título y el comienzo, una cita resumen de su contenido temático. Véase «Maese Zaragosí y Alde-

5. EL COMIENZO DE LA NARRACIÓN

a) La importancia del comienzo para la unidad del relato

La condensación del relato exige crear un ambiente propicio desde las primeras líneas. Cada palabra en él ha de estar en función del conjunto. Por eso es clave el tono inicial que adquiere la narración en los párrafos introductorios. Estos determinan el ritmo y la tensión del relato. «El libelista Benito» es un cuento socarrón y burlesco, que persigue situaciones de comicidad. Su principio, con la enumeración caótica y la caricatura de los personajes, sitúa ya ese climax divertido:

> La muestra estaba descolorida; las letras borrosas. El dueño estaba perfectamente loco; su mujer, muy gorda. Tenían en vez de hijos, canarios, y en vez de dinero, deudas. Habían nacido el uno para el otro; habían nacido él, en Tomelloso, y ella en la sala de tercera del ferrocarril de Miranda de Ebro. Ella le llevaba cinco años de edad y muchos de mundana experiencia.
> Benito era áspero, borrachín y algo calvo. Su señora tenía buen talante y manías espiritistas. Ambos se lavaban muy de tarde en tarde, y por esto olían a cañería[40].

En contraste, por ejemplo «El figón de la Damiana», cuento de los bajos fondos, de mendigos borrachines y pendencieros, expuestos al hambre, a la pelea o a la muerte, se inicia así:

> La navaja le había entrado hasta las cachas, partiéndole las mantecas de un riñón. Quedó el mendigo pasmado sobre un banco cojo, tintando el suelo de sangre negruzca. La luz difícil del mostrador daba sombras pulposas en la rinconada. Estaba la puerta abierta y un aire dulce de serranía se colaba hacia la cocinilla profunda y acuevada. El mendigo resbaló al suelo; se le cayó la gorra y cuatro pelos retozones se le alborotaron en la corriente. Un gato tuerto asomó la pupila asombrada; se fijó en el difunto, luego en la sota de bastos y salió bufando de correveidile[41].

Cada una de las palabras seleccionadas que aparecen en el texto crea ya desde el inicio un tono de misterio, de tragedia, de crimen, en un ambiente oscurecido, siniestro, espeluznante.

El inicio aparece así en relación estrecha con el desarrollo de la acción y con el final de la historia. Por eso a veces se identifican, incluso textual-

---

coa, su huésped», «Aldecoa se burla», «Aunque no haya visto el sol», «La chica de la glorieta». El valor que adquieren estas anotaciones —como el de los subtítulos que encabezan algunas secuencias— es unas veces objetivador de la historia relatada, otras una interpretación subjetiva, irónica o deformadora de los sucesos y de los personajes; pero siempre cumplen una función anticipadora similar a la que he señalado en los títulos.

[40] «El libelista Benito», *Cuentos completos 1*, cit., pág. 320.
[41] «El figón de la Damiana», *Ibíd.*, pág. 213.

mente, las frases que abren y cierran el relato. «El silbo de la lechuza» se inicia con una descripción cuya primera frase hace referencia al paso de las nubes: «Por las agujas de las torres desfilaban oscuras nubes pastoreadas del cierzo»[42]. Al final vuelve a referirse al mismo motivo, después de una «Reflexión obvia» acerca del paso del tiempo y de la muerte: «Y las nubes pasando por las agujas de las torres, pastoreadas del cierzo» (pág. 146). De este modo, el relato adquiere una estructura unitaria y aquella primera frase que parecía sin mayor trascendencia se explica ahora en un sentido pleno, simbólicamente trascendente.

«La nostalgia de Lorenza Ríos» se inicia con el siguiente párrafo:

> Decían que de América traía más dinero que el pecado. Vino a morir mirando a su bahía. Con él llegaron Lorenza Ríos y sus dos hijas. No hubo parientes en el muelle[43].

Después el autor va desarrollando sistemáticamente cada una de estas afirmaciones. Comienza relatando el día de su muerte; después la historia de su mujer Lorenza Ríos y la presentación de cada una de las hijas —Emilia y María—; y acaba esa primera secuencia refiriéndose a uno de los detalles con que iniciaba: «al día siguiente hubo parientes en el entierro» (página 394). Más adelante volverá a retomar alguna de las afirmaciones expresadas al principio, insistiendo en esa unidad de concepción del relato. «Lorenza y sus dos hijas —se lee en la página 395— pasaron un mal tiempo hasta que comenzaron a trabajar. El difunto no había traído de América más dinero que el pecado». Y ésta es precisamente la frase inicial que abría la historia.

«La espada encendida» empieza así:

> Se sentía pegado a la gutapercha del sillón, y el agua del vaso estaba caliente, y una moscarda zumbaba por el despacho, y los zapatos le hacían daño en los pies hinchados[44].

Este primer párrafo sugiere un estado de malestar, de desasosiego, de intranquilidad. Se basa para ello en la selección de algunos detalles claves: el calor agobiante que hace sudar y pega la ropa al respaldo de la silla, el agua tibia del vaso, el molesto zumbido de la mosca y el dolor de los pies hinchados. La sensación de incomodidad y desasosiego, ya creada desde el principio, persiste a lo largo de toda la narración y al final se vuelve a hacer referencia a ella:

> Al pasar por el parque de la villa se sentó en uno de los bancos. Le hacían daño los zapatos y no deseaba entrar en el vacío de su casa (página 144).

[42] «El silbo de la lechuza», *Cuentos completos 2*, cit., pág. 113.
[43] «La nostalgia de Lorenza Ríos», *Cuentos completos 1*, cit., pág. 393.
[44] «La espada encendida», *Cuentos completos 1*, cit., pág. 138.

173

El cuento cobra así una perfecta unidad, señalando desde el principio las líneas básicas en los sentimientos de los personajes, sus motivos de preocupación, los rasgos definitorios del ambiente. Todos estos elementos vuelven a aparecer en el desarrollo de la historia y se repiten al término, con un cierre de estructura circular[45].

b) La descripción: comienzo habitual de los cuentos de Aldecoa

Lo más frecuente es que los relatos de Aldecoa se inicien con párrafos descriptivos, que sirven como presentación previa del ambiente y de los personajes[46]. Son descripciones selectivas para crear las connotaciones acordes con la atmósfera de la narración. Así puede verse en «Los atentados del barrio de la Cal», «Para los restos», «A ti no te enterramos», «Caballo de pica», «Los vecinos del callejón de Andín», «Muy de mañana», «Los hombres del amanecer», «Al otro lado». A veces esta presentación descriptiva puede alargarse y ocupa varias páginas («Solar del Paraíso», «Al margen», «La despedida», «Tierra de nadie», «Crónica de los novios del ferial»). En cualquier caso, el inicio del cuento mediante unas pinceladas descriptivas que ambienten el escenario en el que va a desenvolverse la historia es un procedimiento estructurador que Aldecoa siguió utilizando durante toda su vida; desde los primeros relatos que después nunca volvió a publicar en antologías, hasta aquellos otros aparecidos póstumamente[47].

c) El comienzo «in media res»

Algunas veces el relato se inicia «in media res», irrumpiendo en el mismo centro de los sucesos («Chico de Madrid», «Los pozos», «El figón de la Damiana» «Aldecoa se burla»). «Aldecoa se burla» nos introduce directamente en la mente del personaje, en una mezcla confusa de ideas. Sólo después iremos conociendo detalles que sitúan la escena en el colegio y que van desvelando a los personajes. Al desconcierto de la frase inicial —«Había viajado hasta el agotamiento»— se añaden después otros datos precisos

---

[45] Este es uno de los procedimientos estructuradores más repetidos por Aldecoa, que contribuyen a resaltar el carácter unitario del cuento. Aparece también, mezclado con formas paralelísticas o simétricas, en «El asesino», «Aunque no haya visto el sol», «Tras de la última parada», «Patio de armas», «Hermana Candelas».

[46] Cfr. «Elementos líricos épicos y dramáticos», págs. 206-213.

[47] «La noche de los grandes peces» se publicó el mismo año de su muerte. En él los párrafos iniciales componen una descripción del escenario en el que transcurre el cuento: el muelle, el puerto, el mar, la faena de los pescadores. Un escenario similar por sus elementos al de «La sombra del marinero que estuvo en Singapur», uno de los primeros relatos escritos por Aldecoa dieciocho años antes.

que perfilan el ambiente. «Los pozos» se inicia también con unas palabras que se hacen desconcertantes:

—Todos los ayuntamientos de pueblo huelen a muerto... (pág. 145).

No existe una localización espacial ni temporal; nada sabemos de los personajes. Esta cierta oscuridad del principio ayuda a la expresividad del cuento y a captar la atención del lector. Es en este principio donde se acumulan sensaciones desagradables del olfato, que los toreros sienten en la sala donde se visten antes de salir a la plaza a torear —«Todos los ayuntamientos de pueblo huelen a muerto»—. Y en la conversación, la idea de la muerte ronda amenazadora. Se crea así un ambiente de desazón; de incertidumbre y peligro. De miedo.

El comienzo «in media res» es una de las técnicas para despertar la atención hacia la lectura y crear un cierto suspense. A veces éste viene dado por la inmediata reproducción de los diálogos de los personajes, sin una presentación previa que ayude a entender el porqué de sus conversaciones. Es lo que ocurre en «La vuelta al mundo», donde se oyen voces referidas a un viaje en barco mientras el matrimonio juega al parchís en la habitación en penumbra. La ficción y la realidad se confunden y el recuerdo se mezcla con lo inventado. El desconcierto engendra el interés y crea la intriga.

El inicio de «El figón de la Damiana» tiene también características de misterio, de novela policiaca. Despierta el interés con la descripción de la primera secuencia que presenta el cadáver de un mendigo. Después el cadáver desaparece del centro de interés del cuento con la llegada de los vejetes borrachines. Crea así una atmósfera de intriga que mueve a la búsqueda de una explicación acerca de esas situaciones.

En todos estos casos el suspense es uno de los elementos claves utilizado por Aldecoa para despertar y mantener la atención. El comienzo desempeña un importante papel en esta tarea, aunque a veces la intriga se alarga más allá de los primeros párrafos y puede crear incluso un final en suspense («Hasta que lleguen las doce», «Young Sánchez», «Las piedras del páramo»)[48].

---

[48] Otros cuentos en los que la intriga es un elemento importante: «Rol del ocaso», «Santa Olaja de acero», «El caballero de la anécdota». Sobre los recursos que puede utilizar el narrador, para crear suspense, cfr. Anderson Imbert, Enrique, *op. cit.,* pág. 141. Hay que señalar también cómo algunos relatos manifiestan como motivo inspirador de la historia una noticia del periódico, real o fingida, que encabeza la narración. Así puede verse en «Young Sánchez», «Hermana Candelas» o «Hasta que lleguen las doce».

6. Las secuencias

El estudio de la estructura implica siempre el estudio de un proceso de construcción, que obliga a un enfoque analítico y funcional. Desde este punto de vista, al estudiar los relatos de Aldecoa, destaca el predominio de los cuentos de extensión breve, construidos mediante secuencias cortas, como rápidas viñetas del asunto[49]. En la mayoría de ellos quedan señaladas estas separaciones mediante anotaciones que dividen en partes la trama de la acción; otros aparecen externamente como una unidad narrativa, sin dividirse en partes; todos sin embargo ofrecen una estructuración interna que es preciso analizar.

Los cuentos largos están habitualmente divididos en varias secuencias. Estas aparecen encabezadas por un subtítulo que hace referencia al escenario de la narración, al personaje, al ambiente o a la escena que se cuenta. Su efecto es distanciador con respecto a la historia y muchas veces está buscado con una intención irónica[50].

En la mayoría de los cuentos sin embargo la separación de las secuencias apenas está señalada: pueden utilizarse procedimientos gráficos simples, como asteriscos, espacios en blanco o cualquier otro elemento de tipografía. La extensión de cada una de ellas no siempre es similar ni se adapta a medidas fijas. «La nostalgia de Lorenza Ríos», por ejemplo, se compone de seis secuencias ordenadas temporalmente, que reproducen el siguiente proceso:

1. Muerte del marido.
2. Vida de las mujeres solas: la boda de María y el embarazo de Emilia.
3. Amenaza de tragedia por la galerna.
4. Boda de Emilia.
5. Noticias del hijo Pablo, quien envía dinero.
6. Lorenza regresa a su tierra.

Las seis secuencias están ordenadas entre sí según un desarrollo lineal del tiempo y dispuestas de un modo lógico para señalar la progresiva disgregación de la familia. La extensión de cada secuencia es absolutamente variable: son más largas la primera y la segunda; la quinta es muy breve: ocupa sólo dos líneas:

> Con la primavera llegó la segunda carta de Pablo, anunciando dinero, mucho dinero. Lorenza lo recibió a poco[51].

---

[49] Sólo dos libros recogen fundamentalmente relatos más extensos: *Vísperas del silencio* y *Los pájaros de Baden-Baden*.

[50] Cfr. los títulos empleados en los siguientes cuentos: «Un buitre ha hecho su nido en el café», «El silbo de la lechuza», «Ave del Paraíso», «Los pájaros de Baden-Baden», «Los vecinos del callejón de Andín».

[51] «La nostalgia de Lorenza Ríos», *Cuentos completos 1*, cit., pág. 398.

6.1. *Procedimientos más utilizados en la composición de las secuencias*

La mayoría de las secuencias aparecen en los cuentos independientes; son cuadros aislados que forman unidades diversas. Sin embargo, determinados recursos de estilo contribuyen a enlazar una secuencia con otra o a poner de manifiesto sus relaciones. Estas conexiones se producen sobre todo entre lo que Claude Bremond llama secuencias elementales[52]. El paralelismo, la simetría, el contraste, la composición circular, destacan esas conexiones. Son muchos los cuentos de Aldecoa que utilizan estos recursos como procedimientos estructuradores: «Tras de la última parada», «Patio de armas», «Aunque no haya visto el sol», «El asesino», «Hermana Candelas», «Ave del Paraíso», «Santa Olaja de acero», «El mercado», «La humilde vida de Sebastián Zafra»,... La unidad del relato aparece remarcada mediante la composición circular en la que el principio y el fin hacen referencia a una misma idea, que además ha aparecido también intercalada en la narración, como veremos en los siguientes ejemplos.

«Aunque no haya visto el sol» destaca la soledad de un anciano ciego necesitado de compañía, que sólo por ello aguanta las brusquedades y borracheras de su mujer. Su necesidad de comunicación se refleja desde el principio en un detalle: la búsqueda de caricias:

> Al salir de su casa solía acariciar la guitarra, pasaba sus dedos hinchados por las cuerdas y la guitarra le decía adiós. La guitarra pendía de un clavo de la puerta, y cuando regresaba de la calle, alrededor de las once de la noche, la descolgaba[53].

Más adelante se nos revela el porqué de este comportamiento: su mujer «a veces se reía o le insultaba y nunca se dejó hacer una caricia» (pág. 409). Cuando ella muere en un accidente, un día triste de borrachera, él se queda definitivamente solo. El cuento finaliza haciendo referencia a la misma necesidad acariciadora del hombre, con que se iniciaba la narración:

> En su casa acariciaba cosas que no eran ella, pero que le acompañaban desde ella solamente un poco, nada más un poco, como sus propios ojos (pág. 421).

El relato aparece así condensado, destacando la unidad de la historia, sin perderse en consideraciones secundarias, centrando el mensaje que pretende transmitir en un detalle significativo: la búsqueda de la caricia, que es la búsqueda del otro, la huida de la soledad.

---

[52] Cfr. Bremond, Claude, «La lógica de los posibles narrativos», *Análisis estructural del relato*, 3.ª ed., Buenos Aires, Tiempo Contemporáneo, 1974, págs. 87 y ss.

[53] «Aunque no haya visto el sol», *Cuentos completos 1*, cit., pág. 407.

«El asesino» está formado por dos secuencias. En la primera, Anthony afeita en la barbería a don Simón; en la segunda se entretiene un rato en casa de la Pescadora, en una fiesta de vino y cante, y después, otra vez en la barbería, afeita a don Eduardo. La estructura se hace circular, en la disposición de las acciones y en cuanto a los lugares en los que transcurren las escenas. Incluso repiten al final los personajes las mismas frases del principio, para dar idea del monótono suceder de los acontecimientos en la vida de estos hombres.

«Hermana Candelas», cuento de situación, reproduce también una estructura circular. Comienza con la llamada de Teléfonos para anunciarle a ésta que mañana es el último día para pagar el recibo. Después de la escena teatral de adivinación y consejo, el relato acaba nuevamente con la llamada de la Telefónica y las mismas palabras textuales con las que se inciaba:

> —Mañana es el último día.
> —Bien, bien. Muchas gracias.
> Le inquietó la voz de la telefonista, lejana, monótona, neutra como las de allá[54].

En todos estos casos la estructura circular concierne a la composición completa del relato; pero otras veces se concreta sólo en alguno de sus fragmentos, en «las fórmulas verbales»[55]. La secuencia final de «Ave del Paraíso», titulada «El Rey se va, viva el rey», comienza con la siguiente frase:

> Iza, iza, marinero, trinca la escota, caza la vela. Adiós, adiós, adiós[56].

El final del cuento es precisamente con esta misma frase, con una variación lingüística mínima:

> Iza, iza, marinero, trinca la escota, caza la vela. Aloha, aloha, aloha (pág. 364).

El primer párrafo del capítulo X de «Solar del Paraíso» se construye también con esta repetición de una fórmula verbal[57]. Y en el mismo relato el capítulo XI comienza:

> El cántaro roto con el que juegan los niños transforma la voz. Mariano grita en su boca y teme. El cántaro roto guarda en su fondo una cucharada de luz solar y la sombra, al moverlo, la devora, la circunda, la aprieta y la hace flotar (pág. 252).

---

[54] «Hermana Candelas», *Ibíd.*, pág. 335.
[55] Cfr. Todorov, Tzvetan, «Las categorías del relato literario», *Análisis estructural del relato*, cit., pág. 160.
[56] «Ave del Paraíso», *Cuentos completos 2*, cit., pág. 363.
[57] Cfr.«Solar del Paraíso» , *Ibíd.*, pág. 251.

Tras la conversación de Ramón con el representante del dueño del solar, que les comunica que deben irse porque pronto empezarán a construir en él, acaba la secuencia refiriéndose al cántaro roto con el que juegan los niños.

«La humilde vida de Sebastián Zafra» se inicia con una referencia descriptiva al paisaje, en el que destaca la actividad investigadora del Martín pescador:

> Con el Martín pescador recorriendo investigando reconociendo el río, el primer chaparrón de la primavera hizo nacer el arco iris[58].

Y el final de este capítulo se cierra con la misma referencia a este pájaro:

> Al llegar al puente vio Sebastián, el niño humilde Sebastián Zafra, al Martín pescador recorriendo, investigando, reconociendo el río (página 269).

Otra secuencia del mismo relato se inicia así:

> De las colmenas del otoño se vertía, en el atardecer, el color de los campos. De las colmenas del otoño se endulzaban los ojos de una vaga melancolía. El crepúsculo ponía cresta de gallo a las cimas de los montes lejanos (pág. 274).

Y al final de esa secuencia se lee también:

> Eran las colmenas de las primeras noches de otoño con sus dulces, melancólicos, rumores (pág. 276).

Las secuencias aparecen concebidas en estos casos con una estructura circular y esta forma refuerza la unidad de concepción del cuento. Igualmente empieza el último capítulo:

> Hacia los altos nidos de las nieves en las montañas lejanas, cuando el invierno afloja, corren las nubes. Hacia los altos nidos de las nieves se retira el silencio de los campos (pág. 276).

Y cuando Sebastián ha muerto al explotarle una granada que iba a recoger para vender los hierros al chatarrero, el relato finaliza:

> Hacia los altos nidos de las nieves, en las montañas lejanas seguían las nubes, y con ellas el humilde, vago y tierno Sebastián Zafra. Y nadie más (pág. 280).

Los ejemplos de estas construcciones basadas fundamentalmente en la repetición son muy abundantes en los cuentos de Aldecoa. En la mayoría

---

[58] «La humilde vida de Sebastián Zafra», *Ibíd.*, pág. 273.

de los casos, junto al valor puramente retórico, destaca su papel de imagen simbólica, como una expresión sintética del trasfondo temático del cuento. Otras veces importa más su valor como recurso estructurador de la trama; pero siempre contribuye a resaltar la unidad en la concepción del relato.

Un último procedimiento estructurador utilizado en alguno de los cuentos es el contraste. Generalmente éste aparece en los relatos que desarrollan dos acciones: «Patio de armas», «Vísperas del silencio», «El mercado». «Ambos planos de la acción se compenetran de modo que uno sirve de complemento o contraste al otro, lo cual acentúa considerablemente la intensidad de la historia y produce un impacto mayor»[59]. La finalidad implícita al establecer un contraste en distintas secuencias de distintos grupos sociales es destacar situaciones sociales de injusticia.

6.2. *Análisis secuencial de un relato de Aldecoa*

Hasta aquí he señalado los recursos estructurales generales que emplea Aldecoa en sus cuentos: las formas comunes a diversos relatos en la disposición de la trama. El análisis de la estructura ha de partir, sin embargo, de un análisis individual de las unidades narrativas en cada uno de los relatos y de las funciones que éstas desempeñan[60]. Hacer realidad este propósito en los ochenta cuentos publicados por Ignacio Aldecoa es un objetivo que sobrepasa la finalidad y las posibilidades de este trabajo. Hasta el momento disponemos de algunos análisis individualizados de los cuentos, que sirven para destacar la compacta elaboración estructural con que Aldecoa trazaba sus relatos[61]. A esta bibliografía he querido añadir el análisis de «El autobús de las 7,40», uno de los cuentos cortos de Aldecoa representativo de su modo de narrar.

---

[59] Brandenberger, Erna, *op. cit.*, pág. 310. Cfr. Bourneuf, R., y Ouellet, R., «Las narraciones múltiples», *La novela*, cit., págs. 85 y ss.

[60] Para este objetivo es básica la consulta del capítulo «Introducción al análisis estructural de los relatos», de Roland Barthes, incluido en la obra conjunta anteriormente citada *Análisis estructural del relato*, págs. 9-43. Sobre el procedimiento y la terminología estructuralista es útil Pizarro, Narciso, *Análisis estructural de la novela*, Madrid, Siglo XXI, 1970; especialmente el capítulo «Los análisis estructuralistas», págs. 76-106, en donde estudia la bibliografía de Levi-Strauss, Greimas, Vladimir Propp, Claude Bremond, Edwuin Muir y Roland Barthes. Con una actitud contraria a la aplicación de los métodos del estructuralismo al análisis de los cuentos, cfr. Anderson Imbert, Enrique, «Relaciones internas entre la trama total y sus partes», *Teoría y técnica del cuento*, cit., págs. 149-180.

[61] Cfr. Martínez Cachero, José María, «Ignacio Aldecoa: Seguir de pobres», *El comentario de textos 2*, Madrid, Castalia, 1974, págs. 179-212; Urrutia, Jorge, «Análisis de un cuento de Ignacio Aldecoa», («La despedida»), *Boletín de la AEPE*, año VIII, núm. 14, marzo, 1976, páginas 39-47; Esteban Soler, Hipólito, «Estructura y sentido de Santa Olaja de acero», *Ignacio Aldecoa. A Collection of Critical Essays*, cit., págs. 69-94; Espadas, Elizabeth, «Técnica literaria y fondo social del cuento "A ti no te enterramos" de Ignacio Aldecoa», *Papeles de Son Armadans*, tomo LXXXII, agosto-septiembre, 1976, págs. 163-173.

En «El autobús de las 7,40» coinciden varias personas que marchan a Madrid desde un pueblo cercano. El timorato recluta es el hilo conductor del cuento: él lo inicia mientras marcha hacia la parada del autobús desde el campamento. La descripción inicial está trazada desde la perspectiva que él contempla: «Desde la colina, el soldado contemplaba, asombrado, el paisaje»[62]. La llegada de los demás personajes a la parada del autobús se produce paulatinamente. Y después del viaje, el relato finaliza con la separación de éstos y la marcha, azorada y torpe, del recluta por la ciudad. Sin embargo esta situación habitual y sencilla —el viaje en el autobús de las 7,40— ha servido para dejar perfilados unos tipos y para transmitir un ambiente social, engarzando las descripciones con la mínima acción intrascendente, los pensamientos de los personajes y su conversación. Todos estos elementos se suceden ordenados, siguiendo una medida disposición, en las tres partes en las que se estructura el relato: la llegada lenta de cada uno de los viajeros, el trayecto y, por último, la rápida separación al finalizar el recorrido:

[62] «El autobús de las 7,40», *Cuentos completos 1,* cit., pág. 242.

1.ª PARTE

Hacia la parada del autobús

— Descripción del paisaje (I)

— Presentación del soldado (I) — Su situación (se va de permiso)

Su carácter (timotaro, asombradizo)

— Descripción del paisaje (II)
— Presentación del soldado (II)

El soldado se cruza con las dos mujeres
(timidez) ←——————→ (descaro)

En la taberna

— Descripción del tabernero

— Diálogo tabernero-recluta

Refuerza timidez
— Contesta con sumisión
— Pregunta tímidamente
— «La ropilla (...) lo hacía más endeble y difuso»

Presenta a las mujeres
«Se han pasado toda la noche...»

— Diálogo de las dos mujeres

— Caracterización
— «nalgas yeguales»
— «voz bronca»
— «rostro feo e hinchado»
— «hizo una mueca»

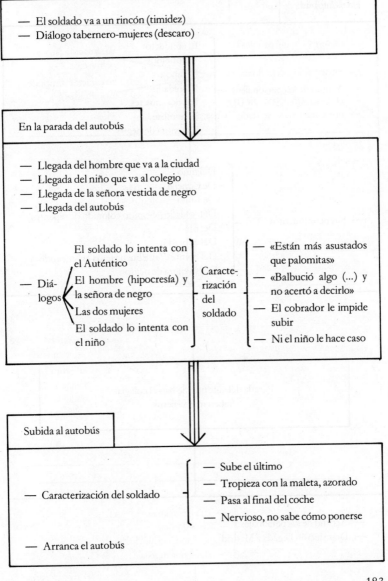

— El soldado va a un rincón (timidez)
— Diálogo tabernero-mujeres (descaro)

En la parada del autobús

— Llegada del hombre que va a la ciudad
— Llegada del niño que va al colegio
— Llegada de la señora vestida de negro
— Llegada del autobús

Diálogos
El soldado lo intenta con el Auténtico
El hombre (hipocresía) y la señora de negro
Las dos mujeres
El soldado lo intenta con el niño

Caracterización del soldado
— «Están más asustados que palomitas»
— «Balbució algo (...) y no acertó a decirlo»
— El cobrador le impide subir
— Ni el niño le hace caso

Subida al autobús

— Caracterización del soldado
— Sube el último
— Tropieza con la maleta, azorado
— Pasa al final del coche
— Nervioso, no sabe cómo ponerse

— Arranca el autobús

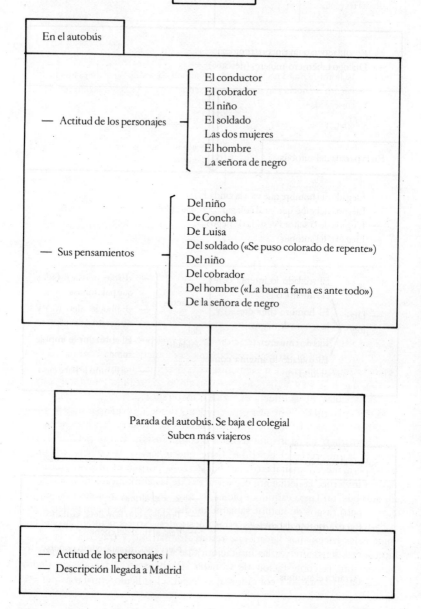

2.ª PARTE

En el autobús

— Actitud de los personajes
- El conductor
- El cobrador
- El niño
- El soldado
- Las dos mujeres
- El hombre
- La señora de negro

— Sus pensamientos
- Del niño
- De Concha
- De Luisa
- Del soldado («Se puso colorado de repente»)
- Del niño
- Del cobrador
- Del hombre («La buena fama es ante todo»)
- De la señora de negro

Parada del autobús. Se baja el colegial
Suben más viajeros

— Actitud de los personajes
— Descripción llegada a Madrid

Fin del trayecto

— Los cinco personajes otra vez en la acera

* El hombre no ha podido ocultar su hipocresía: «Mira éste, ahora mucho cuento y anoche tan simpático. La señora lo oyó. La señora comprendió en seguida»

— Se separan

* Apocamiento del soldado

- «Pensó que las debía haber dicho algo»
- «¡Eh, tú, que estorbas, so pasmao!»
- «Se golpeó en la rodilla, tropezó»
- «Sintió que no podía ganar al rubor en rapidez»

Tras esta rápida esquematización de la trama puede observarse la sencillez de la anécdota, y sin embargo la riqueza de matices y la cantidad de sugerencias que encierra. Un elemento es constante: el carácter apocado del recluta, que le lleva a actuar siempre con timidez, creando inevitables situaciones ridículas. Su conducta es motivo inspirador de risa y de conmiseración. De este modo el relato está envuelto desde el principio en ese tono sentimental característico de muchos cuentos de Aldecoa, en los que la miseria humana o social inspira ternura y comprensión. Existe patente la pobreza y la miseria —el niño que tiene que ir lejos a la escuela, mientras otros permanecen analfabetos, la falta de ropa porque es preciso guardarla para el invierno, la deficiente organización de las comunicaciones: «un tren, un autobús, un largo camino a pie...», la vida de las dos mujeres nocherniegas—; pero rasgos de humor sabiamente dispersos en las páginas del relato contribuyen a quitar aspereza a estas cuestiones. No las ocultan; no las eliminan: las hacen más llevaderas; restan dramatismo y tragedia a la situación social deficiente y a las limitaciones de los personajes. Estos rasgos de humor son: la contestación de Concha al tabernero, el apodo de Pedro García, las palabras del cobrador al colegial, el ridículo constante del recluta.

En la sencilla historia narrada —decía— hay un elemento que destaca especialmente: el apocamiento del soldado, que crea situaciones ridículas. Pero también está presente un motivo de tensión dramática: la actitud del hombre que va en busca de trabajo a la ciudad y pretende en todo momento ocultar su relación con las dos mujeres. Desde que aparece en escena («Fíjate quién se acerca. El de ayer. Dile algo, a ver si nos convida») se manifiesta clara su actitud («Estas dos desgraciadas —se dijo— creerán que voy a entrar a convidarlas»). Poco después sabremos que está casado: va a la ciudad sobre todo por su mujer. Pronto surge el elemento desestabilizador, que añade una leve tensión dramática al cuento: la mujer vestida de negro que conversa con él en la parada:

> —... pero, según dicen, por la colonia hay hasta casados que algunas veces... ¿Usted se lo figura?
> El hombre contestó con algún nerviosismo.
> —Es una inmoralidad. ¡Cómo está España! La guerra... (pág. 247).

Y esa tensión se va a mantener oculta, subterránea, durante el tiempo que dura el recorrido del autobús:

> Muchas veces, Luisa había estirado su falda sin motivo, sobre sus piernas desnudas. Muchas veces el hombre de los zapatos relucientes había mirado desde su posición con el rabillo del ojo (pág. 249).
>
> Quiso volverse de espaldas de pronto para mirar a las mujeres y no se atrevió. La buena fama es ante todo (pág. 251).
>
> ¡Y que hubiera hombres que...! (piensa la mujer vestida de negro). Si alguna vez se enteraba de que su marido...; pero su marido, no (página 251).

Hasta que al final, entre las risas de las dos mujeres, la tensión se resuelve, para mal del hombre, con su deshonra:

> De pronto Concha alzó la voz:
> —Mira éste, ahora mucho cuento y anoche tan simpático.
> La señora lo oyó. La señora comprendió en seguida (págs. 252-253).

Este ha sido el único motivo que en la estructuración del asunto supone el planteamiento y la resolución de un proceso, en medio del desarrollo lineal, plano, de los demás. Y sin embargo no es éste el motivo anecdótico más destacado, sino que aparece disimulado por los otros acontecimientos, y sobre todo por las continuas actuaciones del timorato recluta.

Otra observación que sugiere el análisis del modo como se ordenan en la narración los acontecimientos es la mezcla constante y rápida de las diversas formas del relato: la descripción y las observaciones de carácter, las acciones y los diálogos, la atención sucesiva a cada uno de los personajes. Esta agilidad en el modo de narrar manifiesta una de las características del cuento: la condensación[63]. De cada uno de los personajes apenas conocemos algunos datos de su pasado, de su presente o de su modo de ser: tan sólo los precisos para comprender los sucesos y justificar el final; apenas sabemos lo que sucede en el autobús: sólo lo necesario para reforzar los caracteres y mantener la tensión y el humor hasta el desenlace. Estas informaciones han ido apareciendo en el momento preciso, dispersas, pero centradas en los únicos aspectos que interesan para el conjunto: la timidez del recluta, la relación del hombre con las dos mujeres. Y en esta ágil estructuración no sobra ninguno de sus elementos, sin que se deteriore el significado del cuento o se disminuya su fuerza emotiva y estética. Ninguno de los personajes puede ser eliminado, porque arrastraría en su caída la compacta elaboración del relato.

7. El final de los cuentos

En el cuento literario el final es uno de los elementos claves. La unidad en la concepción de la historia y en la composición de la trama motiva que el desenlace cobre una importancia especial[64]. Este desenlace es en los cuentos de Aldecoa de formas diversas: unas veces concluye definitivamente la historia o la deja inconclusa, abierta a múltiples realizaciones futuras; otras veces se impone de un modo imprevisto o termina con la suavidad de un acontecimiento que era previamente esperado.

a) Predominio del final abierto

En algunos cuentos, Ignacio Aldecoa tendía a culminar la historia con un final cerrado: el asunto quedaba completo y resueltas las situaciones promovidas en la narración. Ese final unas veces es feliz, con una resolución positiva de los conflictos desencadenados («Los vecinos del callejón de Andín», «Los atentados del barrio de la Cal») o con una actitud confiada en el progreso y en el futuro de las gentes de vida pobre («Solar del Paraíso», «Un cuento de Reyes»). Algunas veces el final es dramático, con tintes de tragedia: «Caballo de pica», «La humilde vida de Sebastián Zafra», «Muy de mañana». Otras veces el final normal del cuento, sin sobresaltos, es un re-

---

[63] «Los cuentos nos ofrecen una imagen de la vida, conseguida por condensación», afirma Mariano Baquero Goyanes en *El cuento español en el siglo XIX,* Madrid, CSIC, 1949, pág. 123. Y Brandenberger habla del cuento como el «género cuyos requisitos son la economía de medios y la concepción previa del todo, (...) la insinuación, (...) la concentración en el tema elegido y la subordinación del detalle al conjunto», Brandenberger, Erna, *op. cit.,* pág. 55. Véase el capítulo «Puntualizaciones sobre el género literario cuento», en este estudio, págs. 46-51.

[64] Erna Brandenberger afirma en este sentido que «el cuento literario está concebido partiendo desde el final y que su sentido exacto no se puede captar hasta llegar al desenlace». Brandenberger, Erna, *op. cit.,* pág. 376.

flejo de la normalidad de las vidas de sus protagonistas: «Santa Olaja de acero» relata uno de los días de trabajo del maquinista Higinio. Empieza cuando éste se levanta al amanecer y acaba cuando regresa a su casa, ya de noche, después de una jornada de dieciséis horas de trabajo. El final que cierra la historia resalta lo habitual de estos acontecimientos. Esa jornada queda como paradigma de muchas otras que se repiten igual, como hoy, como ayer, como mañana.

Mucho más frecuente en los relatos de Aldecoa es el final abierto, que deja el asunto sin concluir, de un modo sugerente, insinuador y nada definitivo: «Tras de la última parada», «El diablo en el cuerpo», «Al margen», «Vísperas del silencio», «Young Sánchez», «Los pozos», «El aprendiz de cobrador», «Seguir de pobres», «Crónica de los novios del ferial»... De los múltiples ejemplos que pueden citarse, veremos con más detalle alguno de ellos. En «Young Sánchez» este joven boxeador espera su primer combate como profesional el próximo domingo. Todo gira en el relato en torno a la esperanza que pone él en la pelea. Esto engendra una cierta ansiedad, de la que también participa el lector. El relato mantiene un tono expectante desde el principio. Todas las conversaciones, todas las preguntas, toda preocupación se proyecta hacia el resultado de ese momento. La atención y el interés se acrecientan continuamente. Y al final, el resultado queda en el aire, como una puerta abierta a muchas posibilidades, como la esperanza: la misma incertidumbre y esperanza que envuelve a todos los personajes le alcanza también al lector. El cuento acaba cuando se inicia el combate. La tensión que se ha ido creando, progresiva, expectante, se mantiene después del punto final. Es significativo el verbo que cierra el cuento: «Entonces sonó la campana y se volvió. Estaban *esperándole*»[65].

De un modo similar finaliza «Los pozos». Refiere los momentos previos a la salida a la plaza, cuando los toreros se visten el traje. Predomina el miedo, la pesadez de esa tarea ingrata con la que ganarse la vida, la incertidumbre del desenlace. Para subrayar más aún la inseguridad en el destino del torero, el cuento acaba con un final abierto: ha saltado el primer toro; los toreros se hacen el remolón; la gente grita.

> El Chato la Nava miró a los compañeros.
> —Tranquilos —dijo.
> Y salió. En el brocal se hizo un silencio de campo[66].

En «Seguir de pobres» el comienzo y el final, con los personajes de camino, dan al relato una estructura circular y un cierto carácter simbólico: esos hombres trashumantes están siempre en camino, en busca de trabajo, de la vida, de la miseria. El futuro incierto de «El Quinto», que destaca la sensación de desamparo, deja el relato abierto a cualquier final, a cualquier

---

[65] «Young Sánchez», *Cuentos completos 2*, cit., pág. 54.
[66] «Los pozos», *Cuentos completos 1*, cit., pág. 149.

imprevisible desenlace, como imprevisible e incierta es la vida y la muerte de esos hombres.

Ignacio Aldecoa ha creado, por lo tanto, una forma de cuento sin apenas acción, que incita la fantasía del lector para completar lo que podría haber pasado. Características fundamentales de estos relatos son la fuerza evocadora y la capacidad para sugerir más allá de los detalles que se expresan. El final abierto contribuye a destacar el valor de sugerencia. Como ejemplos de estos finales pueden citarse también los cuentos «Al otro lado», «Tras de la última parada», «Esperando el otoño», «El aprendiz de cobrador», «La urraca cruza la carretera», «Pájaros y espantapájaros», «El corazón y otros frutos amargos», «Al margen».

b) Presencia minoritaria de las tragedias

La característica de que apenas suceda una acción destacable es común a muchos de los cuentos. El relato se inicia «in media res» y acaba con un final abierto, casi más bien interrumpido, que deja seguir la vida con la misma intrascendencia con la que ha sido reflejada en el relato. La narración acaba entonces suavemente, renunciando a todo efectismo final. A ese final sereno contribuye a veces un apunte fugaz, que deja en la lectura un temblor poético. Así podemos comprobarlo, entre otros cuentos, en «El herbolario y las golondrinas»:

> Las tardes de los jueves, sobre la gorra del municipal, descienden de la torre de las Salesas dos golondrinas que el muy tonto confunde con los galones de sargento.
> El paseo del Embocillo es un paseo hospiciano, sucio, solitario. Se puede soñar por él[67].

En alguno de los cuentos, sin embargo, sí que es importante el factor sorpresa en el desenlace de la historia. Y este desenlace puede estar cargado de un cierto dramatismo, como un reflejo de la impotencia de la vida humana. «En el km. 400» es un ejemplo claro de este modo de acabar la historia. Relata el recorrido que hacen de noche los camioneros que transportan pescado desde Pasajes a Madrid. Unos compañeros de los protagonistas sufren un accidente. El más viejo parecía grave.

En muchos cuentos mantiene Aldecoa una estructura similar a la de este relato: transcurre lento el tiempo, con acciones nimias, habituales. Algún imprevisto sin importancia puede enturbiar un poco el ambiente —en este caso la fiebre de Iñaqui y la vejez de Martinicorena—. Pero de pronto, insospechado, sobreviene el accidente fatal, el desastre imprevisto. Y el desenlace de esta situación queda en el aire, en un final abierto y desasose-

---

[67] «El herbolario y las golondrinas», *Juventud*, 22 de febrero, 1951.

gante. Nada sabemos sobre el estado de Iñaqui ni de Martinicorena después del accidente. Sólo los comentarios de la gente, como un rumor:

—El más viejo parecía grave. (...) El otro no tenía más que rasguños, el golpe y mucho susto... (pág. 88).

A veces, para provocar la sorpresa en el desenlace del cuento, Aldecoa desvía la atención de la lectura hacia otras acciones, disimula el tema, desdibuja el desarrollo de la acción y consigue así un final sorprendente («La urraca cruza la carretera», «Los hombres del amanecer», «La vuelta al mundo»). Otras veces la sorpresa se deriva de un desenlace que es radicalmente contrario a lo que anunciaba el título. Así ocurre en el cuento «Quería dormir en paz». En algunos cuentos el final encierra la clave para entender la situación creada en el relato o el significado del título, como en «Un buitre ha hecho su nido en el café», «Los pájaros de Baden-Baden», «El loro antillano» o «La fantasma de Treviño».

En todo caso, en los cuentos de Aldecoa no hay tragedias bruscas, no hay finales desgarrados. Se impone siempre la comprensión de las desgracias, la resignación y la paciencia. Si la vida continúa se sabe que a los personajes a la vejez les vendrá el mal, «porque el refrán lo dice y porque así será, como así fue»[68]. Y si llega la muerte, ésta es aceptada con impotencia, sin sobresaltos.

[68] «Pájaros y espantapájaros», *Ibíd.*, pág. 343.

Capítulo VI

Técnicas de la narración

1. El narrador

a) Ausencia de narrador endógeno en los cuentos de Aldecoa

En los relatos de Ignacio Aldecoa el narrador es siempre ajeno a la historia que se cuenta. Nunca adopta una postura interna a la trama, desde una primera persona como protagonista o como testigo. La tercera persona es el punto de vista constante de la narración.

Y esto es así siempre, aunque el cuento refiera una experiencia personal de Aldecoa, como el «Cuento del hombre que nació para actor», «Aldecoa se burla», «Maese Zaragosí y Aldecoa, su huésped», «Patio de armas» y tantos otros nacidos de las vivencias personales del autor, en los que él aparece incluso como protagonista.

b) El narrador omnisciente

Los sucesos relatados en los cuentos de Aldecoa se observan a veces con absolutos poderes, dotado el narrador de omnisciencia: entiende a los protagonistas, conoce sus pensamientos, su esperanza o su frustración:

> El sereno comenzó a liar parsimoniosamente un cigarrillo mientras pensaba que hogaño había más maleantes que antaño, cuando él vino de su pueblo a la capital por consejo de un tío suyo mozo de equipajes en la estación. Sonaron unas palmas y el sereno golpeó con el chuzo el bordillo de la acera; luego sacó el reloj; las cuatro. Siguió pensando. Y pensaba que el que llamaba debía ser don José, el del 7, que todas las noches llegaba alumbrado a su casa. Acudió[1].

Especialmente en los primeros relatos el narrador está mucho más presente. «La sombra del marinero que estuvo en Singapur», por ejemplo, publi-

---

[1] «Quería dormir en paz», *Cuentos completos 1*, cit., pág. 260.

cado en 1951, es todo el relato una introspección en la nostalgia del personaje. Este se acerca al puerto para ver llegar los barcos de la pesca de altura, para recordar sus viajes, sus andanzas marineras, su primera estancia en Singapur. El narrador omnisciente va desmadejando sus recuerdos, revelando su pasado y sus reflexiones. No hay apenas diálogo, la acción es mínima y las descripciones se limitan a lo más elemental. En todo el cuento lo que importa es la nostalgia del marinero, en la que indaga el narrador omnisciente.

En muchos casos la presencia del narrador es explícita; éste se deja ver, se hace presente en el relato como amanuense de la historia. Se percibe con claridad en «Pájaros y espantapájaros» y en «Los vecinos del callejón de Andín».

En «Pájaros y espantapájaros», desde el principio, desde la primera frase con la que se abre el cuento se manifiesta como relator de un suceso: «Fue así...» (pág. 336). Después introduce cada uno de los sueños de los cuatro juglares con subtítulos que comentan lo que va a suceder:

> Llama el amanuense, más por orden literario que por necesidad, «El murciélago azul» a la primera, y es así (pág. 338).
>
> El copista afirma que tal vez se deba nombrar la segunda balada, por razones de lunatismo amoroso y de ensueño, «La flor en la luna». La balada es así (pág. 340).
>
> El mandado titula a esta otra balada «Viaje a una esmeralda». Y cuando lo ha hecho de este modo, sus razones tendrá. Y es así (pág. 340).
>
> Ya se sonríe el escribano con el anuncio de la balada andaluza. Ya se sonríe, aunque no la conoce, porque sabe que los andaluces son de natural graciosos. La denomina de un modo perfectamente intuitivo «El hombre que dialogaba con sus dedos». Y comienza la risa[2].

La presencia del narrador, ajeno a la historia que relata y al tiempo que esos personajes viven, le da a éste una mayor visión de conjunto para contemplar el pasado, el presente y el futuro de esos hombres. Así acaba el relato refiriéndose a ellos:

> Se sabe que a la vejez le vendrá el mal, porque el refrán lo dice, y porque así será, *como así fue* (pág. 343).

Con este comentario, el futuro de esas vidas se afirma como pasado para el narrador. Queda destacada su visión omnisciente y totalizadora.

En «Los vecinos del callejón de Andín» se manifiesta el narrador como el conductor personal de la historia. En el primer párrafo comenta: «De la dueña de la casa de mala nota luego hablaremos»[3]. Y más adelante, descri-

---

[2] «Pájaros y espantapájaros», *Cuentos completos 1*, cit., pág 341. Estos comentarios hacen que el narrador —y el lector— no se dejen llevar por el suceder de los acontecimientos, sino que los contemplen desde fuera. De este modo, se acentúa la reflexión sobre lo que esos sueños significan y queda más en evidencia el valor simbólico de cada uno de ellos.

[3] «Los vecinos del callejón de Andín», *Cuentos completos 2*, cit., pág. 149.

biendo a uno de los personajes: «Panchito debió de ser mozarrón erguido, como ahora era una pena —y no hay más que decir—» (pág. 152). Otras veces valora la realidad que describe o se entusiasma ante ella o refiere la impresión que le causa. Son explosiones de sentimiento por parte del narrador, que de este modo aparece manifiestamente: «¡Vaya si venían amorosos Bayoneta y su novia!» (pág. 162). Ante la salida de Antonio para pelearse con Bayoneta exclama el narrador: «¡Qué bárbaro!» (pág. 106). Y mientras Gorrinito y el relojero buscan el cristal que puede haberle herido a Antonio, comenta: «Principiaron a buscar, resoplaba Gorrinito al agacharse y hasta parecía que le crujían los riñones. Daban ganas de andar a puntapiés con ellos» (pág. 169).

Apariciones similares del narrador en medio de la historia que está contando pueden apreciarse en «Los atentados del barrio de la Cal», «Solar del Paraíso», «El aprendiz de cobrador» o en «El herbolario y las golondrinas»[4]. En éste, el narrador, al hacer referencia al cuento en el propio texto, rompe la posible sensación ficticia de estar leyendo algo real: «En la ciudad que atañe a este delicado cuento...» En «El aprendiz de cobrador» interviene en diversas ocasiones, dirigiéndose a un hipotético lector en plural: «En julio, *señores*, siendo cobrador en un tranvía, cuesta sonreír» (pág. 19). Y más adelante: (Leocadio Varela tiene) «un bigote primerizo y pardo, que parece —*ustedes perdonarán la comparación*— lo que dejan de sí las moscas en las bombillas»[5].

c) El narrador objetivo

En otros cuentos Aldecoa adopta un modo de contar objetivo, en el que desaparece el narrador. Sólo transcribe lo que ve y lo que oye; se mantiene al margen de la historia y contempla desde fuera los acontecimientos y los personajes. El relato se basa entonces fundamentalmente en el diálogo, en la reproducción de conversaciones tópicas de la gente. Así lo hace, por ejemplo, en «El porvenir no es tan negro», donde reproduce escenas cotidianas del trabajo, la marcha a casa y la celebración del cumpleaños de Antonio Guerra. El cuento aparece como un trozo de realidad, en donde no ocurre nada destacado. La conversación refleja los modos de decir coloquiales y las escenas reproducen cuadros de vida normal. El narrador deja que los personajes hablen, sin una presentación previa, sin determinar el origen de los comentarios:

---

[4] Cfr. «Los atentados del barrio de la Cal», *Cuentos completos 1*, cit., págs. 225-226; «Solar del Paraíso», *Cuentos completos 2*, cit., págs. 253-254.

[5] «El aprendiz de cobrador», *Cuentos completos 1*, cit., pág. 20. Brandenberger sugiere que estas apariciones del narrador en el cuento son una razón más de la que puede deducirse «la posible evolución del cuento literario a partir de la narración oral». Cfr. Brandenberger, Erna, *Estudios sobre el cuento español contemporáneo*, Madrid, Editora Nacional, 1973, pág. 259.

Los mandones habían reanudado el trabajo. Los novicios discutían empecinadamente cuestiones pedantes.
—¿Cómo se escribe absorber?
—Con be y uve.
—Ya has caído, nene. En esta palabra cae todo el mundo. En los ejercicios de Miranda Podadera...
—¿Dónde está la Herzegovina?
—En Polonia.
—En Polonia estás tú[6].

Esta tendencia a la objetividad se ha señalado como una de las aportaciones más importantes de nuestro siglo a la narrativa. El autor debe escribir presentando a los personajes y dejando que ellos se manifiesten; debe limitarse a recoger sus palabras y sus actos sin mediatización alguna, «como una aséptica cámara cinematográfica plasmaría las imágenes de un reportaje»[7]. La desaparición del autor está relacionada con teorías y supuestos críticos que se refieren a que el escritor no debe contar («telling») sino mostrar («showing»). Estos modos del relato —como señala Todorov—, están en cualquier caso en relación directa con los aspectos o el punto de vista desde el cual se cuenta la historia, al que me he referido en los párrafos anteriores[8].

En la narrativa española, sin embargo, la técnica objetivista no alcanzó la actitud extrema a la que llegó en otros países. En los relatos de Aldecoa que se limitan a reproducir las conversaciones y la conducta de los personajes, el narrador no desaparece del todo y se manifiesta en algunas observaciones aisladas. «Al margen» refiere el aburrimiento de unos jóvenes veraniegos que entretienen su tiempo sentados pesadamente en la terraza de algún bar. Los turistas marchan lentos hacia la playa, cargados de trastos; otros grupos de jóvenes se distraen también en juegos y conversaciones. La narración se hace con absoluta objetividad. Una muchacha se levanta a empujar con el dedo los pulpos recién pescados. «Volvió a su asiento con el dedo erguido en ademán triunfal *e idiota*» (pág. 423). En esta observación desaparece el narrador aséptico que se limita a recoger comportamientos, actitudes o gestos. Califica decididamente esas actitudes y se hace presente con afirmaciones críticas.

Son abundantes los ejemplos que pueden citarse entre los relatos de Aldecoa que mantienen una apariencia de objetividad, pero en los cuales se deslizan comentarios que revelan la presencia del narrador. Incluso en aquellos cuentos en los que predominan los elementos dramáticos, más propicios para la desaparición del narrador, como «Balada del Manzanares»: el narrador, desde la tercera persona del relato, describe el ambiente, hace

---

[6] «El porvenir no es tan negro», *Cuentos completos 1,* cit., pág. 161.
[7] Esteban Soler, H., *op. cit.,* pág. 301.
[8] Cfr. Todorov, Tzvetan, «Las categorías del relato literario», págs. 177-185, *Análisis estructural del relato,* Buenos Aires, Tiempo Contemporáneo, 1974.

avanzar la historia y califica también la actitud de los personajes y las razones que los mueven: «Manuel se puso flamenco, porque es parte del juego. (...) Pilar se desespera falsamente, porque sabe que debe hacerlo» (página 220). Valora el comportamiento de los protagonistas: «Manuel se cree. (...) Manuel se pasa de la raya» (pág. 220). Y conoce los porqués de sus reacciones: «Manuel encuentra que la mejor manera de quedar bien, de quedar como un hombre, es pedir un vermut más» (pág. 220).

En el conjunto de los cuentos publicados por Ignacio Aldecoa predomina una etapa amplia —que abarca los años 50 y principios de la década de los 60— en que la narración adopta una postura objetiva, favorecida por el conductismo. El cuento se limita a recoger las conversaciones de los personajes, con unos mínimos apuntes del escenario en el que éstos dialogan, sus movimientos y algunos juicios evaluadores de su conducta. Pero frente a esta actitud, destacan contrastados otros cuentos en los que el narrador está decididamente presente con sus valoraciones de la realidad, con la abundancia de elementos subjetivos o calificadores, con la deformación a la que somete a los personajes y las situaciones. Se sirve para ello de la sufijación, de comentarios animalizadores sobre los personajes y de la aplicación directa de adjetivos deformadores. Otras veces por medio de los subtítulos que encabezan algunas secuencias, el autor transmite su ironía o la contemplación básicamente deformada de la escena. Estos subtítulos contribuyen a crear un efecto distanciador sobre la historia, que el lector sigue necesariamente de un modo mediatizado por el narrador.

d) El narrador y el punto de vista de los personajes

Algunas veces el narrador se sitúa en la perspectiva de los personajes para vivir con ellos sus mismas dudas, su indecisión o su perplejidad. Lo hace sobre todo en los momentos de un especial dramatismo, para que éste aparezca más patente ante el asombro del lector. En «Solar del Paraíso», cuando la tormenta arrecia, crecen las goteras y no hay cacharros suficientes para recoger tanta agua, dentro del chamizo sólo quedan, asustados, la abuela y los tres nietos, Emilio, la Casi y Mariano. El momento es dramático y el derrumbamiento inminente. El narrador, que sabe tan poco como los personajes, observa y especula:

> Algo ha crujido; ha debido de ser una de las débiles vigas. La pared de adobes puede fallar. Las tejas se separan[9].

En estos casos el narrador adopta el punto de vista de los diversos personajes, identificándose con su mirada y transcribiendo lo que éstos ven y

---

[9] «Solar del Paraíso», *Cuentos completos 1,* cit., pág. 246.

desde el mismo ángulo que ellos lo contemplan. «El autobús de las 7,40» comienza con una descripción del campo a esas horas de la mañana. En el segundo párrafo se lee:

> Desde la colina, el soldado contemplaba, asombrado, el paisaje. Contemplaba y descubría[10].

Desde esa perspectiva, el narrador describe lo que va apareciendo ante los ojos asombrados del recluta. El mismo procedimiento utiliza para describir cómo están sentados los viajeros en el autobús o las características personales del tabernero[11]. Algunas páginas más adelante, cuando baja del autobús el niño que marcha a la escuela del pueblo cercano, se lee:

> Desde la acera el colegial miró con odio al cobrador. El autobús se cerró como un estuche. Arrancó. El chico, lentamente, buscó el camino del colegio (pág. 202).

Por un momento el narrador ha dejado a los personajes del autobús y se ha colocado fuera de él, para mirarlo desde la perspectiva del niño. No sólo físicamente, sino con su misma mentalidad infantil de colegial que observa el autobús cerrándose como un estuche.

No es por lo tanto un narrador ajeno, indiferente, que contempla las escenas desde arriba, a vista de pájaro. Por el contrario, se sitúa al lado mismo de los personajes, ve lo que ellos ven y como ellos lo ven. Y la perspectiva que adopta no es unívoca, sino que alterna la mirada entre los distintos puntos de vista de los diversos personajes[12].

e) Estilo directo, indirecto e indirecto libre

Para reproducir los diálogos de los personajes, lo más frecuente es que éstos sean introducidos directamente, mediante verbos «dicendi». Si no se hace así es porque aparece claro quién es el interlocutor. Algunas veces esas intervenciones de los personajes se reproducen intercaladas en los párrafos narrativos, cuando están revividas en las reflexiones de los personajes o suponen una retrospección hacia el pasado de la historia:

> Cuando Cristóbal se levantó para salir al campo, la casa estaba en silencio; silencio cuarteado por la fuerte respiración de su mujer. Procuró no despertarla. Llegó a la pequeña cocina y se lavó en el fregadero. Pre-

[10] «El autobús de las 7,40», *Ibíd.,* pág. 191.
[11] Cfr. *Ibíd.,* págs. 192 y 197.
[12] El mismo recurso es utilizado en «La nostalgia de Lorenza Ríos», «Esperando el otoño», «Al margen», «El caballero de la anécdota» y «El figón de la Damiana». Cfr. *Ibíd.,* págs. 49, 52 y 54, 394 y 421.

paró su desayuno. Bostezaba de hambre y sueño. Estuvo esperando a que la leche se calentara, apoyado en la mesa, escalofriándose de vez en vez, dejándose escurrir el sueño, según creía, hasta los pies. Hizo algún ruido. Escuchó la voz de su mujer: «¿Ya te vas, Cristóbal?» «Ya me voy», había contestado. «Que haya suerte» (pág. 40).

Pero en realidad estas diferentes posibilidades tipográficas son tan sólo recursos externos que no afectan a la perspectiva desde la que se hace progresar el relato. En todos los casos el estilo es directo, mediante la reproducción textual de las palabras de los protagonistas.

Más interés técnico adquiere el ensamblaje que realiza Ignacio Aldecoa en algunos relatos entre la narración y las conversaciones. Estas continúan las disertaciones que había iniciado el narrador sobre un determinado aspecto. De este modo avanza la narración, continuada, sin retrocesos, aunque sea observada desde distintas perspectivas: la del narrador y la de los personajes:

> El río se extendía más y más. En el pueblo, en verano, no se podía parar de mosquitos. Todos los habitantes eran palúdicos.
> —Hay más mosquitos que en el mismísimo infierno. Los hay como puños. Cualquier día se los comen a todos (pág. 42).

Los pensamientos de los protagonistas pocas veces se reproducen directamente. Siempre es el narrador quien los interpreta, quien los transmite o al menos quien los introduce. Habitualmente señala esta introducción mediante las marcas tipográficas tradicionales: guiones o comillas. En alguna ocasión aparecen sin ninguna señal determinada que indique su carácter de pensamientos de los personajes, aunque siempre esto es fácilmente deducible del contexto:

> Cristóbal no contestaba. Siempre estaba sumido en operaciones matemáticas. Ahora calculaba lo que podrían darle en el laboratorio por las víboras. Si está don Rafael, cuatro por nueve treinta y seis, y un duro de propina para cada uno. Si el conserje se pone a regatear nos llevamos el género y volvemos al día siguiente, hasta que nos encontremos con don Rafael. Alguna de las víboras se morirá, pero de todas formas saldremos ganando (págs. 42-43).

El estilo indirecto libre es uno de los procedimientos que aparece empleado con más frecuencia para transcribir las cavilaciones de los personajes[13]. Con él, el objetivismo de cámara deja paso a la visión subjetiva.

Esa mezcla de objetivismo y subjetivismo aparece con claridad en el siguiente párrafo de «El aprendiz de cobrador»:

---

[13] Cfr. «El corazón y otros frutos amargos», «Hasta que lleguen las doce» y «Aldecoa se burla», *Cuentos completos 1*, cit., págs. 100, 359 y 363, respectivamente; «El mercado» y «Ave del Paraíso», *Cuentos completos 2*, cit., págs. 223 y 341 respectivamente.

Leocadio recuerda las canciones de su novia. Piensa que ella, con la madera que tiene, educándola un poco, podría ser una gran artista y ganar mucho dinero. Pero no; entonces ya no le querría, porque a las mujeres se les sube la fama a la cabeza y ya no quieren a los de su clase, prefiriendo a la gente que viste bien, come bien, duerme bien y lo hace todo bien. El cobrador viejo le llama.

—Varela.

—¿Diga usted?

—En la próxima nos alcanza el inspector. Avise al conductor que traemos pegado al setenta.

—Sí, señor.

Leocadio va hacia el conductor.

—Que traemos pegado al setenta.

—Ya lo sé[14].

En las primeras frases el narrador omnisciente revela los pensamientos del personaje, introduciéndolos con una fórmula verbal precisa: «piensa que». Después deja que éstos aparezcan más libremente y el lector escuche las deliberaciones en forma de estilo indirecto libre: «Pero no; entonces ya no le querría...» Por fin, una voz exterior interrumpe los pensamientos de Leocadio y el narrador vuelve a recobrar su papel objetivo en la reproducción de los diálogos finales.

Por lo tanto, como síntesis, el punto de vista que adopta Aldecoa en la narración es ajeno al relato, desde una perspectiva externa, en tercera persona. Los aspectos del relato alternan la omnisciencia con el narrador que comparte la visión limitada del personaje. Los modos señalan el predominio de una actitud objetiva («showing») en el conjunto de los cuentos, sin que el autor renuncie a veces a contar la historia («telling»). La transcripción de los pensamientos o de las palabras de los personajes se hace en estilo directo o en estilo indirecto; también en estilo indirecto libre. En este sentido, Aldecoa no ensaya ningún procedimiento técnico ni tipográfico, más que aisladamente en alguno de los cuentos[15].

2. LA INFLUENCIA DEL CINE

No es preciso insistir en la influencia que ejerció el cine, y en concreto la tendencia del neorrealismo italiano, sobre los procedimientos estructuradores y técnicos de los narradores del Medio Siglo. Algunos de ellos cursaron estudios de dirección cinematográfica; muchos otros se sintieron atraídos por los métodos fílmicos. La proyección en 1950 en Madrid de *Roma, città aperta* de Rossellini y la organización de la Primera Semana de Cine

---

[14] «El aprendiz de cobrador», *Cuentos completos 1*, cit., pág. 21.
[15] Cfr. «Solar del Paraíso», *Cuentos completos 2*, cit., págs. 253-254; «Las piedras del páramo», *Cuentos completos 1*, cit., pág. 400; «En el Km. 400», *Ibíd.*, págs. 74-75.

Italiano, se han considerado como dos acontecimientos claves. Así resume Carlos Saura su impacto:

> Eisenstein, Pudorkin, Dovjenko: éstos eran los genios. Todo el mundo estaba traumatizado por ellos y por el cine expresionista alemán. (...) Y entonces surgió el neorrealismo: fue un «shok». De repente nos dimos cuenta de que se podía hacer cine en la calle y con gente normal. Ahora parece banal pero en aquel tiempo no lo era.|(...) Nosotros pensábamos, por la influencia del Instituto, que lo que había que hacer era Eisenstein, era un cine épico, desgarradísimo desde el punto de vista exclusivamente técnico o formal, ya que en el terreno de las ideas eso jamás se explicaba en el Instituto.
>
> (...) El Instituto Italiano de Cultura trajo una semana de cine neorrealista italiano del que se acababa de hacer, se había hecho o se estaba haciendo, y nos invitó a la gente del Instituto. Fue una experiencia fantástica. Nunca se lo agradeceremos bastante. Vimos *Crónica de un amor*, de Antonini; *Luci di varietá*, de Fellini y Lattuada; *Ladrón de bicicletas, Milagro en Milán, Roma, cittá aperta, Paisá* ... Y fue entonces cuando empezamos a plantearnos el problema, naturalmente Bardem y Berlanga antes que nosotros, de un cine dentro de un subdesarrollo español, es decir, con una base mucho más realista y pocos medios[16].

La influencia del cine italiano se produjo en un doble sentido. En primer lugar en la atención al entorno: sus protagonistas serán gentes normales que viven historias de normalidad. La literatura adopta entonces una actitud de testimonio, con tonos variados que abarcan la denuncia, la crítica, la protesta o la rebeldía. Es el realismo en sus diversas matizaciones. En segundo lugar su influencia se dejó sentir en los aspectos técnicos. Una serie de procedimientos cinematográficos serán asimilados por los novelistas: el encuadre de personas y paisajes, el punto de vista y la desaparición del narrador ante las escenas que está filmando, los movimientos de la cámara de uno a otro objeto, la fracción de la historia en secuencias, los fundidos.

a) El punto de vista

De todos estos procedimientos, el más importante es el punto de vista desde el que se enfoca la narración, que ya he estudiado en el apartado precedente y que ahora me limitaré a ponerlo en relación con los métodos cinematográficos. El narrador desaparece detrás de la cámara con la que capta la realidad. Se produce entonces la gran innovación de la novela contemporánea: la desaparición del narrador, el inicio del objetivismo. «El autor ha

---

[16] Braso, Enrique, *Carlos Saura*, Madrid, Taller de Ediciones J. B., 1974, págs. 30-31. El cine español seguía entonces una doble vertiente: por un lado producciones impulsoras de un triunfalismo imperialista; por otro, obras de carácter evasivo, con tonos históricos o de|folklore. En ese panorama cultural la influencia del neorrealismo italiano fue decisiva.

de limitarse a exponer hechos, sucesos, en su escueta realidad, como si su pluma se le convirtiera en una especie de cámara fotográfica, dejando que su *film,* mudo de comentarios, hable por sí solo»[17]. La crítica literaria adopta entonces una terminología cinematográfica, con referencias constantes a la cámara, la película o la imagen.

El movimiento de la cámara en los relatos adopta a veces la perspectiva del personaje, sigue sus propios movimientos y se traslada como él de uno a otro objeto. Sobre todo en las descripciones:

> El hombre de la ciudad llamó a la puerta. La puerta era diminuta, puerta de corredor que da al cuarto de las cosas inservibles. Nadie acudió a la llamada, y el hombre, apartándose unos pasos, pudo contemplar a su sabor la casita, de una sola planta. La fachada era de ladrillo deteriorado, con un friso de revoque hasta la altura de la ventana. En la ventana dos macetas con geranios y una lata de aceitunas, de la que se derramaba esa planta humilde y alegre, que nunca falta en las ventanas de las casas humildes y amargas: uña de gato. Uña de gato, con sus florecillas amarillas y sus brotes verdes, auñados, que le dan el nombre. Detrás, los cristales, uno roto y tapado cuidadosamente con un papel de periódico, y los visillos blancos, con amapolas bordadas a máquina. El hombre de la ciudad vio la cara de un viejo; cara gastada, arrugada, descompuesta. Los ojos con que le observaba eran profundos, terribles[18].

Desde la perspectiva del hombre que contempla la casa, aparece la descripción de ésta, en un movimiento de la cámara que se va acercando a los objetos: desde la panorámica general hasta el detalle. Primero la fachada, después la ventana, las macetas, los cristales y tras éstos la cara gastada del anciano y finalmente sus ojos profundos.

El movimiento de la cámara siguiendo el punto de mira de uno de los personajes aparece utilizado con más claridad en el siguiente texto:

> Mercedes despegó la vista de su labor al sentir acercarse a su marido. Sus ojos vieron un primer plano de pies nonagenarios llevándose la cera de la tarima. Alzó la vista y recorrió por entero el cuerpo de Crisanto. Pantalones de pana negra arrugados, jersey deportivo, camisa blanca, abierta. En el rostro, un gesto interrogante[19].

---

[17] Corrales Egea, J., *La novela española actual,* Madrid, Edicusa, 1971, pág. 63. José María Castellet corrige: «Quizá mejor símbolo, mejor imagen que la del espejo o la maquinilla fotográfica, se la de la cámara de cine.» *Notas sobre la literatura española contemporánea,* Barcelona, Laia, 1955, pág. 68. La objetividad, sin embargo, no es tanta; el narrador tiene un amplio margen de movimiento, que le permite «dirigir, enfocar, el espejo, la maquinilla, dónde y como quiera. Es más, con los materiales recogidos podrá proceder a una personal composición» *Ibíd.,* pág. 68.

[18] «Tras de la última parada», *Cuentos completos 1,* cit., pág. 285.

[19] «Vísperas del silencio», *Cuentos completos 2,* cit., pág. 63. En el párrafo se utiliza incluso esta expresión concreta «un primer plano», que hace referencia al mundo del cine y a una captación de los objetos desde un determinado encuadre de la cámara.

b) Composición cinematográfica del relato

En el modo de componer la historia utilizado por Aldecoa en algunos cuentos, queda también clara la influencia de los métodos cinematográficos. Sobre todo por la sucesión alternada de imágenes diversas, como tomas instantáneas que se van montando para componer la historia. «Tras de la última parada» se inicia con tomas rápidas que tienen protagonistas distintos: una mujer, el cobrador del tranvía, el conductor, el hombre de la ciudad. Son imágenes sueltas, que ensambladas en el montaje de la historia formarán las escenas de la narración:

> —Hemos llegado.
> Se apeó una mujer triste con un niño en sus brazos. El hombre de la ciudad, antes de bajarse del tranvía, preguntó al cobrador:
> —Oiga, ¿cuánto falta hasta el puente?
> El cobrador frunció el entrecejo y calculó:
> —Como una hora o cosa así a buen paso.
> El cobrador saltó a la carretera y tiró de la cuerda del trole para cambiarlo de dirección. El conductor, parsimonioso, distante, quitó las manivelas del motor. Entornando los ojos, con las manos en los bolsillos del pantalón, el hombre de la ciudad echó a andar. Pensó en el cuarto de hora que le esperaba caminando a buen paso por la carretera polvorienta. Miró sus zapatos blancos y de color, arrugados debajo del empeine, con unas oscuras manchas de humedad. Se dio cuenta de que se había pasado el día andando[20].

Este procedimiento se emplea con mayor o menor insistencia en muchos de los relatos: para reflejar un determinado ambiente o plasmar una escena rápida, Ignacio Aldecoa dispone los elementos alternados, haciendo referencias breves a los personajes, al lugar o a pequeños detalles significativos. Lo analizaré en otros dos cuentos: «La tierra de nadie» y «El figón de la Damiana».

En «La tierra de nadie» el batallón regresa al cuartel después de haber pasado la mañana en el campo de maniobras, el aeródromo viejo, haciendo ejercicios por compañías. Un soldado se preocupa porque el comandante le ha dicho que se presente a él en cuanto lleguen al campamento.

> La polvareda de los caballos era un borroncillo en la claridad del camino del aeródromo. La mano del comandante arrancó un junco, que se quebró en el azote rápido del aire, y caminó hacia el hangar, arrimándose a una de las paredes.
> El batallón volvía por el camino del aeródromo. Los oficiales de las últimas compañías iban por los ribazos para evitarse la polvareda. Eran inútiles las órdenes.

---

[20] «Tras de la última parada», *Cuentos completos 1*, cit., pág. 283.

—No arrastren los pies.

El soldado caminaba entre los suyos.

—Me ha dicho que me presente nada más llegar.

—Estás listo. Algo te cae...

El tiempo de las zarzamoras se acercaba, pero no había zarzamoras. Todavía rojeando las habían vendimiado los soldados.

—El arán quita la sed por el amargor.

Los aranes verdinegros, frotados contra los monos para quitarles el polvo, brillaban recién lustrados. Se los llevaban a la boca y los mascaban y luego los escupían.

—No se salgan de las filas —cantaban los sargentos aburridamente.

El portafusiles mugreaba los monos de polvo y sudor por los hombros.

—¿Para qué será? —preguntó el soldado a uno de sus compañeros.

—Te hace cabo.

—No.

—Te llevas la plaza, chacho.

La columna entró por el portal de la ciudad cantando y marcando el paso. Los oficiales formaron a la cabeza de sus compañías y secciones[21].

La escena, breve pero con fuerza sugeridora, se contruye con rápidas apreciaciones de los diversos elementos que aparecen en la composición. Estos se disponen alternados, saltando de uno a otro. Todo se reduce a un ensamblaje de varias tomas, que reproduce las técnicas cinematográficas: primero el batallón en su conjunto que levanta una polvareda, la mano del comandante al arrancar un junco, el soldado que habla con su compañero, las zarzamoras y los aranes como un remedio pobre para quitar la sed, los sargentos que repiten las órdenes aburridamente, el portafusiles mugriento de suciedad, otra vez el diálogo suelto de los soldados y finalmente una panorámica general de la columna que entra cantando a la ciudad. Gráficamente, sería el siguiente esquema:

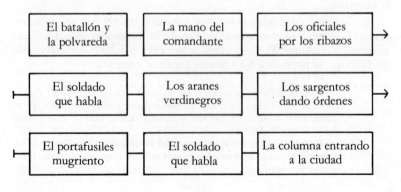

---

[21] «La tierra de nadie», *Ibíd.*, págs. 116-117.

La cámara adopta unas veces perspectivas de conjunto o se acerca para recoger un detalle: la mano, un junco, los aranes llenos de polvo o la mugre de los portafusiles. El narrador desaparece detrás de la cámara, limitándose a enfocar uno u otro objeto, alternando perspectivas generales con detalles mínimos; a veces se escuchan voces de un personaje desconocido... El conjunto cobra así fuerza de realidad plástica y sugerente capacidad expresiva.

En «El figón de la Damiana» las relaciones con métodos cinematográficos son todavía más visibles. Se compone de cuatro secuencias breves, que en conjunto perfilan una historia, un ambiente y unos personajes bastante definidos. El montaje refleja también una cierta similitud con procedimientos cinematográficos: se basa en la articulación de escenas sueltas que sugieren la continuidad de una acción. Estas cuatro secuencias son: la existencia en la oscuridad de la taberna de un mendigo asesinado con una navaja; la entrada en escena de «El Ventura» y Antón borrachos y poco después de la guardia civil con «la Damiana»; en una nueva secuencia, tres días después, relato de la riña y del navajazo al mendigo, por «la Damiana», mientras sirve copas tras el mostrador; y finalmente Antón y «El Ventura» vuelven borrachos otra noche más y ahorcan al gato de la pensión. Las tres primeras manifiestan una unidad en cuanto al asunto relatado; la cuarta, añadida una vez resuelto el desaguisado de la pelea, insiste en que la vida para esos hombres sigue y seguirá igual hasta su muerte: vino, brutalidad y sinsentido.

El proceder cinematográfico se refleja también en la sucesión de tomas diversas que sugieren el movimiento de la cámara de un objeto a otro. El cuento se inicia con la siguiente escena:

> La navaja le había entrado hasta las cachas, partiéndole las mantecas de un riñón. Quedó el mendigo pasmado sobre un banco cojo, tintando el suelo de sangre negruzca. La luz difícil del mostrador daba sombras pulposas en la rinconada. Estaba la puerta abierta y un aire dulce de serranía se colaba hacia la cocinilla profunda y acuevada. El mendigo resbaló al suelo; se le cayó la gorra y cuatro pelos retozones se le alborotaron en la corriente. Un gato tuerto asomó la pupila asombrada; se fijó en el difunto, luego en la sota de bastos y salió bufando de correveidile[22].

El encuadre inicial es un objeto concreto: la navaja clavada hasta las cachas; ese encuadre se hará cada vez más amplio, en un movimiento de retroceso de la cámara, de modo que entren más objetos en pantalla: primero el cuerpo del mendigo, «pasmado sobre un banco cojo», y la sangre negruzca que se extiende por el suelo; después todo el rincón en la penumbra; por último la taberna entera con la puerta abierta. En un nuevo movimiento de la cámara el recorrido va a ser inverso: de lo más general hasta centrarse en detalles concretos: el cuerpo del mendigo, que resbala, la gorra que cae al sue-

---

[22] «El figón de la Damiana», *Ibíd.*, pág. 213.

lo, los pelos de la cabeza que se alborotan con la corriente. Cuatro últimas tomas completan esta primera secuencia: el gato tuerto que asoma su pupila asombrada; desde un punto de mira, una nueva toma del cuerpo del mendigo; un naipe arrojado al suelo; y finalmente la huida del gato, «bufando de correveidile».

Con una asombrosa economía en la narración, Aldecoa ha seleccionado los detalles más significativos, preocupándose especialmente de la escenificación y del ambiente, para crear un tono inicial sugeridor de misterio, terror y dramatismo: una navaja clavada, el cuerpo sobre un banco inestable, las sombras que envuelven el ambiente, la aparición de un gato... tuerto... El movimiento de la escena contribuye a aumentar esas mismas impresiones: resbala el cadáver, cae la gorra, se alborotan con la corriente los pelos de la cabeza, asoma un gato y sale después asustado. El sonido, sobrio, tiene la misma finalidad: se oye el trompazo del cuerpo muerto que cae al suelo y los bufidos del gato que huye. Sobriedad, selección de detalles, montaje de tomas diversas desde distintas posiciones: es la técnica del cine aplicada a la narración.

El mismo procedimiento es utilizado en la escena siguiente: los dos viejos tunantes vuelven borrachines de noche; tras una cierta precaución inicial, vuelven al jolgorio, a los trompicones del vino y a las palabras fuertes. De pronto se hace el silencio.

> Olieron la sangre y se miraron asustados, creyendo que habían hecho alguna barbaridad. El muerto se les alargaba en la sombra; de pronto, comenzaron a andar hacia la puerta, mecánicos y hechizados. La luz se cubría de infinidad de mosquitos revoloteantes y la botella se vaciaba sobre el mostrador con un extraño glogeo de ahogo doméstico, que henchía la estancia de distintos terrores (pág. 214).

La escena ha cobrado un ritmo lento, mientras el narrador se fija alternativamente en el ambiente siniestro nocturno y en el pavor de los dos ancianos. El dramatismo del momento se realza mediante la selección de algunos detalles expresivos: en la penumbra revolotean infinidad de mosquitos y la botella se derrama sobre el mostrador. Se ha detenido la acción; se ha hecho el silencio; sólo se escucha vaciarse la botella «con un extraño glogeo de ahogo doméstico».

c) Escenas secundarias

Por último, es frecuente que Ignacio Aldecoa en los relatos desvíe la atención momentáneamente de los protagonistas del cuento y de la acción principal. La mirada se centra entonces en el ambiente que los rodea y la historia cobra una dinámica sensación de vida y de realidad. Los personajes y su historia no se proyectan disecados sobre una pared blanca, sobre un fondo irreal, etéreo e impreciso. Por el contrario, aparecen envueltos en un vivo ambiente realista. A esto contribuyen, evidentemente, las descripciones, pero sobre todo esos movimientos fugaces de la cámara para captar las escenas del entorno. En «Balada del Manzanares», Pilar y Manuel acaban de encontrarse: un encuentro de saludos en el que se repiten insistentes los nombres. El relato continúa:

> A los novios les gusta repetir los nombres; a los jefes les gusta repetir los apellidos. El jefe de la parada de tranvías de la Estación del Norte da órdenes. Grita al cobrador del tranvía de Campamento:
> —González, cambie el trole; dése prisa... González, páseme el estadillo... González, ¿me oye?
> Grita al conductor del tranvía de Campamento:
> —Rodero, cinco minutos de retraso... Rodero, que hay que recuperar... Rodero, salga en seguida.
> Grita al viejo guardavías:
> —Muñoz, no se duerma... Muñoz, vamos ya... Muñoz, ojo al 60.
> Los soldados patinan sobre los herrajes de las botas entrando en el metro atropelladamente. La cerillera joven se desgañita:
> —¡Tíos asquerosos, borricos!
> La castañera la apoya:
> —Son como salvajes.
> El ciego mueve la cabeza:
> —Cuarenta iguales.
> Desde su quiosco, la vendedora de periódicos contempla la vida aburridamente; contesta a un cliente:
> —*Marca* se ha acabado.
> Pilar y Manuel han pasado el bar del buen café y el bar de la gran tapa. Entran en *Revertito*. Tienen que reñir un poco, deben reñir un poco. Es el amor[23].

La cámara ha abandonado por un momento a los protagonistas, para trazar un panorama descriptivo impresionista: el tranvía, los soldados, la cerillera joven, la castañera, el ciego, la vendedora de periódicos. Sobre la acción principal Aldecoa ha añadido detalles secundarios, escenas complementarias que atraen durante unos momentos la atención del relato. Estas escenas contribuyen a envolver la acción en un entorno vivo, animado, en un ambiente con caracteres de realidad. El ambiente en el que se mueven los protagonistas está creado mediante las descripciones y fundamentalmente mediante esas acciones secundarias, con personajes anónimos que aparecen alrededor de ellos[24].

---

[23] «Balada del Manzanares», *Cuentos completos 1,* cit., págs. 219-220.
[24] Sobre la utilización de recursos cinematográficos en el cuento «Santa Olaja de acero», cfr. Esteban Soler, H., «Estructura y sentido de Santa Olaja de acero», *Ignacio Aldecoa. A Collection of Critical Essays,* cit., págs. 72-73.

3. ELEMENTOS LÍRICOS, ÉPICOS Y DRAMÁTICOS

3. 1. En el cuento literario se entremezclan las tres formas fundamentales de la literatura: la lírica, la épica y la dramática. El predominio de una o de otra forma nos lleva a hablar de cuentos líricos, cuentos épicos y cuentos dramáticos.

En los primeros cuentos de Aldecoa el elemento predominante es la narración. Todo se resuelve en ellos en el relato de una historia. El narrador en tercera persona es tan sólo el comentador de un sucedido, con un lenguaje que se acerca a veces a la narración oral espontánea. Los apuntes fugaces sobre el ambiente o sobre los protagonistas tienen carácter funcional. El diálogo es mínimo y adquiere a veces una función narrativa. Así ocurre en «El herbolario y las golondrinas», donde del narrador se limita a contar una anécdota. Ni siquiera cuando los personajes dialogan se reproducen como diálogos sus conversaciones. Es el narrador quien asume esas intervenciones y las transforma en narración de un pasado, eliminando con el estilo indirecto su valor de temporalidad presente. Lo dramático se hace narración:

> El guardia le saludó, como manda la ordenanza, le afeó su conducta de cazador de pájaros y se dispuso, sacando un cuadernillo, a hacer las anotaciones pertinentes. Don Faustino le dijo que la había encontrado, y el otro, sonriendo satánicamente le contestó que bueno. (...) El municipal velocipédico le respondió que ya estaba cansado de verle por aquel paseo mirando de modo harto sospechoso a la altura con aire de cazador, que tenía ganas de sorprenderle *in fraganti* —enarcaba las cejas— y que ya lo había conseguido[25].

Cuentos épicos son, en este sentido, «La farándula de la media legua», «El teatro íntimo de doña Pom», «Función de aficionados», «El loro antillano», «Un artista llamado Faisán», «El figón de la Damiana», «Chico de Madrid», «Pájaros y espantapájaros», «Los atentados del barrio de la Cal».

Enrique Anderson Imbert considera que esto es lo esencial del cuento: que narre una acción; e insiste en la primacía de lo narrativo frente a todos los demás elementos. «Los demás procedimientos cuentísticos —el punto de vista, la materia y la forma de la trama, el arreglo temporal de los incidentes, la exposición, la descripción, el escenario, el diálogo, la caracterización— están subordinados a los intereses de la narración»[26]. Sin embargo en los cuentos de Aldecoa lo narrado no es siempre lo fundamental. Tiene gran importancia sobre todo el diálogo. De hecho, alguno de los cuentos,

---

[25] «El herbolario y las golondrinas», *Juventud*, 22 de febrero, 1951.
[26] Anderson Imbert, Enrique, *Teoría y técnica del cuento*, Buenos aires, Marymar, 1979, pág. 329.

contar no cuenta nada; se limita a recoger un trozo de vida, un conjunto de conversaciones, como veremos más adelante.

3. 2. Tras los escarceos iniciales, en los cuentos de Ignacio Aldecoa van incorporándose progresivamente elementos descriptivos. Su papel genérico es auxiliar de la narración: sirve para levantar el escenario en el que va a desarrollarse la acción del cuento. Por eso es frecuente que los relatos se inicien con descripciones presentadoras del ambiente, de los personajes y de su entorno. Incluso en aquellas narraciones que están compuestas por varios capítulos, es habitual que varios de ellos comiencen con unas indicaciones precisas del escenario[27].

La descripción inicial cobra tal importancia en algunos cuentos, que se alarga durante una o más secuencias. Así ocurre en «Ave del Paraíso», «Un buitre ha hecho su nido en el café» o «El silbo de la lechuza». Este relato se inicia con una secuencia subtitulada «Panorámica caprichosa». En ella se recrea el autor trazando un fresco costumbrista del atardecer de la ciudad, con el cierre de los comercios y el inicio del deambular ocioso, callejero y tabernario. La descripción deja en este caso de ser un elemento funcional y adquiere interés literario en sí misma. El propio autor es consciente de esta condición caprichosa del texto, al aplicarle precisamente este mismo adjetivo. La descripción asume entonces otras funciones no exclusivamente ambientadoras: tiene un valor pictórico o poético; sirve para transmitir un determinado ritmo a la narración o para anunciar como obertura el tono de la obra; puede adquirir un valor simbólico[28].

En todos los casos, con una función principalmente ambientadora o válida por sí misma, la descripción nunca pasa a un segundo plano de interés. Es en ella donde el estilo se enriquece de modo especial con recursos y figuras estilísticas embellecedoras de la prosa; en ella condensa Aldecoa sus cualidades esperpénticas y la contemplación burlona de los personajes de algunos cuentos. En la descripción también se centra el lirismo y el lenguaje metafórico, con un vocabulario preciso, rico en imágenes. De este modo crea Aldecoa la atmósfera propicia en la que viven sus personajes: ridícula («Un buitre ha hecho su nido en el café») o dramática («Caballo de pica»), vulgar («Al margen») o poéticamente embellecida («Balada del Manzanares»).

---

[27] Cfr., por ejemplo, «Un buitre ha hecho su nido en el café», *Cuentos completos 2*, cit., páginas 99, 101, 102, 105 y 110.

[28] Comparto la opinión de Brandenberger, quien escribe: «La tesis por muchos sostenida de que en el cuento no se puede perder tiempo en descripciones, queda así terminantemente refutada. En el cuento hay descripciones tan bellas, tan detalladas y tan plásticas como en cualquier otro género épico y en él desempeñan también exactamente la misma función (aparte de la descripción inicial, por ejemplo, la dilación, el cambio de escenas, la elevación de la tensión, la discreta amortiguación al llegar al momento culminante, el desenlace con el paso a la vida cotidiana).» Brandenberger, Erna, *op. cit.*, págs. 368-369. Sobre las funciones que desempeña la descripción en el relato, cfr. Genette, Gérad, «Fronteras del relato», en *Análisis estructural del relato*, Buenos Aires, Tiempo Contemporáneo, 1974, págs. 198-202.

Con la descripción Aldecoa da vida al mundo de las sensaciones. Se lee en «La humilde vida de Sebastián Zafra»:

> Subieron la cuesta del pueblo y se perdieron en el monte. Las estrellas surgían de golpe de las entrañas del cielo. Corría el campo un aire caliente que venía del Sur. Zumbaban los alambres del tendido de las líneas telefónicas, al borde de la carretera. Crujían las hojas secas, como en un aleteo, en las ramas de los árboles movidas del viento. Los juncos en el río crepitaban al partirse. Rumiaban los ganados en las cuadras de las casas del pueblo. Desgranaban maíz en las cocinas los aldeanos. Eran las colmenas de las primeras noches de otoño con sus dulces, melancólicos rumores[29].

En el atardecer del campo a las afueras de la ciudad, el aire se llena de ruidos y de sonidos monótonos. Las sensaciones que se reciben son fundamentalmente auditivas: zumban los alambres, crujen las hojas secas, crepitan los juncos en el río, rumian los ganados en las cuadras de las casas del pueblo.

La recreación de las sensaciones es el modo más expresivo de ambientar un escenario. Aldecoa recurre a ellas siempre y de un modo especial a las sensaciones referidas al olfato. «Young Sánchez» empieza describiendo el cuarto de aseo en el que se peina el boxeador después de entrar. Los párrafos descriptivos se construyen según una alternancia de presentación del ambiente y del personaje. Los detalles que selecciona sugieren pobreza y abandono. Y cada uno de los párrafos de esa presentación inicial del cuento se cierra con una frase sintética, aislada, que hace referencia a una sensación olfativa:

> El cuarto olía a cañería de desagüe. El cuarto olía a pared mohosa y a toalla siempre empapada y sucia.

Finalmente, los olores han invadido tanto la habitación que se integran en ella y se perciben como sabores:

> El cuarto era como una axila del sótano y sabía salado, agrio y dulzarrón[30].

Young Sánchez percibe también su casa como un mundo de olores:

> Paco respiró hondo el olor de su casa. Un olor en el que se distinguían las cosas que lo producían. El olor de la comida, el del carbón, el de la mesa fregada con lejía, el de los trapos húmedos... (pág. 46).

Y en el paseo del atardecer le asaltan el olfato sensaciones agresivas:

---

[29] «La humilde vida de Sebastián Zafra», *Cuentos completos 2,* cit., pág. 276.
[30] «Young Sánchez», *Cuentos completos 2,* cit., págs. 25-26.

La tarde estaba pesada y tormentosa. Llegaban del campo aromas cereales. Olían las cloacas. Olía a humos de locomotoras. La gente que callejeaba olía un poco a sudor, un poco a ropas que han tomado el soso olor de la cal en armarios enjalbegados y sombríos como despensas; olía a campesino puesto de domingo en la ciudad (pág. 74).

De este modo Ignacio Aldecoa se muestra en las descripciones plenamente subjetivo. La adjetivación, los sufijos que emplea, los recursos metafóricos o comparativos utilizados, remarcan con claridad la actitud del autor ante la realidad descrita. Se produce entonces una mezcla constante del lirismo en las descripciones con la exactitud de lo pintado y de las palabras escritas.

3. 3. De los casi ochenta relatos que publicó Ignacio Aldecoa sólo uno de ellos está construido en forma dialogada; se titula «El ahogado. Tragedia infantil de primavera». Algún otro está totalmente desprovisto de elementos dramáticos, como «Biografía de un mascarón de proa». Lo normal es, sin embargo, que los cuentos alternen el diálogo con los demás procedimientos. Y esto desde los primeros relatos. En «Crónica de los novios del ferial», publicado en 1950, predomina la descripción, pero el diálogo ocupa ya una buena parte del cuento. Aldecoa ensaya el diálogo breve, ágil, de coloquio ordinario. Las intervenciones de cada personaje son rápidas, salteadas, con abundancia de formas exclamativas. Desde aquí el diálogo va a ir adquiriendo cada vez más importancia, hasta convertirse en el elemento predominante de algunos cuentos. Así puede observarse en «Vísperas del silencio», «Los hombres del amanecer», «Al margen», «Dos corazones y una sombra», «Tras de la última parada», «Maese Zaragosí y Aldecoa, su huésped», «El libelista Benito»... La narración en todos ellos es mínima; la descripción sirve para presentar a los personajes en el ambiente y centrar el diálogo. Este se convierte en el soporte fundamental del cuento y engendra la acción con formas coloquiales espontáneas, expresivas, mediante frases vivaces, de apenas dos o tres palabras, preguntas, respuestas y mandatos: intervenciones cortas, con características de realidad, sin artificiosa elaboración ni monólogos ficticios.

Cuando en 1951 aparece editado «Caballo de pica», se descubre el progreso en la incorporación de elementos dialogados. Tras la descripción inicial introductoria, el relato avanza básicamente por medio de las conversaciones. Los comentarios brevísimos, narrativos o descriptivos, son meras «acotaciones dramáticas». El diálogo de los personajes genera, como en el teatro, la acción del cuento. Han pasado tres años desde la publicación del primero hasta ahora y en ese camino de aprendizaje es fácil seguir la trayectoria de incorporación de las conversaciones populares a los relatos. Ha sido tal el empeño, que en esta narración los demás elementos son secundarios: toda la acción está basada en el diálogo. A partir de ahora, éste será definitivamente el elemento más importante de muchos de los cuentos. Esto va unido a la reducción temporal, a la forma de cuento de situación, a la estructura abierta de la historia, a la reducción al mínimo de la acción, a la desaparición del narrador. El cuento se hace una instantánea, un cuadro sorprendido de la vida.

Los ejemplos que pueden citarse se multiplican: «La piel del verano», «Al margen», «El porvenir no es tan negro», «Balada del Manzanares», «El silbo de la lechuza», «Party»[31], «Fuera de juego», «Los pájaros de Baden-Baden», «La espada encendida», «La chica de la glorieta», «Un buitre ha hecho su nido en el café»... En todos ellos el relato se asemeja a una pieza dramática breve: la narración es mínima, las descripciones importan sobre todo en los primeros párrafos, como una presentación del escenario donde transcurrirá la historia, el tiempo de lo narrado se identifica con el de la lectura y el diálogo es lo más importante, mientras que los elementos narrativos y descriptivos se reducen a rápidas «acotaciones escénicas»[32].

Esta progresiva importancia que ha ido adquiriendo el diálogo en los relatos de Aldecoa está en relación con la tendencia en la narrativa española de los años 50 al objetivismo. La técnica behaviorista y la actitud social del escritor desarrollan una literatura con fines testimoniales o de denuncia en la que el diálogo se convierte en vehículo clave para reflejar con realismo los ambientes cotidianos. Las conversaciones de los personajes se hacen insulsas, tópicas o interesante, del mismo modo que son insulsos, tópicos o interesantes los diálogos habituales de la gente[33]. El diálogo se convierte entonces en elemento fundamental de los cuentos de Aldecoa, para reforzar en ellos el realismo: los cuentos aparecen como un trozo de vida en el que se oyen las conversaciones tópicas de la calle con las mismas expresiones. El diálogo contribuye también a destacar la actitud objetiva del narrador, que casi desaparece para que sean los mismos personajes quienes se expresen directamente.

Puede aplicarse entonces a los cuentos de Aldecoa la conclusión de Erna Brandenberger, quien afirma lo dramático como el «elemento más importante del cuento literario, hasta el punto de que determina la armazón estructural de una gran mayoría de cuentos»[34].

---

[31] En «Party» el diálogo es en su mayor parte ficticio, producto de la imaginación del hombre, que construye escenas y conversaciones en soledad, mientras espera que su mujer vuelva de un party. Los celos, la duda, la bebida y el hastío se confunden en su mente.

[32] Es en estas «acotaciones» donde se refleja la actitud del narrador, su postura crítica, irónica o burlesca, al aplicar a los personajes calificaciones en uno u otro sentido. En cuanto a la descripción de los escenarios, éstos aparecen en ocasiones con rasgos de decorado. En «La chica de la glorieta» se lee: «La glorieta, engarzada por altas casas de fachadas escenográficamente palidecidas y chorreadas de sombras...», *Cuentos completos 1*, cit., pág. 228. Véase también el escenario ficticio de tinieblas, como ficticias son también las artes adivinatorias de la anciana «Hermana Candelas», *Ibíd.*, págs. 329-335.

[33] Cfr. Buckley, Ramón, «Magnetofonismo dialogal», *Problemas formales en la novela española contemporánea*, Barcelona, Península, 1968, págs. 65 y ss.

[34] Brandenberger, Erna, *op. cit.*, pág. 227. Opinión contraria es la ya citada de Enrique Anderson Imbert, quien defiende en el cuento la primacía de lo narrativo. Cfr. Anderson Imbert, Enrique, *op. cit.*, págs. 329 y ss.

3. 4. En todo caso, es mucho más significativa en los cuentos de Ignacio Aldecoa la compenetración sistemática de estos diversos procedimientos técnicos. En «El aprendiz de cobrador», «Quería dormir en paz», «Balada del Manzanares», «Los hombres del amanecer», «Hasta que lleguen las doce», «Los pozos» o «Un corazón humilde y fatigado», se alternan el diálogo realista, la descripción funcional, la narración y algunos apuntes teóricos generalizadores[35]. Con una aparente sencillez externa, se reproduce fluida la alternancia de esos elementos. Este es el esquema que adopta «Balada del Manzanares»:

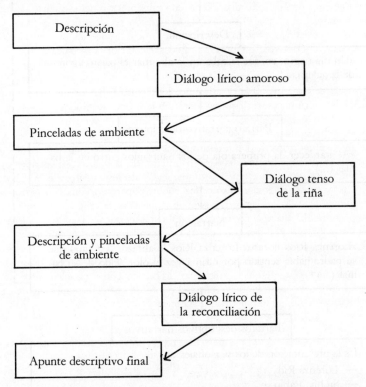

En todos los casos esta alternancia contribuye a reforzar la unidad en la composición del cuento. Veámoslo también en «La nostalgia de Lorenza Ríos», publicado por primera vez en octubre de 1952. En éste el diálogo cobra menos importancia; se construye sobre todo a base de elementos épicos entremezclados con párrafos descriptivos. Estas dos formas se alternan sistemáticamente trabadas:

[35] Cfr. en «Santa Olaja de acero» cómo se suceden las consideraciones sobre los túneles, la descripción del mal tiempo y las conversaciones de los personajes sobre esos temas, *Cuentos com-*

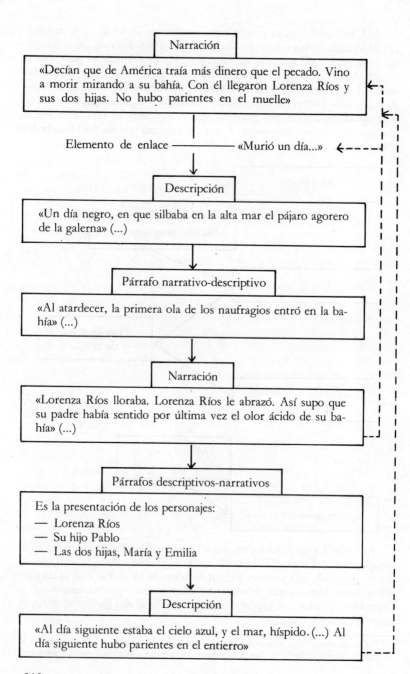

Narración

«Decían que de América traía más dinero que el pecado. Vino a morir mirando a su bahía. Con él llegaron Lorenza Ríos y sus dos hijas. No hubo parientes en el muelle»

Elemento de enlace ——————— «Murió un día...»

Descripción

«Un día negro, en que silbaba en la alta mar el pájaro agorero de la galerna» (...)

Párrafo narrativo-descriptivo

«Al atardecer, la primera ola de los naufragios entró en la bahía» (...)

Narración

«Lorenza Ríos lloraba. Lorenza Ríos le abrazó. Así supo que su padre había sentido por última vez el olor ácido de su bahía» (...)

Párrafos descriptivos-narrativos

Es la presentación de los personajes:
— Lorenza Ríos
— Su hijo Pablo
— Las dos hijas, María y Emilia

Descripción

«Al día siguiente estaba el cielo azul, y el mar, híspido. (...) Al día siguiente hubo parientes en el entierro»

Tras la aparente sencillez del cuento se esconde, sin embargo, una bien trabada urdimbre que hace alternar sistemáticamente párrafos narrativos y descriptivos. De este modo se levanta poco a poco el escenario donde ocurrirán los hechos, mientras se crea el ambiente propicio y se desvela simultáneamente lo que va a acontecer. Y en esa estructura nada queda desperdigado, no hay ni un cabo suelto: cada una de las expresiones es imprescindible para formar esa unidad compacta de la secuencia.

4. El arte de sugerir y de detallar

El cuento exige que el narrador se centre en la línea básica de la acción, prescindiendo de muchos otros elementos colaterales. La condensación y la capacidad de sugerencia son dos características fundamentales del relato. Ignacio Aldecoa lo entiende así en sus narraciones. En «La nostalgia de Lorenza Ríos», por ejemplo algunos de los aspectos aparecen sólo sugeridos. Muy poco sabemos del hijo Pablo; tan sólo lo fundamental para el nervio temático del cuento: que se fue porque «quería olvidar a su padre»[36]. De vez en cuando le envía dinero a su madre viuda. Del padre sólo sabemos que murió en una galerna, que «Lorenza tuvo con él tres hijos sin casarse porque él no lo quiso» (pág. 394), que de regreso a su pueblo de pescadores no hubo parientes en el muelle para recibirlo, que su hijo quería olvidarlo.

Lo que se dice explícitamente de estos personajes se reduce a unos pocos datos sueltos; sin embargo lo que importa es lo que estos datos sugieren y cómo en conjunto contribuyen a resaltar el tema básico del cuento: la soledad de Lorenza Ríos. Porque él murió, porque su hijo Pablo se fue —«Pablo estaba en la mar, esto era todo» (pág. 394)—, porque las hijas se fueron casando y la abandonaron, hasta que «Lorenza Ríos se quedó sola» (pág. 398).

El cuento no agota nunca todos los datos posibles de la acción ni de los personajes. Muchos de ellos son eliminados o aparecen tan sólo sugeridos. La capacidad del autor para sugerir, más que expresar los datos explícitamente, cobra en el cuento una especial importancia. Aldecoa utiliza también este modo de proceder en «Patio de armas». Entre los colegiales que suben a clase empujándose por los pasillos, se escucha el siguiente diálogo:

---

pletos 2, cit., pág. 17. En «Los pozos» la alternancia al principio de esos elementos se hace más llamativa, al combinar aspectos descriptivos con la conversación de un personaje que aún no se ha presentado. Esta conversación se transcribe interrumpida varias veces por los párrafos de la descripción. Cfr. Cuentos completos 1, cit., pág. 145. Un procedimiento similar se emplea en «Un corazón humilde y fatigado», Ibid., págs. 379-380.
[36] «La nostalgia de Lorenza Ríos», Cuentos completos 1, cit., pág. 394.

—Isasmendi ha faltado ya dos días —dijo Ugalde—. ¿Estará enfermo?

—No. Dice mi padre que a su padre lo han trasladado de cárcel.

—¿Y eso es malo?

—Dice mi padre que sí[37].

Los niños están viviendo el ambiente de la guerra civil. Junto a sus juegos infantiles oyen hablar de muertes y de detenciones y escuchan las explosiones de la guerra. Al padre de Vázquez lo mataron hace pocos días. Después, mientras hacen equipos para jugar durante el recreo, podemos leer:

> Lauzurica echaba la cuenta de los pies con un compañero. Isasmendi y Vázquez, vestidos de luto, esperaban la decisión de los capitanes (página 295).

Vestidos de luto. Los dos vestidos de luto. El padre de Vázquez murió no hace muchos días; y del padre de Isasmendi sabemos que le trasladaron de cárcel:

> —¿Y eso es malo?
> —Dice mi padre que sí (pág. 294).

Ahora su hijo espera en el colegio vestido de luto.

La insinuación y la sugerencia es el recurso clave en aquellos cuentos que están cargados de intención social. El autor tiene que limitarse, por razones obvias de carácter político, a anunciar las condiciones de abandono en las que se encuentran ciertos grupos sociales. En «La tierra de nadie» se condensan dos aspectos temáticos: la presentación del mundo de los militares y la denuncia del abandono al que están expuestas algunas zonas rurales de la Península. El primero aparece de un modo más explícito, más directo; el segundo de un modo indirecto, fundamentalmente sugerido. En el cuento apenas se relata una acción importante. Es más bien una instantánea, una intuición que impresione la imaginación lectora. La estructura queda así abierta, sugerente: es más lo que se sugiere que lo que expresamente se cuenta. Y más que narrar un hecho lo que hace es sugerir una situación: una situación de la vida militar, una situación del abandono en el que se encuentran ambientes campesinos.

Ahora bien, la técnica necesariamente condensada de los cuentos, insinuadora, no está reñida con el detallismo minucioso de algún aspecto de la narración o de algún párrafo descriptivo. Exige una actitud selectiva de los detalles fundamentales. La selección de detalles significativos es intrínseca a la técnica narrativa del cuento y está en relación directa con la capacidad observadora del autor. Surgen así descripciones mínimas, detallistas, exactas, en las que Aldecoa se recrea en la descripción de detalles:

---

[37] «Patio de armas», *Cuentos completos 2*, cit., pág. 294.

Amaneció un día bueno. El cielo estaba estirado; a ratos se rompían las nubes y asomaba el sol. Había templado. Jugaban la sombra y la luz, y en el callejón se retiraba una para dejar paso a la otra; les empujaba una mano, la mano que vela la luz de la lámpara y entenebrece el rincón, que deja escapar entre los dedos pájaros luminosos y cierra de pronto la jaula a cal y canto. El callejón se inundaba todo de sombra y luego se secaba todo de luz. Crecía, a veces, la sombra como una marea e iba avanzando, avanzando. También, como cuando se echa la alentada en un espejo y se empaña y después el empañamiento se va reduciendo hasta que desaparece, del mismo modo que si una claridad marina fuera comiéndose la tierra, haciéndole y deshaciéndole calas, bahías, golfos, cabos. El sol, entonces, se ponía azul en los charcos del callejón[38].

La sucesión de sombras y luces en el callejón de Andín está recreada con insistencia en este párrafo, acumulando imágenes y comparaciones del callejón con el mar, con un espejo o con la luz de una lámpara[39].

Otras veces la captación del detalle se centra en los movimientos de los personajes, por insignificantes que parezcan, y en la relación de los mínimos elementos que los rodean:

> Juan inclinó la cabeza y contempló las vetas ocres de la tabla de la mesa blanca, gastada de ser fregada, sobre la que había unas migas en las que se apiñaban las moscas. Colocó su maleta sobre el banco, se sentó junto a ella y puso la gorra negra que llevaba en un bolsillo bajo el asa metálica. Luego estiró las piernas[40].

Este modo técnico de proceder tiene como objetivo la expresión de los matices. El cuento gana entonces en expresividad, pero sobre todo en realismo. La sensación de vida que se desprende de los relatos de Aldecoa, la ausencia de connotaciones ficticias de una historia inventada, se apoya en gran medida en esta tendencia a expresar el detalle. La reproducción exacta de las conversaciones ordinarias de la gente y las descripciones plásticas con abundancia de sensaciones, refuerzan esa misma impresión de realidad:

> Cuando el tranvía entra en una calle recién regada, sobre la que cae el sol rabiosamente, se levanta un vaho sofocante que enturbia los ojos y deja en la boca un sabor agrio. En las primeras horas de la tarde los viajeros se ven como si se delirase y el cobrador está desmadejado, sin ganas de tenerse en pie. (...) El tranvía pasa cercano a un mercado y le llega un hedor repugnante y sensual, de fruta y carne, de pescado y embalajes a la nariz, que le aletea como si le fuera a volar[41].

---

[38] «Los vecinos del callejón de Andín», *Cuentos completos 2*, cit., pág. 168.
[39] Cfr. la minuciosa descripción de una tormenta, desde que se prepara hasta que arrecia firmemente, en «Solar del Paraíso», *Ibíd.*, págs. 345 y ss.
[40] «El corazón y otros frutos amargos», *Cuentos completos 1*, cit., pág. 93.
[41] «El aprendiz de cobrador», *Ibíd.*, págs. 19 y 20.

Citaré dos últimos ejemplos de esa minuciosidad de Aldecoa en la plasmación de los detalles significativos, que inprimen al relato expresividad y realismo. Pertenece el primero al cuento titulado «El aprendiz de cobrador»; el segundo al que se titula «Al otro lado»:

En julio, señores, siendo cobrador de un tranvía, cuesta sonreír.
En julio se suda demasiado; la badana de la gorra comprime la cabeza; las sienes se hacen membranosas; pica el cogote y el pelo se pone como gelatina. Hay que dejar a un lado, por higiene y comodidad, el reglamento; desabotonando el uniforme, liando al cuello un pañuelo para no manchar la camisa, echando hacia atrás, campechanamente, la gorra (pág. 19).
Desde el interior, por el hueco de la puerta, lanzaron un cubo de agua sucia a la calle. El perro, que dormitaba cercano al umbral, huyó con los cuartos traseros alobados de miedo, el rabo capón perdido entre las patas. Paró carrera a una veintena de metros, a pleno sol. Se sacudió. Giró la cabeza para tomar enemigo. Nada se oía. Alzó las orejas. Se tensó en guardia. Los ojos, estriados de venillas coloradas, observaron cautelosos. Ladró asustado. Su propia voz le produjo un espeluzno. Gañió. Silencio. Estaba todo tranquilo y solitario. Agachó la cabeza, husmeó el suelo y se decidió. Lentamente fue acercándose. Dos veces se detuvo. Cogió confianza y avanzó más rápido. La tierra, endurecida y húmeda, le hizo buscar otro lugar donde tumbarse. Dio vueltas en pausado remolino hasta que se echó. A los pocos momentos dormía en ovillo (pág. 277).

A veces Aldecoa se detiene en algunos detalles marginales que no tienen una relación directa con la historia argumental del cuento. Pero es precisamente ese detalle el que contribuye a crear el entorno en el que se mueven los protagonistas. O el ambiente propicio de la historia. O la sensación de un mundo real y humano que pisan los personajes. Nunca éstos parecen moverse sobre un fondo blanco, en un escenario vacío o en un montaje artificial. Por el contrario, se nos manifiestan viviendo sobre la realidad, porque esos detalles contribuyen a crearla. Cuando Lino y Cristóbal, protagonistas de «Los hombres del amanecer», marchan de mañana hacia el río, para atrapar víboras. Bajan despacio por un sendero:

La tierra estaba húmeda. Las huellas de sus pasos se extendían tras ellos. El sendero se estrechaba entre dos filas de espinos. Cristóbal se arañó una mano. Se agachó a coger un poco de barro y con él frotó el arañazo.
—Cicatrizará antes —dijo.
—Seguro.
Continuaron caminando[42].

Y al regresar de vuelta al pueblo, cerca de la taberna:

---

[42] «Los hombres del amanecer», *Ibíd.*, pág. 41.

Una vieja estaba sentada en una silla muy pequeña, pegada al portal de su casa. Junto a ella jugaban unos chiquillos medio desnudos, sucios y moqueantes. La vieja miró a Cristóbal y a Lino con curiosidad; en seguida volvió a su labor. Uno de los chiquillos se rascaba unas costras en una pierna.

—Deja eso, chacho, que te las vas a extender.

—Es que me pica mucho, abuela.

—Más les pica a los que están en el infierno, que es donde tú vas a ir como seas tan desobediente (pág. 43).

5. CONCLUSIÓN

En el estudio de los aspectos estructuradores y técnicos de los cuentos, Aldecoa destaca como un autor plenamente representativo del neorrealismo. Los cuentos se disponen todos de un modo similar, con un inicio habitualmente descriptivo con valor funcional; el tiempo de la historia transcurre linealmente y se emplea la técnica del «tempo» lento en los párrafos que lo exigen; los elementos líricos, épicos y dramáticos se alternan en la trama de la narración. Predomina la técnica realista, con una tendencia al narrador objetivo, a la utilización de recursos de cámara cinematográfica y a destacar la importancia del diálogo como el componente más significativo del cuento; la atención a los detalles refuerza el realismo. Sin embargo no hay en los cuentos una renuncia a la subjetividad del autor: la actitud selectiva, las efusiones líricas, la búsqueda de valores connotativos y sugerentes, la utilización del estilo indirecto e indirecto libre, dan testimonio de esa presencia subjetiva del narrador; y sobre todo los recursos de estilo, a los que me referiré en el capítulo siguiente. Hay, por lo tanto, una basculación permanente en los cuentos de Aldecoa entre la objetividad y el subjetivismo. Por lo demás, si temáticamente Aldecoa manifiesta unas preocupaciones similares desde los primeros hasta sus últimos relatos, en lo que se refiere a los aspectos técnicos permanecen también inalterables. Apenas hay evolución en el modo de narrar: ni en el tratamiento del tiempo o del espacio, ni en la estructuración de la trama, ni en los componentes líricos, épicos y dramáticos utilizados. Sólo en la mayor o menor presencia del narrador, que se refleja en el punto de vista adoptado, y especialmente en las formas de estilo, cuyo estudio nos llevará a conclusiones más definitivas.

CAPÍTULO VII

El estilo

1. PREOCUPACIÓN POR EL LENGUAJE

Al preguntarle Erna Brandenberger a Ignacio Aldecoa acerca de su teoría sobre el cuento literario, éste le contestó que «el cuento no se hace con el ritmo de los sucesos. El cuento se hace con el ritmo de la palabra»[1]. La preocupación por la palabra, por el estilo, se impone en los cuentos de Aldecoa como uno de los rasgos más definitorios. Así lo reconoció él en diversas ocasiones.

Esta característica no deja de ser importante en una época en la que predominaba un ambiente de despreocupación estilística en la narrativa española. «Pocos escritores contemporáneos —escribe Senabre— pueden ofrecer una postura semejante de severidad, de disciplina y de amor al lenguaje, y mucho menos en los últimos años, en que pululan de modo alarmante el borrón, la tosquedad y la prisa, erigidos en denominador casi común con el beneplácito de amplios círculos intelectuales»[2].

La preocupación estética es una de las aportaciones más reseñables de Aldecoa a la narrativa española de posguerra. La plasticidad poética de su prosa y su sentido estético llevaron a cabo un proceso de depuración del realismo, precisamente desde el estilo. Manuel García-Viñó ha señalado tres elementos en esa elaboración artística de la realidad: el lenguaje expresivo y rítmico, la selección cuidadosa de los modos de narrar y la búsqueda de valores poéticos en la realidad contada[3]. Y Marra-López afirma que «nadie como él sabe utilizar tan sabia, tan magistralmente el lenguaje para extraer la veta de poesía, tierna y dolorosa, amarga y grisácea que la realidad nos depara»[4].

---

[1] Brandenberger, Erna, *Estudios sobre el cuento español contemporáneo*, Madrid, Editora Nacional, 1973, pág. 139.

[2] Senabre, Ricardo, «La obra narrativa de Ignacio Aldecoa», *Papeles de Son Armadans*, número CLXVI, 1970, pág. 22.

[3] Cfr. García-Viñó, Manuel, «Ignacio Aldecoa, al margen del realismo», *Nuestro Tiempo*, núm. 187, enero de 1970, págs. 34 y ss.

[4] Marra-López, José Ramón, art. cit.

La recreación lírica queda apuntada entonces como una de las características fundamentales de su prosa. Sus primeras publicaciones fueron dos libros de poesía, y aunque después no volvió a editar ningún otro poema, su lenguaje no dejó nunca de ser poético, por la fuerza evocadora de sus imágenes, por el ritmo y la sonoridad de las palabras. Por eso, al preguntarle en cierta ocasión sobre su pertenencia a la literatura social, respondió sin dudas:

> —Sí. Es la base fundamental de mis obras, pero pretendo que tengan también calidad literaria, hálito poético y expresivo adobo[5].

a) Manifestaciones de la preocupación de Aldecoa por el lenguaje

Siguiendo en una lectura cronológica la publicación de los cuentos, puede reproducirse el camino de aprendizaje estilístico que recorrió hasta alcanzar esa calidad literaria que se proponía. Sus primeras historias adolecen aún de torpezas en la expresión. Es patente en el rebuscamiento de las formas, en la artificiosidad de las imágenes, en el empleo a destiempo de las fórmulas coloquiales, en el temor a reproducir las conversaciones, hasta en algún aislado uso preposicional incorrecto y en la aparición de rimas internas.

«La farándula de la media legua» es su primer cuento publicado. Apareció en *La Hora* el 24 de diciembre de 1948. En él adopta el tono de comentador de un sucedido, como puede verse en las siguientes características:

—En el uso de partículas de enlace y de recopilación: «claro está», «total», «todo hay que decirlo», «bueno»...
—En el estilo casi espontáneo, con formas de la narración oral, tanto en las construcciones como en el vocabulario:

> Por esas tierras de Dios donde no ha llegado el progreso, ni el cinematógrafo, un domingo es el día más peligroso de la semana; que si los mozos se atoñan, que si las mozas andan sueltas, que si el juego de bolos... A veces hay más jaleo que las vísperas de San Marcial por mi tierra.

—En el empleo de fórmulas tópicas: «el señor alcalde estaba como loco», «ardió Troya»...

Una decidida actitud retórica le llevará en los siguientes cuentos a la utilización de fórmulas inusuales, al empleo de tiempos verbales con significación arcaica y sobre todo a estrujar los vocablos con sufijos deformantes, metáforas expresivas y términos poco comunes: «baratero», «morrongos», «húsares», «jacarandosa»... Es evidente en todos los primeros cuentos el es-

---

[5] «Entrevista con Ignacio Aldecoa», *Diario SP,* 5 de junio de 1968.

fuerzo literario de Aldecoa por buscar fórmulas retóricas que vayan modelando el estilo. Acude a veces a expresiones cultas que recuerdan la antigua picaresca y sus lecturas de Quevedo:

> Un dejo, heredado y social, de degustador, *amén de* su oficio, le llevaba a las tabernas, donde los clientes le gastaban bromas *harto* pesadas, que, con buen criterio benedictino, soportaba hasta la exasperación de los *chanceros.*
> (...) Mencía y «Lavoz», *de consuno,* le aplicaron el *duélete dómine de sus pecados*[6].

Son años de un esfuerzo consciente y decidido para hacerse con la expresión literaria. Años de formación como escritor.

En esta tarea aparece en ocasiones demasiado palpable la elaboración culta. Otras veces intenta párrafos con desparpajo coloquial, que dejan ver su actitud elaboradora:

> El artista contaba con la animadversión de dos rufos de su oficio: Mencía y «Lavoz». «Lavoz» era *un mal bicho;* fue vendedor de periódicos, y de aquí su *remoquete;* medio *enanorro,* medio *jorobeta,* no tenía *meollo* más que para hacer daño. Mencía era *un gaita* (pág. 134).

El relato entonces pierde veracidad y aparece un tanto ficticio: está demasiado al descubierto el andamiaje, el trabajo técnico del escritor. Le falta fluidez narrativa y sobre todo le falta coherencia interna: no hay un tono constante a lo largo del cuento: culto o populachero, reidor o triste. La mezcla de estas diversas actitudes y la obsesión rebuscadora de expresiones literarias —selectas por su carácter culto o de una expresividad popular— manifiestan al hombre que se incia como escritor y se esfuerza decididamente en la búsqueda del lenguaje apropiado.

Esa preocupación estilística llega a veces al retoricismo vacío, a la excesiva literariedad de la frase; la expresión se revela como un resonar hueco de palabras que sobran:

> (...) el altavoz del viejísimo gramófono asomaba su gigante boca metálica, con el garganchón rojo, por una ventana, queriendo devorar con aquel su aire de pez monstruoso la restinga de la noche, que se fugaba salpicándole de miles de escamas.
> (...) El altavoz dio las notas de los mejores chotis y polcas de tiempos pasados, música que era como un riego de lágrimas amarillas en las almas candorosas de los concurrentes a la fiesta, juntamente con las canciones de moda, que eran la baba golosona que al altavoz se le desprendía de su bocaza al gustar tanto y tan bien administrado jaleo[7].

---

[6] «Un artista llamado Faisán», *Cuentos completos 1,* págs. 134 y 135.
[7] «Los vecinos del callejón de Andín», *Cuentos completos 2,* cit, págs. 177 y 178.

El retoricismo hueco será, sin embargo, cada vez menos importante en sus publicaciones y queda pronto reducido a algún párrafo aislado. Tras los esfuerzos iniciales para dominar las posibilidades expresivas de la lengua, Aldecoa adopta el tono del lenguaje cuyas características se analizan en los epígrafes siguientes.

b) Ausencia de experimentalismo en los cuentos de Aldecoa

Sin embargo, Aldecoa no adoptó una actitud experimental ante el lenguaje. Sólo podemos señalar un cierto ensayo de experimentalismo en un único cuento, «Ave del Paraíso», publicado en 1965. En estos años la narrativa española se llenaba de afanes innovadores en los aspectos técnicos, estructurales y lingüísticos. Aldecoa en «Ave del Paraíso» finaliza todos los párrafos de la primera secuencia paralelísticamente, con una referencia al personaje Barón Samedi que se va haciendo progresivamente más breve: desde la frase nominal «Hora exacta de Barón Samedi en el invierno», hasta la simple repetición del nombre propio, «Samedi». Estas frases al final de cada párrafo se repiten además idénticas dos veces: «Hora exacta de Barón Samedi en el invierno», «Hora de Barón Samedi», «Barón Samedi», «Samedi». Y al final de la primera secuencia, Aldecoa combina caprichosamente elementos descriptivos con la narración y conversaciones tomadas al azar:

> Por las tabernas la marinería mataba el aburrimiento con absenta y la absenta con bicarbonato y eructo. Las barcas en el varadero. Barón Samedi.
> No sé como decírtelo, Marisa, pero tú ya sabes... Francisco, esta película creo que la hemos visto. Samedi.
> *Cheek to cheek... All right...* ¿No encuentras...? Salen juntos... Otro *whisky... Ich liebe dir...* Canta la *high life.* Samedi.
> Bajó de su 2C y comprobó todas las puertas. No se fiaba. Luego ahuecó su fular y retocó su copete con suavidad. Con paso vivo caminó hacia el bar de los *beatniks.*[8].

Algo similar ensaya en la secuencia que titula «El rey y sus gentilhombres»:

> Fue un poderoso rey criollo, a finales del siglo XVIII, en las Grandes Antillas. Cuserembá. Compadreó con filibusteros, mercó esclavas, achicharró gentes. Guserembá. Se pavoneó engreído por cinemascópicas playas con una hermosa cola y corte de danzantes calipsonianos refulgiendo de sudor y dientes al sol tropical. Mayé. Dio esplendor a la industria del ron, a la caña del ron, songo; a la risa del ron, a las niñas del ron, al turismo francés, y a la Ilustración. Rumba, chico, yé. Tuvo talante vio-

---

[8] «Ave del Paraíso», *Cuentos completos 2,* cit., pág. 331.

lento y cortesano, adusto y alegre, justo y caprichoso. Según; yambó, yambó. Gustó de aros de oro en los lóbulos de las orejas y de pañuelos teñidos de la cochinilla y de pantalones con los colores de los crepúsculos. Yambá. Y anduvo siempre descalzo hecho el pie a la selva y a la arena, al bote velero y a la destartalada carroza, a la hamaca y al agua. Yambambé. Ahora en su última encarnación, de toda su corte, de toda su magnificencia y de aquellos soles... Amén. Solamente tres gentilhombres, fieles sí, decorativos sí, pero desdichados... Stop[9].

Esta caprichosa disposición de las palabras y el uso de vocablos que son simples sonidos vacíos de significado se traduce en un juego con el lenguaje, en una juguetona actitud narrativa. «Lo que aquí se cuenta es solamente un disparate», avisa el autor al principio del cuento, refiriéndose a los personajes de guiñol que lo protagonizan. Quizá también respecto al lenguaje quiso aplicar idéntico calificativo. Por eso adopta ese tono despreocupado y burlón.

En definitiva, Aldecoa se preocupó por el estilo como pocos escritores de su tiempo. Trabajaba despacio la expresión, pero nunca por esnobismo sino por un decidido afán estético. Centraba la búsqueda de la belleza literaria tanto en el plano fónico como gramatical, pero especialmente en aspectos léxicos: el empleo de imágenes, la adjetivación abundante, la utilización de un vocabulario poco frecuente (arcaísmos, neologismos, cultismos), el uso de sufijos expresivos que distorsionan las palabras con formas infrecuentes y expresivos matices de significado... Muchos críticos han señalado esta preocupación estilística de Aldecoa, pero nadie se ha detenido a analizar cómo se manifiesta en la prosa de los cuentos. Este será el objetivo de los epígrafes siguientes.

2. Fonoestilística

2.1. *Onomatopeyas*

En la prosa narrativa se produce una simplificación de los recursos fónicos con respecto a otras formas literarias, como el verso o la prosa poética, en las que el plano fónico adquiere una singular importancia. En los cuentos de Ignacio Aldecoa, sin embargo, la preocupación por el lenguaje alcanza también al empleo de algunos procedimientos fónicos que dan a la frase una intencionalidad sonora. Lo más habitual es el recurso a las onomatopeyas, imitadoras del significado de la expresión mediante el ritmo o mediante los sonidos acumulados:

---

[9] *Ibíd.*, pág. 336. Es evidente la relación de este párrafo con la poesía de P. Matas y Nicolás Guillén. Aldecoa manifiesta un conocimiento temprano de esta poesía, que entonces empezaba a conocerse en la Península.

De la parte de Zamora un carro leonés venía triste, *chirriante y cacharrero.*

El loco del cementerio de los muertos de cera y de las pieles infladas de borra, *gargarizaba repugnante* a la puerta de su establecimiento.

La botella se vaciaba sobre el mostrador en un extraño *glogeo de ahogo* doméstico.

Lejano ya el grito del andarríos, *siseantes las hojas de los árboles.*

Alzó la cabeza el relojero y vio cómo subía Paca, *enchancletada, cloqueante.*

Los *redondos ruidos de la tronada retumban* lejanos.

No enmudecen las fuentes públicas, que monótona, continuamente, *sisean silencio*[10].

En todos estos ejemplos la repetición de determinados sonidos imita la realidad a la que el autor quiere referirse en cada una de las frases. En otros casos es el ritmo acentual la base imitativa de la expresión:

El seréno se autorizába en patacojéo por el empedrádo de la calzáda[11].

El esquema acentual simétrico, con un repetido énfasis fónico en sílabas graves reproduce el andar cojeante del sereno:

En alguna ocasión aislada tales procedimientos aliterantes constituyen un juego del lenguaje, parcialmente irónico, que recuerdan la sufijación de Valle-Inclán:

> Volvió la cabeza hasta el punto en que su perfil *fosco, tosco, morrosco,* quedó recortado en el chorro de luz[12].

2.2. *El ritmo de la prosa*

Más importancia tiene en los cuentos la búsqueda consciente de un determinado ritmo en las frases. Isabel Paraíso de Leal define el ritmo lin-

[10] Los ejemplos citados corresponden respectivamente a los siguientes relatos: «La farándula de la media legua» *La Hora,* 24 de diciembre, 1948; «Crónica de los novios del ferial», *Cuentos completos 1,* cit., pág. 106; «El figón de la Damiana», *Ibíd.,* pág. 214; «Los hombres del amanecer», *Ibíd.,* pág. 39; «Los vecinos del callejón de Andín», *Cuentos completos 2,* cit., pág. 164; «Solar del Paraíso», *Ibíd.,* pág. 245; «Vísperas del silencio», *Ibíd.,* pág. 96.

[11] «Cuento del hombre que nació para actor», *Juventud,* 8 de septiembre, 1949.

[12] «Los pozos», *Cuentos completos 1,* cit., pág. 146.

güístico como «el efecto producido por el retorno —más o menos periódico— de un elemento fonético en el discurso. Este elemento marcado puede ser: timbre, cantidad, acento, esquema tonal, grupo acentual, grupo fónico u oración. Existe también otro tipo de ritmo, llamado *de pensamiento,* basado en la repetición de frases, palabras o esquemas sintácticos, motivados por representaciones psíquicas concurrentes»[13]. En todo caso, el ritmo es siempre un fenómeno de repetición. En los cuentos de Aldecoa es más significativa la búsqueda de ritmos de pensamiento, que lleva a la repetición de palabras claves, frases o situaciones con un valor estructurador y temático[14]. Estas repeticiones condensan la carga ideológica y afectiva del cuento, y son utilizadas casi siempre con un valor simbólico.

También emplea Aldecoa recursos rítmicos con un valor simplemente estético. Muchos paralelismos, anáforas, enumeraciones, fórmulas bimembres o trimembres tienen esta finalidad. Cito alguno de los esquemas más utilizados, con ejemplos representativos:

—Repetición simétrica trimembre del esquema sintáctico verbo-complemento: «Compadreó con filibusteros, mercó esclavas, achicharró gentes»[15].

—Enumeración de complementos con un esquema simétrico:

Participio
- «a»–sustantivo + «y» + «a»–sustantivo
- «a»–sustantivo-adjetivo + «y» + «a»–adjetivo-sustantivo
- «a»–sustantivo + «y» + «a»–sustantivo

«Y anduvo siempre descalzo, hecho el pie a la selva y a la arena, al bote velero y a la destartalada carroza, a la hamaca y al agua.»

—Enumeración enfática sustantivo + complemento preposicional. (En este caso concreto, con «variatio» final y coincidencia de rima; todo con una intención burlesca):

«Dio esplendor a la industria del ron, a la caña del ron, a la risa del ron, a las niñas del ron, al turismo francés y a la Ilustración.»

—Repetición trimembre del esquema adjetivo-conjunción copulativa--adjetivo, aplicado a un mismo nombre:

Sustantivo
- adjetivo + «y» + adjetivo
- adjetivo + «y» + adjetivo
- adjetivo + «y» + adjetivo

«Tuvo talante violento y cortesano, adusto y alegre, justo y caprichoso.»

---

[13] Paraíso de Leal, Isabel, *Teoría del ritmo de la prosa,* Barcelona, Planeta, 1976, pág. 42.

[14] Véase el análisis de estos recursos en el epígrafe «Las secuencias» del capítulo V, páginas 177-180.

[15] Los ejemplos que cito a continuación corresponden al relato «Ave del Paraíso», *Cuentos completos 2,* cit., pág. 336.

La enumeración, la alternancia de fórmulas bimembres y trimembres y la repetición del esquema adjetivo-sustantivo destacan como los recursos morfosintácticos más empleados por Aldecoa para conseguir en los cuentos estructuras rítmicas. El esquema adjetivo-sustantivo nunca es fijo, sino que adopta todas las posibles variantes en la unión del elemento calificativo al nombre. Lo analizaré en algunos textos:

> (...) llegaron a olvidar la flora tropical de sus corbatas detonantes, el oleaje medio de sus cabellos, la juvenil seducción folletinesca de las canciones de moda[16].

Verbo
- Sustantivo-adjetivo + «de» + sustantivo-adjetivo
- Sustantivo-adjetivo + «de» + sustantivo
- Adjetivo-sustantivo-adj. + «de» + sustantivo + «de» + sustantivo

> No era el momento de la ruidosa alegría de otras veces, de los duros golpes amicales en las espaldas, de las divertidas e impertinentes preguntas[17].

Sustantivo
- «de» + adjetivo-sustantivo
- «de» + adjetivo-sustantivo-adjetivo
- «de» + (adjetivo + «e» + adjetivo)–sustantivo

En todos estos casos la repetición de esquemas morfosintácticos va unida a la alternancia de grupos acentuales, que forman el primer estrato del ritmo lingüístico. La prosa adquiere una sucesión melódica mediante la disposición rítmica de los acentos. Esta a la vez se refuerza con la dosificación de las pausas, que aparecen claramente señalizadas mediante los signos de puntuación. El tono enunciativo de las frases da a los textos una inflexión descendente repetida, que contribuye a reforzar los caracteres rítmicos hasta ahora apuntados. Gráficamente se observa en este esquema:

(...) llegaron a olvidar la flora tropical de sus corbatas detonantes,

el oleaje medio de sus cabellos,

la juvenil seducción folletinesca de las canciones de moda.

No era el momento de la ruidosa alegría de otras veces,

---

[16] «Función de aficionados», *La Hora*, noviembre, 1950.
[17] «Ave del Paraíso», *Cuentos completos 2,* cit., pág. 253.

de los duros golpes amicales en las espaldas,

de las divertidas e impertinentes preguntas.

La preocupación rítmica se concentra especialmente en los párrafos descriptivos:

> Del oeste al sur, largas agujas de nubes de dulzón color corinto. Del oeste al norte, el templado azul del atardecer. Al este, las fachadas pálidas, los cavernosos espacios, la fosfórica negrura de la tormenta y de la noche avanzando. Alta, lejana, como una blanca playa, la media luna.
> De los campos cercanos llega un aire adelgazado, frío, triste. Los humos de las locomotoras, los humos de la cremación de las hojas secas, los humildes humos de las chabolas de la ribera derecha, empañan la cristalina atardecida. Murciélagos revolando el cauce del río chirrían sus gritos, trapean sus alas. La arboleda es un flotante, neblinoso verde. El Manzanares se tersa y opaca en una larga fibra mate. No cesa, no calla, el irritante altavoz del último merendero, del merendero del otoño[18].

Estos párrafos iniciales del cuento «Balada del Manzanares» reproducen abundantes recursos de los señalados hasta ahora. Contribuyen a dar un determinado ritmo a la prosa y una estructura poética a la descripción; crean a la vez un tono de lirismo adecuado al relato. Esta misma finalidad persigue el empleo de los demás recursos de estilo: metáforas, sinestesias, personificaciones, comparaciones, adjetivación. El ritmo predominante es el binario, conseguido mediante la duplicación de los elementos (adjetivos, estructuras sintácticas, etc.):

Del oeste al sur, largas agujas de nubes de *dulzón* color *corinto* (...)

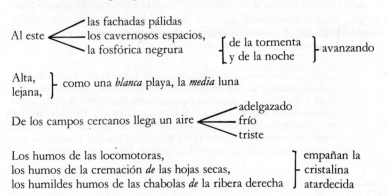

[18] «Balada del Manzanares», *Cuentos completos 1*, cit., pág. 218.

Murciélagos revolando el cauce del río ⟨ chirrían sus gritos,
trapean sus alas.

La arboleda es un ⟨ flotante, neblinoso ⟩ verde

El Manzanares ⟨ se tersa y opaca ⟩ en una *larga* fibra *mate*

No cesa, no calla ⟩ el irritante altavoz ⟨ del último merendero, del merendero del otoño

Tras el análisis de estos textos y de otros similares, cuya reproducción recargaría innecesariamente el capítulo, sobresale en la prosa de Aldecoa una búsqueda del ritmo, basado fundamentalmente en la repetición de estructuras morfosintácticas. Como consecuencia de esas repeticiones aparece una sucesión ordenada de las pausas y de los esquemas de entonación.

3. ESTILÍSTICA DE LA MORFOSINTAXIS

3.1. *Proceso de depuración sintáctica en la prosa de Aldecoa*

Ignacio Aldecoa tendía en los primeros relatos a las construcciones gramaticales extensas, formadas por subordinaciones, adjetivación abundante y continuas observaciones comparativas o metafóricas. Progresivamente se va acercando a la frase gramatical simple, sin apenas elementos subordinantes. El estilo se hace más conciso, el progreso de la acción más rápido y el cuento adquiere entonces un mayor valor de sugerencia. El estilo conciso con el fin de aumentar la capacidad de sugerir del cuento aparece, por ejemplo, en «La nostalgia de Lorenza Ríos»[19]. En otros relatos se emplea sobre todo en frases basadas fundamentalmente en la acción; en ellas predomina el elemento verbal:

> Hizo un silencio a la expectativa de la reacción de Andrés. Andrés apiló los libros, con base en la caja de arquitectura. Se puso en pie y pretextó a doña Ricarda una disculpa para ausentarse. Doña Ricarda quedó cortada. No le respondió de palabra. Movió la cabeza. Extendió las manos sobre la mesa. Andrés se despidió. Caminó despacio por el pasillo. Abrió con cuidado la puerta. Doña Ricarda no llamó a Tomasa. Se quedó anonadada, triste, lacrimosa. Lentamente se fue recuperando[20].

---

[19] Cfr. *Cuentos completos 1,* cit., págs. 394-396.
[20] «... y aquí un poco de humo», *Cuentos completos 1,* cit., pág. 373.

Estas características de estilo están en relación con los párrafos que recogen descripciones minuciosas de los personajes, de sus movimientos o de la situación que protagonizan. En «Young Sánchez» se lee:

> Tuvo que esperar en la salita de las oficinas. La salita estaba en penumbra, con las cortinas del gran ventanal corridas. Recoleta, desvinculada de la calle, hostil, con la frialdad de una habitación de espera, le inquietaba. Era una espera miedosa. Había llegado alegre y estaba triste. Se fijó en un grabado que representaba una escena mitológica... Dos sillones y un sofá de cuero moreno. Dos sillones y un sofá, no sabía por qué enemigos. Y una mesa baja sin revistas. La alfombra, gruesa. Una lámpara como una amenaza colgando del techo. La salita era como una isla, donde se acababa la seguridad. Estaba deseando marcharse[21].

Las frases breves, sin apenas complementos, sin apenas subordinación, elidiendo a veces alguno de los elementos gramaticales, aparecen fuertemente expresivas: por la adjetivación, por las constantes imágenes, por la referencia continua a sensaciones y apreciaciones de los sentidos.

La eliminación de alguno de los elementos gramaticales, el empleo del estilo nominal, es frecuente en los relatos. Puede comprobarse en «El corazón y otros frutos amargos», «Los hombres del amanecer», «Al otro lado», «Camino del limbo», «Vísperas del silencio», «Ave del Paraíso»... El valor de estos párrafos nominales es doble: unas veces sirven para realizar descripciones impresionistas; otras para provocar un determinado «tempo» narrativo. En el primer caso están en relación con las características generales del relato breve, que exige una descripción certera del ambiente. Unos rasgos mínimos pero precisos han de crear la atmósfera adecuada donde se desarrolle la acción. Esta exigencia se presta al estilo impresionista, de pinceladas rápidas y dispersas. El estilo nominal favorece esta técnica e Ignacio Aldecoa lo utiliza en varios de sus relatos:

> Botellas vacías. Noche alta. De vez en vez, alguno salía un rato; volvía pálido y pasándose el pañuelo por los labios. Calor y humo. Alegrías de Cádiz. Fuentes con jamón. Más botellas.
> (...) Rodrigo protestó cuando era tarde. Al torero se le vidriaron los ojos, desorbitados, y de repente se aflojó. Los que le sostenían le soltaron. Cayó al suelo. La manzanilla dorada se confundía con la sangre del Trepa. Silencio. Algo como un ruido de fuelle. Asombro y miedo[22].

Para dar un valor especial a un párrafo que precisa acelerar la acción, o retardarla, junto a la frase breve y disecada en sus elementos imprescindibles, Aldecoa utiliza también el estilo nominal o la elisión de alguna de las partes oracionales[23].

[21] «Young Sánchez», *Cuentos completos 2*, cit., pág. 43.
[22] «Caballo de pica», *Cuentos completos 1*, cit., págs. 123 y 125.
[23] Cfr., por ejemplo, «Solar del Paraíso», *Cuentos completos 2*, cit., pág. 247.

En cualquier caso, el hecho es que se produjo en la prosa de Ignacio Aldecoa un proceso de depuración. Al principio abundaba en retoricismos y en una decidida actitud literaturizadora que provocaba rebuscamientos gramaticales. Progresivamente las frases se simplifican, la expresión se hace mucho más fluida, las oraciones simples y la escritura gana en naturalidad. Esto se observa sobre todo en los pasajes descriptivos, en los que existe una mayor preocupación por el lenguaje, por crear un tono lírico, con abundantes recursos embellecedores de la prosa; en ellos las frases se simplifican hasta llegar a veces a la expresión nominal.

3.2. *Recursos retóricos morfosintácticos*

Aldecoa utiliza también algunos procedimientos morfosintácticos con una finalidad retórica. El principal de todos ellos es la repetición, con un doble valor: temático y rítmico. Ya me he referido al valor rítmico de estas repeticiones en el apartado precedente, y por eso me limitaré aquí a señalar algunos ejemplos de los paralelismos y anáforas, que aparecen con frecuencia en los cuentos.

Aunque la anáfora se basa a veces en elementos verbales[24], lo más habitual es la repetición anafórica de un elemento nominal; a veces aparece con un complemento[25]; otras tan sólo el elemento sustantivo:

> Las tapias son altas, arriba hay cristales para que no se puedan saltar. Las tapias tienen musguillos y plantas sin flores. Las tapias están desconchadas en la parte que da a la calle. Las tapias tienen una tristeza de tarde de domingo provinciano. Las tapias parecen infinitas. Tras las tapias está el húmedo, misterioso jardín del manicomio[26].

Lo más frecuente es que ese elemento sustantivo sea un nombre propio:

> «Cartucho» es el perro pelón del vagabundo, al que un buey dejó tuerto limpiamente con la punta de un cuerno en un camino, a trasmano de la carretera. «Cartucho» es el perro fantasmal de las estaciones de ferrocarril, derrengado de una pedrada, que disputa su comida, en las cajas de vagones arrumbados, a las ratas. «Cartucho» es el perro de los vertederos, diversión cruel de muchachos, aullador eterno del invierno. «Cartucho» fue el perro que las aguas del Manzanares ahogaron en un desbordamiento, bajo un puente[27].

Aparte de éstas, es raro el empleo de otras formas gramaticales retóri-

---

[24] Cfr. «... y aquí un poco de humo», *Cuentos completos 1,* cit., pág. 371.
[25] Cfr. «Ave del Paraíso», *Cuentos completos 2,* cit., pág. 352.
[26] «El diablo en el cuerpo», *Cuentos completos 1,* cit., pág. 194.
[27] «Muy de mañana», *Ibíd.,* págs. 389-390.

cas; sólo aisladamente aparece el recurso a la extorsión gramatical en aquellos pasajes de una mayor concentración emotiva:

> De los talleres caminan los obreros a la ciudad. De los talleres, una cansada fuerza de río caudal, que se ha de perder en laberintos urbanos hasta la mañana de la contracorriente; la mañana inhóspita, agria, de los talleres[28]...

4. Recursos léxicos y semánticos

Los valores léxicos contituyen los aspectos más destacados del estilo de Aldecoa. Su importancia se manifiesta en la precisión de los términos utilizados, en la vitalidad con la que se sirve de los procesos del lenguaje para la formación de palabras, en la belleza de las imágenes, en la abundancia de elementos simbólicos, en el recurso a la ironía o a la deformación de carácter esperpéntico. El análisis ordenado de estos recursos contribuirá a poner de manifiesto su importancia.

4.1. *Precisión de vocabulario*

4.1.1. Desde los primeros cuentos destaca en la prosa de Aldecoa la tendencia a recrearse en el lenguaje, en el ritmo de las construcciones y en la sonoridad de las palabras, en una búsqueda minuciosa de la expresión precisa.

La preocupación por el detalle, que analizaba en el capítulo anterior, se refleja en una búsqueda de la palabra certera que indique los matices, los rasgos diminutos y mínimos, con una sorprendente expresividad. La precisión del vocabulario es uno de sus objetivos básicos. Por eso definía el estilo el mismo Aldecoa como «un anhelo de precisión verbal»; y añadía: «me atengo a la economía verbal, asedio la exactitud y deseo la expresividad»[29].

Cada uno de los ambientes que son objeto de la narración tiene un vocabulario propio, unos campos léxicos especializados. Aldecoa conoce esa terminología y la utiliza con exactitud. Muchos autores han insistido en este rasgo esencial de su prosa y por eso no es necesario hacer más hincapié en él. Baste señalar la raíz de esa precisión léxica, centrada sin duda en el conocimiento minucioso por parte de Aldecoa de la realidad descrita. Aldecoa lleva a cabo una interiorización literaria en los oficios y en la práctica de éstos, que le obliga a un «conocimiento a fondo de todo ese sector de

---

[28] «Balada del Manzanares», *Ibíd.,* pág. 218. Pueden verse otros ejemplos en «La despedida» y «Crónica de los novios del ferial».

[29] Citado por Rodríguez, Josefina, en el prólogo a la antología de cuentos de Ed. Cátedra, Madrid, 1977.

realidad: las técnicas, los instrumentos, objetos, vehículos o medios del trabajo, el modo de su manejo o ejercicio, el talante con que se lleva a cabo, el clima y el ambiente en que se desarrollan, así como el lenguaje con que todo eso se nombra y que de todo eso emana como creación lingüística popular y directa»[30]. Aldecoa conocía con exactitud los ambientes del mundo del boxeo y de los torerillos pobres, de los conductores y fogoneros, y mejor que ninguno, el de los pescadores. Por eso los recrea con una acertada precisión léxica: en el puerto «*las marrajeras* estaban *abarloadas* en el muelle chico»; mientras, «*el pesca* y su ayudante *faenaban* preparando *los palangres*. Bajo el toldo de proa hacían inspección minuciosa de los cestillos con *las líneas y anzuelos*. (...) El ayudante compraba el acetileno de los faroles y *las corcheras de las boyas*». Después, navegando a vapor, El Ispaster «*caboteaba* mineral, amenazado de *desguace*», mientras el patrón escupe «sobre la tapa de *la regala de estribor*»[31].

4.1.2. En esa búsqueda de palabras sonoras, a la vez expresivas y exactas, acude Aldecoa unas veces a términos tradicionales, arcaicos, recluidos actualmente en ámbitos rurales; otras veces a formas cultas o técnicas; y cuando ninguna de ellas le satisface, crea él su propia expresión.

Los arcaísmos son abundantes en cuentos que tratan de ambientes rurales. En «Pájaros y espantapájaros» se lee:

> De sus zurrones camineros sacaron la *compaña*; lardo sacó el gallego un *tocado* de *acidez*. (...) Pascual Millán sirvió un *azumbre* de vino y una *hogaza*. (...) Contaba sus desdichas por hijos y sus esperanzas por *celemines* de maíz. (...) En el *lar* había buena lumbre de *matojos* secos. (...) Tendría *fortuna* y *bienandanza*[32].

Los cultismos generalmente aparecen empleados con menor insistencia en los cuentos. Se concentran en párrafos aislados:

> Una luz *melífica*, que no hacía sospechar las crudezas *cenitales* del *estío*, apagaba los colores. El caballero, en su carreta, *transitaba* por un paisaje dulce, acuarelado y *epiceno*[33].

A veces adquieren un valor irónico en el contexto general del relato:

> A las siete de la tarde novios *nictálopes* encontraban acomodo en las últimas filas de los cines, mientras en las primeras tosían y expectoraban sólidos burgueses en compañía de sus elefantas[34].

[30] Gómez de la Serna, Gaspar, *Ensayos sobre literatura social,* Madrid, Guadarrama, 1971, pág. 133.
[31] Los textos citados corresponden a «La noche de los grandes peces», *Cuentos completos 1,* cit., págs. 432 y 433 y a «Rol del ocaso», *Ibíd.,* pág. 56.
[32] «Pájaros y espantapájaros» , *Ibíd.,* págs. 336-339.
[33] «Amadís», *Cuentos completos 2,* cit., pág. 381.
[34] «El silbo de la lechuza», *Ibíd.,* pág. 115.

En otros ejemplos, en medio de un párrafo inclinado a la caricatura y repleto de fórmulas coloquiales, el cultismo resulta chocante, sumamente expresivo y maliciosamente burlón:

> A las siete de la tarde paseaban mocitos y mocitas por la calle principal, arriba y abajo, abajo y arriba, consumiendo grasas, chicle y maní, suelas de zapatos y algún que otro piropo aprendido por tradición oral. El picadero de la calle principal, desde las siete hasta las diez, dejaba a los adolescentes derrengados, sin malos pensamientos y con ganas de coger la cama. El voy y vengo y el empujón y la persecución *cinegética* sin éxito y el hago el asno como nadie, eran una institución prudente y un *exutorio* necesario (pág. 115).

La atracción por la expresividad de la prosa resulta de esta mezcla de fórmulas coloquiales y cultismos con expresiones desacompasadas con la realidad a la que se refieren; todo ello con una intención irónica.

4.2. *La formación de palabras*

La creación de expresiones nuevas es uno de los procedimientos más empleados por el escritor para el enriquecimiento de su prosa. Aldecoa manifiesta en este sentido una extraordinaria capaciadad creativa. La composición, la parasíntesis y la derivación son recursos abundantemente utilizados en los cuentos.

4.2.1. Por lo que se refiere a la composición, Isabel Leo Berrocal señala la composición con prefijos como la más fecunda en el conjunto de la obra de Aldecoa[35]. La misma afirmación puede hacerse con respecto a los relatos, con un porcentaje alrededor del 60% del esquema prefijo + lexema. Son mucho más frecuentes los prefijos de carácter popular que los de carácter culto. Aunque éstos también pueden señalarse en los cuentos, su porcentaje es muy reducido. Aparecen los prefijos SUPRA–, PSEUDO–, ARCHI–, SEMI–...

> Estoy profundamente cansada, más cansada que nunca, *¡archicansada!*
> Los del combate de fondo no se preparaban en la cabina común. Los del combate de *semifondo* acababan de entrar.
> El Prevaricador denunciaba algo paniego en su correcto rostro *pseudocampesino*[36].

---

[35] Cfr. Leo Berrocal, Isabel, «Aproximación al léxico de Ignacio Aldecoa», Universidad de Extremadura, 1977, pág. 13. En el presente estudio sigo la teoría tradicional,.incluyendo los prefijos, sean monosilábicos o bisilábicos, dentro de la composición. Sobre esta cuestión *vid.* Alemany Bolufer, J., *Tratado de la formación de las palabras en la lengua castellana*, Madrid, 1920, frente a la teoría de Bustos Tovar, E. de, «Algunas observaciones sobre la palabra compuesta», *R. F. E.*, XLIX, 1966, págs. 265-268.

[36] Los textos citados corresponden respectivamente a «Party», *Cuentos completos 1*, cit., página 440; «Young Sánchez», *Cuentos completos 2*, cit., pág. 53; «Ave del Paraíso», *Ibíd.*, pág. 335.

Sin embargo son mucho más importantes los prefijos vulgares: RE–, IN–, EX–, DE–, A–, EN–...

> Estás *rebuenísima*.
> Se te ve muy *requetebién*.
> Esto está *incomible*.
> los dos viejos *exsoldados*.
> el *desamor*[37].

En los esquemas de composición formados por la unión de dos lexemas, predomina sobre todo el afán expresivo. Las categorías gramaticales integrantes del compuesto son diversas: verbo + sustantivo, sustantivo + adjetivo, sustantivo + sustantivo, adjetivo + adjetivo etc. Algunos de los ejemplos resultantes son: chupatintas, sacadineros, escachapobres, rompelunas, trotacuarteles, patilarga, perniquebrado, lucisombras, espinacardos, verdinegro, malvendiéndolas,...

4.2.2. La parasíntesis es también un procedimiento del lenguaje al que recurre Aldecoa con frecuencia. Se sirve para ello de los esquemas más usuales en castellano: «a» + sustantivo + –ADO, «en» + sustantivo + –ADO, «de» + sustantivo + –ADO. Los ejemplares en los cuentos se multiplican y destacan también por su valor expresivo. Unas veces son creaciones originales de Aldecoa; otras veces, fórmulas ya existentes en el lenguaje común:

> La cabeza del niño era voluminosa, algo *amelonada*.
> Un hombre gordezuelo, de voz *atiplada*.
> El día está *amurriado*.
> Las luces *empantalladas*.
> Andaba violento y *enmadejado* como el agua cachorra del río.
> *Descegar* el último pozo[38].

4.2.3. De todos modos, la derivación es el método más productivo para la formación de nuevas palabras. En los cuentos de Aldecoa pueden recogerse ejemplos abundantes de cada uno de los sufijos españoles. Algunos manifiestan un índice de frecuencia superior. Leo Berrocal señala los siguientes porcentajes en el conjunto de la obra de Aldecoa, sobre ochocientos ejemplos recogidos[39]:

---

[37] Los ejemplos que se citan corresponden a «Un buitre ha hecho su nido en el café», *Cuentos completos 1*, cit., pág. 100; «Un corazón humilde y fatigado», *Cuentos completos 1*, cit., pág. 384; «Vísperas del silencio», *Cuentos completos 2*, cit., pág. 58; «El figón de la Damiana», *Cuentos completos 1*, cit., pág. 217; «Party», *Ibíd.*, pág. 440.

[38] Los ejemplos que se citan están tomados respectivamente de los siguientes cuentos: «Vísperas del silencio», *Cuentos completos 2*, cit., págs. 63 y 69; «Los bienaventurados», *Cuentos completos 1*, cit., pág. 233; «Party», *Ibíd.*, pág. 439; «La humilde vida de Sebastián Zafra», *Cuentos completos 2*, cit.; «Vísperas del silencio», *Ibíd.*, pág. 56.

[39] Leo Berrocal, Isabel, *op. cit.*, págs. 22-23.

— ILLO	:	24,4 %
— ON	:	14,2 %
— EAR	:	9,5 %
— AZO	:	8,5 %
— EO	:	6,1 %
— OSO	:	5,3 %
— ITO	:	4,8 %
— AL	:	4,5 %
— ETE	:	4 %
— IN	:	3,5 %
— EJO	:	3 %
— IDAD	:	1,8 %
— OTE	:	1,7 %
— IL	:	1,5 %
— ERO	:	1,5 %
— IELO	:	1,3 %
— ICO	:	0,87%
— UDO	:	0,87%
— UCHO	:	0,75%

Por medio de los sufijos queda patente la participación del escritor en la realidad que describe. Por eso son mucho más abundantes en los primeros relatos; después se reduce su importancia en la etapa en la que Aldecoa se acerca a la narración objetiva. Cuando más tarde vuelve de nuevo al subjetivismo, en la narración aparecen otra vez, abundantes, los derivados. Los valores que éstos aportan a la prosa son fundamentalmente expresivos: en el plano fónico porque recargan la palabra con una sonoridad nueva; en cuanto al significado, porque añaden originalidad, tonos populares y sobre todo carga afectiva. Esta carga afectiva es evidente en los diminutivos, empleados a veces para limar asperezas de la cruda realidad descrita y otras veces para reflejar la actitud compasiva y solidaria del autor:

> El hombre del puesto de melones tiene un perro, un *perrillo* atropellado, que arrastra una pata lastimosamente.
>
> Como ayer fue sábado, puede que en algún banco del paseo esté tumbado, húmedo y medio enfermo, cualquier *borrachín*.
>
> Los chavales estarán dándole vueltas al *pucherillo*[40].

Otras veces los sufijos se emplean con valor despectivo, para acentuar la mirada deformadora del escritor y los tonos críticos, burlescos, caricaturizadores. Así aparece descrito el lelo de Cayetano: «Su pequeña figura *gor-*

---

[40] Los textos citados corresponden respectivamente a los cuentos: «Muy de mañana», *Cuentos completos 1*, cit., pág. 389; «Solar del Paraíso», *Cuentos completos 2*, cit., pág. 251; «Seguir de pobres», *Cuentos completos 1*, cit., pág. 27.

dinfloncilla tenía un balance de *barquichuelo* al andar.» Y de don Ramón se dice que era *«rubito, gordito, culoncito»*[41].

Los ejemplos que podrían citarse son abundantísimos y sólo un estudio pormenorizado de cada uno de ellos contribuiría a señalar el valor que tienen en cada caso. Lo que es concluyente es la importancia de la sufijación como de una de las características fundamentales de la prosa de Aldecoa. Esta subraya la actitud afectiva, valoradora, de su expresión literaria — sobre todo en los primeros y últimos cuentos— y su decidida actitud retórica.

4.3. *Procedimientos retóricos*

Es en los parráfos descriptivos donde el lenguaje se carga de mayor plasticidad, de una más cuidada elaboración y de tonos poéticos. En esos párrafos Aldecoa se manifiesta como un estilista cuidadoso. El retoricismo adquiere entonces suma importancia. Así se refleja en uno de los primeros párrafos del cuento «Seguir de pobres»:

> A principios de mayo el grillo sierra en lo verde el tallo de las mañanas; la lombriz enloquece buscando sus penúltimos agujeros de las noches; la cigüeña pasea los mediodías por las orillas fangosas del río haciendo melindres como una señorita. En los chopos altos se enredan vellones de nubes, y en el chaparral del monte bajo el agua estancada se encoge miedosa cuando las urracas van a beberla[42].

La abundancia de imágenes, el recurso a la metáfora, a la comparación y a otras fórmulas retóricas, la presencia cualificadora de los adjetivos, recrean las descripciones con una expresiva elaboración del lenguaje[43].

En un recuento estadístico, sobre 250 ejemplos recogidos, destaca como más importante la utilización de la metáfora, la personificación y las comparaciones. Estos son los resultados estadísticos[44]:

---

[41] Cfr. «El silbo de la lechuza», *Cuentos completos 2*, cit., pág. 122; «Los bisoñés de don Ramón», *Cuentos completos 1*, cit., pág. 195. Sobre la actitud deformadora de los personajes por medio de los sufijos, cfr. el apartado que dedico más adelante al estudio del esperpento, páginas, 251-266.

[42] «Seguir de pobres», *Cuentos completos 1*, cit., pág. 25.

[43] Véase la importancia de los adjetivos en la prosa de Aldecoa, para dar plasticidad a las descripciones, especialmente en los párrafos iniciales de «Balada del Manzanares», «El autobús de las 7,40» «La humilde vida de Sebastián Zafra», «Quería dormir en paz» y «La nostalgia de Lorenza Ríos».

[44] Quedan al margen de estas estadísticas los datos que se refieren a las imágnes simbólicas y a las expresiones con valor irónico, que por su especial significación en los cuentos son analizados en epígrafes independientes.

Metáforas	: 44 %
Personificaciones	: 17 %
Comparaciones	: 13 %
Perífrasis	: 5 %
Sinestesias	: 4 %
Enumeraciones caóticas	: 4 %
Anáforas	: 3 %
Metonimias	: 2 %
Juegos de palabras	: 2 %
Contrastes	: 2 %
Variatio, gradación lítotes y otros recursos	: 4 %

Es evidente el valor fundamental de la metáfora en los cuentos. Algunas son metáforas lexicalizadas: «avinagrar el gesto» o «contar las costillas con el hierro de atizar el fogón»[45]; la mayoría constituyen expresiones originales y sugerentes; todas se construyen con los elementos propios del ambiente al que se refiere el cuento. «Rol del ocaso», por ejemplo, es un testimonio del oficio de los marineros. El enfado del patrón del *Ispaster* aparece descrito del siguiente modo:

> El patrón sintió que los bronquios se le revolvían como los tentáculos de un pulpo. El patrón sintió que las piernas tenían la tembladera de la agonía de los grandes pescados. El patrón sintió que la cabeza se le llenaba de la tinta rabiosa de los calamares. El humor negro se le vertía por los ojos, por la boca, por las narices, por las orejas y por una llaga que tenía en la papada[46].

Ciertas metáforas se acercan al conceptismo:

> «La Damiana», en estos casos, les solía mostrar sus conocimientos léxicos y, después de prepararles un sínodo en las espaldas, les obligaba a labores mecánicas durante el tiempo que procediese[47].

Otras constituyen auténticas definiciones similares a las greguerías: las telas de las arañas son «impactos sobre el cristal de la nada», los charcos de agua «tinteros de la noche», el cielo por el oriente «una espada de luz»; «en el campo, los grillos afilan la noche; el sapo, en la acequia seca, hincha los papos de trombón mayor». Y las golondrinas aparecen contempladas del siguiente modo:

---

[45] Cfr. «El figón de la Damiana», *Cuentos completos 1*, cit., págs. 315 y 317.

[46] «Rol del ocaso», *Cuentos completos 1*, cit., pág. 64.

[47] «El figón de la Damiana», *Cuentos completos 1*, cit., pág. 214. Tras la perífrasis inicial en la que se refiere irónicamente a los insultos de «la Damiana» a los dos ancianos, aparece una metáfora evocadora de la prosa picaresca y de Quevedo en la que se indica que «la Damiana» les molía a palos y les llenaba de cardenales; idea convertida en el plano de la expresión en la fórmula «preparar un sínodo en las espaldas».

Don Faustino tenía de las golondrinas ideas muy especiales: unas veces decía que usaban pantalones; otras, que eran pernos de la gran puerta del cielo, pernos sin aceitar, chirriantes; también que las golondrinas se asemejaban a las plumas estilográficas y a las bocinas de los coches antiguos[48].

Los esquemas morfológicos empleados en la construcción metafórica son muy variados; aparecen metáforas aposicionales:

La torre de la iglesia —una ruina erguida, una desesperada permanencia— amenazaba al cielo con su muñón[49].

La identificación de los términos real e imaginario mediante el verbo «ser»:

Las cigarras, cuyos cantos eran un rascar de fósforos[50].

O mediante un enlace preposicional:

A Pedro Lloros, en su interior, le manantiaba por primera vez una alegría de árbol bien regado[51].

También la metáfora impresionista:

Dos paseantes —rumor y pereza y sombras— buscaban el sueño dando vueltas al ruedo[52].

En muchas ocasiones la composición metafórica aparece relacionada con otras figuras retóricas, como la metonimia:

Treviño limita: Al Norte, con el asfalto, la erre y la zeta; al Sur, con el verano, los tiros sueltos de las escopetas y las canciones obscenas; al Este, con el rumor azul de las esquilas y un sol taladrado de cuervos; al Oeste con la primera manzana amarga y el primer sapito de San Juan[53].

O la comparación:

Tarde de fiebre, lenta, pesada; lentitud, pesadez de caminante sobre la arena.

---

[48] «El herbolario y las golondrinas», *Juventud,* 22 de febrero de 1951. Las metáforas citadas anteriormente corresponden a los siguiente cuentos: «Seguir de pobres», *Cuentos completos 1,* cit., pág. 26; «Camino del limbo», *Ibíd.,* pág. 127; «Solar del Paraíso», *Cuentos completos 2,* cit., pág. 252; «Para los restos», *Cuentos completos 1,* cit., pág. 206.

[49] «La despedida», *Cuentos completos 1,* cit., pág. 416.

[50] «Las piedras del páramo», *Ibíd.,* pág. 400.

[51] «Los bienaventurados», *Ibíd.,* pág. 241.

[52] «La chica de la glorieta», *Ibíd.,* pág. 288.

[53] «La fantasma de Treviño», *La Hora,* 4 de junio de 1950.

La calentura madura en colores: amarillo, naranja, rusiente, blanco. Los ojos se hunden en brillos: estelares, fosfóricos, acuosos... Las manos muestran cansancios como aves en largos vuelos, como plantas de un balcón de otoño[54].

De cualquier forma, el recurso a la metáfora es una de las características más importantes en el estilo de Aldecoa, con un predominio de la metáfora construida por semejanzas objetivas entre el plano real y el plano imaginario.

Por lo que se refiere a la personificación, existe una tendencia clara en los cuentos a atribuir sentimientos humanos a los elementos de la naturaleza:

De los campos cercanos llega un aire adelgazado, frío, triste (...) los humildes humos de las chabolas de la ribera derecha empañan la cristalina atardecida (...) la mañana inhóspita, agria, de los talleres...[55]

Y en otros cuentos un rayo de luz «se cuela, fisgón, por la rendija de la puerta»; la mañana «bosteza de felicidad»; y los remolinos del río aparecen y desaparecen, «jugando»[56].

En dos relatos adquiere la personificación especial importancia: «Biografía de un mascarón de proa» y «Santa Olaja de acero». El primero cuenta las andanzas y desventuras del mascarón de un barco del siglo XVIII: después de trescientos años de roble en los bosques de Francia, sesenta de aquí para allá por los cinco océanos, un naufragio, una temporada considerado como ídolo por los indígenas y después como exvoto en una iglesia, acaba finalmente muerto en un incendio por un anarquista. Fue un día cualquiera del otoño de 1895. Este es el único relato que tiene como protagonista un objeto al que se le dota de sentimientos humanos. El cuento nunca apareció publicado. La censura lo devolvió en pruebas.

En «Santa Olaja de acero» la personificación se convierte también en un recurso básico. No aparece de forma aislada, sino que está en todo el cuento, humanizando a la máquina como uno más de los protagonistas. El maquinista y el fogonero la tratan como tal y se refieren a ella como a un acompañante:

—Higinio, la señora está desayunada; ya tiene fuerza.
—Muy bien, Mendaña. Dale dos cucharadas de jarabe y andando[57].

Y siempre que el narrador explica alguna de las acciones de la máquina, éstas aparecen señaladas con rasgos humanizadores: su marcha es «de puño

[54] «Vísperas del silencio», *Cuentos completos 2*, cit., pág. 59.
[55] «Balada del Manzanares», *Cuentos completos 1*, cit., pág. 218.
[56] Cfr. «Para los restos», *Ibíd.*, pág. 210; «En el Km. 400», pág. 79.
[57] «Santa Olaja de acero», *Cuentos completos 2*, cit., pág. 11.

violento» (pág. 11); cuando deja escapar un largo chorro de vapor éste aparece «como un sostenido suspiro» (pág. 11); silba «airadamente» (pág. 12) o «aburridamente» (pág. 15); pide más carbón (pág. 15); tiene más pulmones que Mendaña (pág. 11); a la salida de los túneles corre «libre y hasta más alegre» (pág. 17); y por fin, «aquel tren se les presentaba como humanizado; tenía su cabeza, su inteligencia, su fuerza recta en *Olaja*» (pág. 19).

De entre las sinestesias hay que señalar especialmente las que se basan en el adjetivo «agrio» aplicado a sentidos diversos. Es agria, por ejemplo, la mañana inhóspita de los talleres, el ruido de los tranvías, la luz escenográfica de la glorieta[58]... De las anáforas es significativa la que aparece en «El silbo de la lechuza», que repite la frase «A las siete de la tarde...», de inconfundibles resonancias lorquianas[59].

Como recurso estilístico basado en la repetición, hay que señalar también la importancia de la enumeración caótica. Aldecoa acude con frecuencia a un esquema enumerativo de objetos que tienen entre sí un sema común, excepto el último que cierra la serie y que no pertenece a la enumeración léxica que le precede. Un ejemplo tomado de «Los vecinos del callejón de Andín»:

> Su hermana Olga —nacida Cecilia— tiene la cabeza llena de canarios que le trinan sin cesar, el corazón veleidoso, la contestación impertinente a flor de labios, la edad niña, los rizos rubios y un novio carterista[60].

La perífrasis constituye otro rasgo destacable en el estilo de Aldecoa. En los cuentos aparecen múltiples circunloquios, muchos de ellos basados en la ironía: «emborracharse» es sustituido por la expresión «ponerse a tono con la vida»; «dejar el solfeo para el día siguiente» equivale a «aplazar la paliza» y en vez de «patadas» encontramos «asnales estrategias futbolísticas»:

> La barra del café sostenía a la minoría del pendoneo nocturno. Rebullían de piropos soeces, escarceos obscenos, flamencadas de boquilla y asnales estrategias futbolísticas[61].

Muchas de las expresiones que utiliza Aldecoa en los primeros cuentos recuerdan los modos de decir de Quevedo, del que era un aficionado lector. Por eso inicialmente se multiplican en su prosa los recursos de carácter conceptista: las figuras etimológicas, la variatio, la gradación, la lítotes, el

---

[58] Cfr. «Balada del Manzanares», *Cuentos completos 1*, cit., pág. 218; «El caballero de la anécdota», *Ibíd.*, pág. 313; «Un buitre ha hecho su nido en el café», *Cuentos completos 2*, cit., pág. 99.

[59] Cfr. «El silbo de la lechuza», *Cuentos completos 2*, cit., págs. 114 y 115.

[60] «Los vecinos del callejón de Andín», *Cuentos completos 2*, cit., pág. 158. Pueden verse otros ejemplos en «El silbo de la lechuza», *Ibíd.*, pág. 115; «El aprendiz de cobrador», *Cuentos completos 1*, cit., pág. 20; «Para los restos», *Ibíd.*, pág. 207.

[61] «Un buitre ha hecho su nido en el café», *Ibíd.*, pág. 100; los ejemplos anteriores corresponden a «El figón de la Damiana», *Cuentos completos 1*, cit., pág. 216.

contraste, las perífrasis, la asociación de conceptos. Entre éstos y los recursos analizados anteriormente, la prosa de Aldecoa aparece revestida de caracteres retóricos. Todos ellos destacan el afán del autor por buscar la expresividad del lenguaje.

4.4. *Imágenes simbólicas*

Se ha tenido poco en cuenta por parte de la crítica el simbolismo de los cuentos de Aldecoa. Con respecto a sus novelas, fue Jesús María Lasagabáster quien publicó en 1978 un estudio, que titulaba significativamente *La novela de Ignacio Aldecoa. De la mimesis al símbolo*. Partiendo de los elementos realistas existentes en las novelas, trasciende al análisis del plano simbólico, referido en todos los casos a la condición humana. Por lo que se refiere a los cuentos, sólo algunos autores han señalado, sin más, valores simbólicos en algunos de los relatos. Brandenberger cita la utilización del agua como símbolo en «La urraca cruza la carretera» y las piedras del cuerpo de don Ramón en el cuento «Para los restos». Comenta también el simbolismo de otros dos relatos: «Las piedras del páramo» y «Al margen»[62]. James H. Abbot interpreta simbólicamente «Santa Olaja de acero» en el sentido de la vida humana como viaje; y entiende genéricamente los cuentos de Aldecoa como la búsqueda de un paraíso, «lugar donde puede estar incluida toda la humanidad»[63]. Y José María Martínez Cachero apunta una interpretación simbólica del relato «Seguir de pobres» como expresión de la radical soledad humana[64]. En este capítulo abordaremos el estudio de los símbolos, no aisladamente, sino en el conjunto de los cuentos de Aldecoa, estudiando la clasificación de los mismos, su significado, las funciones que desempeñan y los objetos que forman parte de ellos.

4.4.1. La narración como alegoría

Algunos de los cuentos adquieren en el conjunto de la historia narrada una interpretación de carácter alegórico. Me he referido en páginas anteriores a «El loro antillano» como alegoría del revolucionario frente a la pacífica rutina de los inmovilistas. También a los personajes de «El libelista Benito», Matilde y Benito, como representantes de las dos Españas: ella bravucona, inculta y tradicional; él liberal, se considera hombre ilustrado y se

---

[62] Cfr. Brandenberger, Erna, *Estudios sobre el cuento español contemporáneo*, Madrid, Editora Nacional, 1973, págs. 337-339.

[63] Abbott, James H., «Ignacio Aldecoa and the Journey to Paradise (the Short Stories)», *Ignacio Aldecoa. A Collection of Critical Essays*, Universidad de Wyoming, 1977, pág. 68.

[64] Martínez Cachero, José María, «Ignacio Aldecoa: Seguir de pobres», *El comentario de textos 2*, Madrid, Castalia, 1974, pág. 211.

preocupa por la política y por la sociedad con una actitud crítica vocinglera[65]. «La espada encendida», «Un buitre ha hecho su nido en el café», «El teatro íntimo de doña Pom» y «Pájaros y espantapájaros» tienen también un valor alegórico.

«La espada encendida» se refiere desde el título a la expulsión de Adán y Eva del Paraíso contada en el Génesis. El desarrollo de la historia transcurre paralelamente a lo relatado en la Biblia (aunque añade también otros elementos de carácter existencial, realista o de humor):

Adán y Eva	Las parejas de amantes
San Miguel enviado por Dios	Benítez enviado por el alcalde
Expusión del Paraíso	Expulsión del parque

Este paralelismo no tiene en el cuento intenciones moralizantes ni tampoco burlescas. Trata de poner en evidencia, alegóricamente, la mezcla de política y religión existente en la España de los años 50 en la que sitúa el relato.

En el cuento «Un buitre ha hecho su nido en el café», la historia está concebida burlonamente como una partida de ajedrez en la que los distintos personajes se disputan la dama. Estos personajes aparecen con nombres significativos, como caballo, alfil o peón de enlace. Cada uno de los capítulos es como una jugada concreta, observada con ironía en los títulos, grotescamente burlones: «Apertura», «Salto de caballo», «Juega alfil», «Peón de enlace», «Se aventura la dama».

El título y desarrollo del cuento «El teatro íntimo de doña Pom» sugiere que ese teatro exterior al que ella se dedica —experimentador, vanguardista, novedoso— está en correspondencia con su personalidad, con su carácter, con su propio «teatro íntimo». Doña Pom es romántica y aventurera, con afán de independencia, bohemia, soñadora y fantasiosa. La compañía de teatro que intenta dirigir aparece como un símbolo de su personalidad; la ilusión puesta en la escena como su ilusión vital; y el fracaso de aquélla es el fracaso de su vida. El autor finaliza el relato con un alcance alegórico más generalizador: es posible que haya desaparecido ya doña Pompeya y el médico homeópata, su marido, y «El Mañas», chulón, que se aprovechaba de ella; pero «los que no han desaparecido, todavía han sido los "teatros íntimos"». Esos teatros íntimos que simbolizan las ilusiones, las fantasías, las esperanzas de los hombres.

«Pájaros y espantapájaros» es la historia de cuatro hombres que coinciden en la venta para comer, antes de seguir cada uno su propia andadura. En la siesta cada cual sueña su vida pasada. Y en estos ensueños de fantasía e irrealidad aparecen significativos elementos de carácter alegórico. El primero recuerda:

---

[65] Cfr. en el capítulo III, «Su ideología política y la censura», págs. 127-130.

Un amigo mío (...) me contó un día que en el mundo hay un solo murciélago azul, y que aquel que lo cogiese tendría fortuna y bienandanza[66].

Él se dedicó a buscarlo, lo encontró, pero no pudo cogerlo. Ese murciélago azul, que trae resonancias de la leyenda de la flor azul simboliza la buena fortuna, la ansiada felicidad completa, tan difícil de conseguir en la vida como el extraño e inasequible murciélago azul[67].

El segundo caminante sueña una balada que se titula «la flor en la luna». La luna, con su simbología amorosa, melancólica y soñadora hace también de este sueño un imposible: la imposibilidad de alcanzar un amor duradero y fiel.

«Viaje a una esmeralda» es el título del tercer sueño. La esmeralda de color verde —el color de la esperanza— representa la ilusión por encontrar fortunas, riquezas, esperanzas.

Finalmente, «el hombre que dialogaba con sus dedos» es el hombre condenado a la soledad, a no ser escuchado por nadie, a vivir solitario en su incomunicación:

> A mí me gusta hablar por hablar exactamente como los pájaros cantan. Toda mi felicidad se limita a esto. Pero no hay forma, ni manera, ni gente que me escuche (pág. 341).

Todos estos personajes tienen en común su desgracia solitaria, porque les resulta imposible alcanzar la felicidad. Sus historias se convierten en alegorías, en parábolas poéticas de la vida humana. Destacan la incomunicación, la soledad, el fracaso y un cierto fatalismo sobre la condición del hombre

4.4.2. El simbolismo de la escena

Ignacio Aldecoa busca cerrar alguno de sus relatos con finales que representan una escena simbólica de la situación del personaje más destacado. Esta escena puede interpretarse de un modo general referida a la condición humana. En «Seguir de pobres» el desamparo de «El Quinto» queda plásticamente destacado en la escena última en la que marcha enfermo y solo a la ciudad. Esa escena de abandono queda como un cuadro expresivamente simbólico del abandono del hombre:

---

[66] «Pájaros y espantapájaros», *Cuentos completos 1*, pág. 339.

[67] La utilización del pretérito imperfecto de subjuntivo («cogiese»), en la cita anterior, refuerza en la frase la expresión de imposibilidad. La concordancia gramatical con la forma del presente («hay») es posible también mediante las formas de indicativo «coja» y «tendrá». La elección de esta concordancia es significativa en el sentido que he señalado.

Por la orillita de la carretera caminaba, vacilante, Pablo. Los segadores volvieron las espaldas y echaron a andar. Se alejaron del puente[68].

También la soledad de Lorenza Ríos queda simbolizada en la escena última; y su soledad es un eco cualquiera de las soledades humanas[69]. «Entre el cielo y el mar» acaba con una imagen simbólica de las esperanzas del joven Pedro. Y, por último, «A ti no te enterramos» se cierra con una imagen del destino fatal que le aguarda a Valentín. Después de que ha vagabundeado nueve días por la ciudad, sin encontrar un empleo, y decide volver de nuevo al campo, la escena final es una imagen simbólica del rechazo de la ciudad a Valentín y de la muerte irremediable que le aguarda:

> El campo está hermoso. El cielo está hermoso. La ciudad... De la
> ciudad, de la lejanía, de las primeras y últimas casas de la ciudad llega
> hasta los oídos de Valentín un cansado ladrar de perros custodios[70].

La ciudad a sus espaldas y el ladrar de los perros custodios aparecen como un rechazo; los aullidos lejanos son una premonición de su muerte cercana por la tuberculosis.

4.4.3. La simbología de los títulos y de los nombres de los personajes

En el análisis de la estructura de los relatos, en el epígrafe correspondiente al estudio del valor que adquiere el título en los cuentos de Aldecoa, señalaba la búsqueda de una imagen simbólica como el principal procedimiento empleado por el autor para titular las narraciones. Allí queda estudiado el valor simbólico de los títulos «Caballo de pica», «La urraca cruza la carretera», «El mercado», «La espada encendida», «La tierra de nadie», «Esperando el otoño», «Fuera de juego», «Un buitre ha hecho su nido en el café», «Los pájaros de Baden-Baden», «Los pozos». A aquellas páginas me remito[71].

También los nombres de algunos personajes anuncian simbólicamente alguna característica destacada del hombre al que designan. En «Los bienaventurados», al mendigo y vago que lo protagoniza, se le llama Pedro Lloros:

> Pedro Lloros poseía un corazón chiquito y veloz. Se asustaba de todo
> y se apellidaba perfectamente. (...) Perdió a sus padres en una epidemia
> de gripe; después estuvo llorando y quejándose mucho tiempo[72].

Uno de sus compañeros, mendigo harapiento, se llamaba Andrajos.

---

[68] «Seguir de pobres», *Ibíd.*, pág. 32.
[69] Cfr. «La nostalgia de Lorenza Ríos», *Ibíd.*, pág. 398.
[70] «A ti no te enterramos», *Cuentos completos 1*, cit., pág. 276.
[71] Cfr. págs. 169-171.
[72] «Los bienaventurados», *Cuentos completos 1*, cit., págs. 232-233.

En el cuento titulado «Para los restos», la segunda hermana de don Francisco José se llamaba doña Segunda y a uno de los hijos de ésta, que estudiaba Comercio y era algo bruto, en su casa le llamaban Modreguito. En «Los vecinos del callejón de Andín» al dueño sucio y descuidado de la tabernucha se le llama Gorrinín; y al taxista del Renault, Volante. Son en todos los casos apodos humorísticos que se utilizan para designar a los personajes. El valor connotativo es en ellos más importante que en los demás nombres y la función que desempeñan en el relato es cómica, tipificando una característica destacada del personaje.

4.4.4. Utilización simbólica de la naturaleza

En todos los cuentos está presente el mundo de la naturaleza, con valores diferentes en cada caso: unas veces aparece como fondo para la descripción, con matices poéticos; otras como símbolo de la situación en la que se desenvuelven los personajes o como una muestra de la compenetración existente entre el hombre y la naturaleza, de la que éste es un elemento más.

En el cuento que se titula «Al otro lado» el ambiente mísero de la descripción refuerza el desamparo social de los personajes. La miseria de la chabola, donde «huele a brea, a recocido de ranchada, a un olor animal, violento, de suciedad y miseria»[73], queda aún más destacada por los animales que la pueblan, compañeros de la pobreza:

> Se sienten los ruidos de las chapas, el zumbido de los insectos, un largo gemido de madera seca de sol. Lejana se oye a la cigarra monotonizar a la orilla del río, en un árbol. Duermen en esta hora, en los rincones, las arañitas que pican de noche los párpados. Duerme el mal bicho que espanta, en las fronteras de la madrugada, el sueño del chiquillo (pág. 279).

En «Los atentados del barrio de la Cal», cuando Muñoz aparece descalabrado en el suelo y parece que la tragedia se va a cernir sobre el barrio, en el anochecer se lee la siguiente descripción:

> Las luces en las casas se apagaron. Unos nubarrones de tormenta crecían del campo hacia el barrio de la Cal. Los perros buscaban asilo bajo las tejavanas. Regresaron los hombres cuando caían las primeras gotas gordas, que se aplastaban en el suelo fofamente, como cuando se pisa un abejorro torpe[74]...

---

[73] «Al otro lado», *Ibíd.*, pág. 279.
[74] «Los atentados del barrio de la Cal», *Ibíd.*, pág. 230.

La naturaleza se convierte simbólicamente en un anuncio del drama al que parece abocado el barrio de la Cal. Como en las formas literarias del Romanticismo, la naturaleza participa del estado de la acción y de los sentimientos de los personajes. La tormenta no tuvo mayores consecuencias: fue una lluvia de verano. Y del mismo modo, tampoco el accidente de Miguel tuvo mayores consecuencias: «No pasó nada. Muñoz se recuperó de su conmoción y de sus costillas rotas» (pág. 230). El paralelismo entre la naturaleza y la acción es evidente; y en él, la naturaleza adquiere una función simbólica del desarrollo de la acción.

Del mismo modo, en «Lluvia de domingo» la lluvia está siempre presente, como trasfondo, símbolo de ese vago sentimiento de insatisfacción del personaje, de la nostalgia que le envuelve, del aburrimiento monótono con el que transcurre la lluviosa tarde gris del domingo. E igualmente, en el relato «Esperando el otoño» los fenómenos atmosféricos forman también un trasfondo simbólico, en consonancia con el estado de ánimo de los personajes: el tiempo está gris y aburrido como ellos:

> Cansinamente se acercaron al mostrador. El cielo estaba oscuro, la plaza estaba oscura, la estación era una masa negra y humosa, la blancura de la fábrica de cemento parecía fosfórica en la atmósfera de la tormenta[75].

Incluso se explicita el transcurso del tiempo como un proceso rutinario y monótono, como la vida rutinaria, monótona y tristemente inactiva de estos jóvenes:

> —Mañana ya es otoño —dijo Chuchete—. De mañana en adelante todos los días festejo de agua hasta los temporales. Después, nieve, después hielo, después otra vez nieve, otra vez hielo, otra vez temporales, otra vez tormentas hasta junio (pág. 54).

4.4.5. Los objetos simbólicos

Mucha más importancia cobra la utilización en los cuentos de objetos-símbolos. El mayor porcentaje se refiere al campo semántico de los animales. No aparece una repetición obsesiva de alguno de estos elementos, que pudiera dar pie a una interpretación de preocupaciones íntimas del autor inexpresables por otro medio si no es mediante el símbolo. Por el contrario, se trata en todos los casos de imágenes simbólicas que ejemplifican las ideas desarrolladas en el cuento o refuerzan su expresión mediante las connotaciones que despierta el objeto-símbolo. Por eso, el único procedimiento de análisis es la revisión en cada cuento de cada uno de los objetos empleados con valor simbólico.

---

[75] «Esperando el otoño», *Ibíd.*, pág. 53.

a) Los animales

Varios de ellos se utilizan como expresión de pobreza. «Al otro lado» comienza fijándose en un elemento secundario de la narración, un animal, que parece ajeno a la acción del cuento. Sin embargo adquiere un valor de imagen simbólica con la que se equipara a los personajes. Ese perro flaco y de poco medro que se achicharra al sol arrastra una vida penosa, como la de Martín —condenado a sufrir el sol, el hambre y una forzosa inactividad. «Quería dormir en paz» es un testimonio de la miseria de los arrabales y para crear esa atmósfera de repugnancia e inminencia de la enfermedad y de la muerte, aparece el símbolo más expresivo para reflejarla: «Una rata en un alcorque devoraba, alertada, restos de merienda infantil»[76]. Y más adelante: «La rata corrió por el canal del alcorque y se perdió entre las sombras de los árboles» (pág. 260). El relato finaliza con la muerte del hijo enfermo de José Fenández Loinaga[77].

Algunos animales aparecen como símbolos de la soledad, del desarraigo o de la desgracia de los protagonistas y en general como símbolos del desvalimiento humano. En «Muy de mañana» se insiste más en la descripción del perro que en la de su amo, vendedor de melones. Y ese perro sin raza, hambriento y desmedrado se convierte en símbolo de la vida desgraciada y poco humana de su amo, porque «Roque y "Cartucho" no son como amo y perro, son casi como hermanos. Se parecen»[78].

En «El corazón y otros frutos amargos» aparece en varias ocasiones la abubilla. Cuando los jornaleros marchan hacia la estación en busca de otro lugar de trabajo, «la abubilla, el pájaro de las huellas, estaba parado en medio del camino. (...) Dicen que se posa sobre las huellas y las borra»[79]. Es un símbolo de la actitud de esos hombres que se marchan a otros lugares, sin pueblo fijo, sin establecerse, borrando las huellas por donde pasan. Y es la suya una marcha a la fuerza, una partida que engendra soledades y nostalgias. Juan, recién llegado al pueblo, se sienta sobre la maleta. «Vuelve la cabeza hacia la estación. Siente que el corazón se le alarga, que al corazón le ha nacido algo desconocido hasta ahora. Y piensa en las raíces amarillas de las humildes plantas de los caminos de su tierra» (pág. 90).

Otras veces Aldecoa se sirve de animales como objetos simbólicos de la desazón que inquieta a los protagonistas. Tal es el sentido de la avispa que aparece en el relato «Al margen», reforzado por el insistente, inaguantable, dolor de cabeza de Ruht: el malestar físico es símbolo de ese otro malestar más profundo de los personajes que gastan el tiempo con rutina perezosa, insatisfechos. Y de un modo aún más expresivo es utilizado en *Neutral Corner*, referido al oficio duro del boxeador:

---

[76] «Quería dormir en paz», *Ibíd.*, pág. 257.

[77] Comenta Cirlot, en este sentido, que las ratas se relacionan tradicionalmente con la enfermedad y la muerte. Cirlot, Juan-Eduardo, *Diccionario de símbolos*, Barcelona, Labor, 1978.

[78] «Muy de mañana», *Cuentos completos 1*, cit., pág. 390.

[79] «El corazón y otros frutos amargos», *Ibíd.*, pág. 104.

—Tienes que seguir.
—No puedo.
—Tienes que seguir.
—No puedo.
—Tienes que seguir.
—No puedo.

Un enjambre de avispas alrededor de la cabeza. Un turbante de pequeñas llamas. Un incendio en los oídos, crepitando, devorando la voz humana. Chispas en los ojos, dentro de los ojos, cauterizando el iris, royendo el nervio óptico. Y ahora una lengua bífida hasta el oscuro pensamiento, iluminándolo y quemándolo. Fuego en el vientre y en el corazón. Otra vez avispas: en los pulmones, en las celdillas de los pulmones y dentro de los guantes y en los huesos destrozados de las manos.
—No puedo más.
—Sigue.
—No puedo más.
—Sigue.
—No puedo más.
—Sigue.

La cabeza se desprenderá con el enjambre y volará hasta las estrellas, hasta la dispersión de las estrellas. Hay que meter la cabeza en agua para que desaparezcan las avispas. Entonces quedarán dos o tres agonizantes sobre los párpados, las más dolorosas sí, pero las últimas. Porque el ruido, este ruido, porque el ruido...
—Sigue y no seas cobarde.
—No.
—Sigue y no seas cobarde.
—No.
—Sigue y no seas cobarde
—No.

Quiero cantar; marcharme por algún camino sin gente, cantando. Quiero irme, llegar a un arroyo, tumbarme a la sombra de un árbol y cantar y oír. Quiero encontrar un hormiguero y deshacerlo, pisar las hormigas y orinarlas. Quiero volverme niño y dejar todo esto, porque no puedo más, porque ya te he dicho que no puedo más, porque tengo un enjambre en la cabeza y dentro de la cabeza, poque estoy en un incendio. Porque no puedo, porque no puedo más. ¿Lo entiendes?
—Tienes que seguir si quieres continuar comiendo de esto[80].

Connotaciones semejantes despierta la araña, como símbolo de la enfermedad que aqueja a don Francisco José. Intercaladas en la conversación chismorreante de su hermana, se leen las siguientes expresiones:

[80] *Neutral Corner*, Barcelona, Lumen, 1962, capítulo 11. En este capítulo aparecen concentrados muchos de los recursos de estilo que he analizado en epígrafes anteriores como característicos de la prosa de Aldecoa. Para evitar repeticiones, creo precisa al menos una enumeración de todos ellos: la simetría, el contraste, el ritmo de la prosa, la alternancia de periodos largos frente a la concisión repetitiva de los diálogos, el estilo nominal, las repeticiones, el paralelismo, la anáfora, la acumulación de imágenes... Y todo ello girando alrededor del objeto simbólico.

> Don Francisco José siente una araña en la boca del estómago. (...)
> Don Francisco José siente que la araña le corre por el estómago. (...)
> Don Francisco José sufre el subir y bajar de la araña desde la garganta
> hasta el fondo de su estómago[81].

La repetición machacona de la metáfora adquiere un valor simbólico del malestar que agobia al protagonista[82]. Anteriormente se había referido a esta misma sensación, aplicada sobre todo al desasosiego del personaje, mediante uno de los muelles rotos del sillón:

> El sillón tiene un muelle roto. Don Francisco José siente el muelle
> casquivano en sus posaderas. Procura acomodarse lo mejor posible. Es-
> cucha las despedidas de las amigas de su hermana: besos sonoros como
> bofetadas. El sillón tiene un muelle roto. Lo rompió, hace no sé cuanto
> tiempo, un sobrinito travieso, juguetón, inaguantable, hijo de otra herma-
> na, doña Segunda, casada con un señor de la RENFE. El sobrinito pue-
> de que haya entrado en quintas. El sillón tiene un muelle roto (pág. 204).

El muelle roto del sillón refuerza el malestar del personaje y sugiere al mismo tiempo connotaciones de desidia en el anciano profesor de instituto.

Con un procedimiento similar, más adelante, al describir la cocina, destaca la idea de abandono, suciedad, y dejadez mediante la aparición de un ejército de cucarachas que se pasean libremente:

> La cocina queda sola, a oscuras. El hornillo arroja un espectro de lla-
> mas sobre el suelo de baldosas. El puchero de café tamborilea, hirviendo.
> Una cucaracha corretea alocada por la mesa blanca. Después, una tras
> otra, va apareciendo el ejército negro. Suben y bajan por las patas de la
> mesa, por la cocina, por los vasares (págs. 209-210).

De este modo, todos los objetos simbólicos utilizados en el cuento sugieren idénticas connotaciones referidas a la estructura profunda de la narración.

Otros animales adquieren valores simbólicos más dispersos, en un sentido a veces tópico. En «La espada encendida», el rebaño que contempla el alcalde desde el balcón, citado en dos ocasiones, es símbolo del pueblo al que gobierna, porque así ve él a sus vecinos: como un rebaño al que hay que dirigir y organizar. El Martín pescador de «La humilde vida de Sebastián Zafra» es símbolo del niño gitano Sebastián. Soprendido como él, recorre el mundo investigando, reconociéndolo todo. La primera secuencia del relato se inicia y acaba con la repetición de este motivo[83]. Y en el cuento

---

[81] «Para los restos», *Cuentos completos 1,* cit., pág. 206.
[82] La experiencia personal de Aldecoa como enfermo de una úlcera incurable le sugirió sin duda la expresión simbólica de ese malestar.
[83] Cfr. «La humilde vida de Sebastián Zafra», *Cuentos completos 2,* cit., págs. 263 y 269.

protagonizado por Amadís, el capítulo final se titula «Las gaviotas». Él ha muerto en un accidente. Sus posesiones, sus negocios y hasta su amante son ahora repartidos, siendo objeto de discusiones avariciosas. Detrás de las ventanas está el mar:

> El mar cabrilleaba a lo lejos y las gaviotas daban sus gritos de guerra en el remolino de sus vuelos de pesca[84].

Estas gaviotas que disputan su pescado son el símbolo de esos hombres que discuten su botín en los negocios, como esos hombres que disputan su botín en los amores.

b) Los objetos inanimados

Hay que señalar finalmente la existencia de algunos objetos inanimados que constituyen imágenes simbólicas aisladas en los cuentos de Aldecoa. En algunos casos se acumulan varias de estas imágenes para reforzar las connotaciones a las que se refieren. «Rol del ocaso», por ejemplo, cuenta la última salida del *Ispaster,* un pequeño barco de vapor que ha de ser retirado para el desguace. En el cuento destaca la referencia continua a términos que indican acabamiento. Sobre todo: «crepúsculo» y «ocaso» —el final del día, su muerte—; también «otoño», «agonía», «muerte»... Pueden ser simbólicamente significativas las citas constantes del fuego, que da la fuerza al barco, con colores de crepúsculo: el fuego —símbolo de vida— adquiere ahora matices de ocaso. No sólo porque su color rojizo lo identifica con la puesta del sol. La repetición de esos términos y las imágenes que insisten en los mismos aspectos crean un ambiente acorde con el trasfondo de la historia, al destacar las connotaciones de acabamiento.

«Los vecinos del callejón de Andín» viven en una callejuela sucia y miserable, en la que tan sólo se ha instalado una taberna y un prostíbulo. El escenario es degradador y envuelve a sus habitantes. Parece convertirse en símbolo del encerramiento en el que se encuentran los personajes, imposibilitados de superar los condicionamientos sociales y humanos. El primer capítulo de la narración se subtitula: «Aquí es donde se cuenta que el callejón no tenía salida»[85], como si no hubiera tampoco salida para los hombres que lo frecuentan.

La primera frase es significativa: «El callejón de Andín olía mal» (página 149). Esta sensación volverá a aparecer insistentemente repetida, casi como motivo simbólico decisivo del ambiente desagradable y sucio del callejón. La evolución de las gentes del callejón y de sus relaciones a lo largo del cuento se verá reflejada en el cambio progresivo de esta sensación. «El

---

[84] «Amadís», *Ibíd.,* pág. 382.
[85] «Los vecinos del callejón de Andín», *Ibíd.,* pág. 149.

callejón pudo oler mejor» (pág. 176), se lee en el cuento después de que desapareciera del callejón la casa de mala nota. Y tras el aderezo y las sanas diversiones de la fiesta de fin de año, «el callejón no olió tan mal» (página 179). Finalmente, la narración, acaba señalando que el Callejón no será ya nunca una sucia cloaca, sino una «cloaca, en verdad, luminosa desde aquel día...» (pág. 180). La calleja donde viven los vecinos de Andín, se manifiesta de este modo como símbolo de su situación en cada momento y de sus transformaciones progresivas.

La técnica del simbolismo es en estos ejemplos tradicional; en ellos relaciona el trasfondo temático del cuento con una percepción sensitiva. Tampoco los objetos utilizados como símbolos son siempre nuevos. En algunos casos son incluso demasiado tópicos. Así en «El silbo de la lechuza», donde aparecen las nubes como imagen tradicional del paso ineludible del tiempo[86]. En otros se esfuerza Aldecoa por encontrar objetos simbólicos originales y sugerentes. En «Vísperas del silencio», Paquito es un niño enfermo, que se consume poco a poco hasta morir. En su enfermedad, pasea por el cuarto y se asoma a la ventana. «En la ventana había tiestos y entre éstos se divisaba abajo, en el canalón, junto a una pinza de tender la ropa, una pelota de lana casi podrida»[87]. En varias ocasiones volverá a contemplar esta pelota informe, que se pudre abandonada a la intemperie. Es como un símbolo de su propia vida, que se consume pudriéndole la enfermedad por dentro. Y después, cuando ésta le ha llevado a la tumba, «en el canalón, la pelota de las miradas melancólicas de Paquito recrudecía a la luz de una clara luna de invierno su contorno funeral» (pág. 90).

Como conclusión, las imágenes simbólicas —ya se refieran al conjunto del cuento o a alguna de sus escenas, al título o a alguno de los objetos simbólicos empleados— expresan en la mayoría de los casos las preocupaciones temáticas analizadas en el capítulo III. Ninguna de estas imágenes simbólicas se repite como una obsesión, pero sí insisten todas en las ideas de la estructura profunda en cada uno de los cuentos. Por ello, aunque no es posible una sistematización de estos símbolos al unísono con el esquema temático de los cuentos, porque se producirían lagunas en muchos de los epígrafes analizados en el capítulo de los temas, sí cabe señalar sin embargo la referencia de los símbolos a esos temas, como ha quedado de manifiesto en este apartado: unas veces los símbolos se refieren al desvalimiento del hombre, a su soledad o a su desamparo, otras a la posición social en la que vive o al vacío abúlico de las gentes mejor acomodadas.

---

[86] Cfr. «El silbo de la lechuza», *Ibíd.*, págs. 113 y 146.
[87] «Vísperas del silencio», *Ibíd.*, pág. 60.

4.5. *El recurso a la ironía*

La ironía es uno de los recursos empleado con más frecuencia en los cuentos de Ignacio Aldecoa. Es una ironía divertida, amable, llena de comprensión, que nace de su propio carácter inclinado a la burla. Por ejemplo, el solar pobre donde viven Pío y su familia, irónicamente es designado como el solar del Paraíso. Y Pío, que no quiere encontrar trabajo, explica en la taberna:

> —Se debe trabajar. Uno debe trabajar porque la vida es eso y no otra cosa. Y el que no trabaja, no come, ni puede vivir. Porque el que no trabaja no tienen derecho a la vida.
> Y proclama con un cinismo arrebatador:
> —Si uno no trabajara ¿qué sería de uno? ¿Que se anda mal de trabajo? Esto es otro cantar. Esto no quiere decir nada. Se busca, que para eso son los hombres. Uno se busca la vida porque es su derecho y el que tiene su derecho puede ir con la frente muy alta, porque es muy hombre y muy honrado (pág. 241).

4.5.1. Procedimientos empleados para la ironía

Los métodos empleados por Aldecoa para producir un efecto irónico pueden sistematizarse del siguiente modo:
— Asociación de términos desconcertantes, pertenecientes a distintos campos semánticos:

> Un carcamal de boca podrida, por las palabrotas y por no lavarse los dientes[88].

— Asociación de términos contrarios, como en el «Cuento del hombre que nació para actor», donde términos pertenecientes al ámbito religioso (Ave María y sabatino) se utilizan para hacer referencia a la gente de juerga trasnochadora:

> La calle de Ave María se abría a la experdición sabatina de la gentualla de última hora[89].

O más claramente en «Los atentados del barrio de la Cal», donde se habla de «la valentía de pegarle en grupo[90].

— Asociación de dos términos, de tal modo que el segundo corrige en un sentido totalmente distinto el significado previsible del primero:

---

[88] «El loro antillano», *La Hora,* 30 de abril, 1950.
[89] «Cuento del hombre que nació para actor», *Juventud,* 8 de septiembre, 1949.
[90] *Cuentos completos 1,* cit., pág. 228.

Se bachilleró en leyes de tanto pisar el juzgado, y se le concedió título por la mismísima razón[91].

— De un modo similar, la enumeración que sigue a la afirmación del principio de un párrafo de da a ésta un sentido irónico, contrario al que se pensaba en la primera lectura:

> En el barrio existen demasiadas cosas interesantes: una taberna mísera, donde se expende vino áspero, donde los aperitivos son sardinas albardadas hace mucho tiempo; otra taberna donde la gente sólo entra a tomar coñac y anís, y, por fin, una tercera taberna, donde se puede pedir vino, licores y jarabes de refresco[92].

— Expresión de realidades vulgares con términos que no resultan acordes con ellas en un determinado contexto: «La chica de la glorieta», una buscona nocherniega, se llama irónicamente Angelita. Y en el relato se lee también:

> La chica salió del café penduleando el bolso. Tiró el cigarrillo. Un taxista *metaforizó* una procacidad y la chica le dio el pase de hombro[93].

El mismo procedimiento puede verse en «La urraca cruza la carretera», con la aparición explícita en este caso de los dos términos contrastados para referirse a la misma situación; el segundo resulta evidentemente irónico:

> Buenaventura Sánchez, *desde la desgana*, volviéndose boca abajo, mirando la tierra de la hormiga, de la hierba seca y rala, de la araña rubia y el bichito que la madre dice, que la abuela dice, que la tía soltera no se atreve a decir, que corta a los niños, si se les cuela, la noticia de que han de ser soldados cuando sean mayores; Buenaventura Sánchez *desde la contemplación franciscana*[94]...

— Contraste metafórico entre la realidad a la que se hace referencia y en el término con el que se designa. En «El silbo de la lechuza», las cualidades murmuradoras de las ancianas se destacan en el siguiente párrafo:

> A las siete de la tarde comenzaban deliciosas novenas para edificación del abundante beatorio, y en la penumbra y en el bisbiseo se fraguaban calumnias de alcance contra las honras aparentemente más firmes. Damas con *años de entrenamiento en el menester, y con extraordinarias aptitudes perspectivas y verbales, hacían la vivisección de la ciudad.* Solapadas, unánimes en *el conocimiento de la historia contemporánea de la población,* las damas corvinas se instituían en *cronistas anónimas* del pecado[95].

---

[91] «La fantasma de Treviño», *La Hora*, 4 de junio, 1950.
[92] «Los atentados del barrio de la Cal», *Cuentos completos 1*, cit., pág. 224.
[93] «La chica de la glorieta», *Ibíd.*, pág. 290.
[94] «La urraca cruza la carretera», *Ibíd.*, pág. 72.
[95] «El silbo de la lechuza», *Cuentos completos 2*, cit., pág. 114. Este es el procedimiento utilizado a lo largo de todas las páginas de «Amadís» o «Ave del Paraíso».

4.5.2. Funciones de la ironía

La ironía es utilizada en los cuentos de Aldecoa básicamente con cuatro funciones: crítica, despoetizadora, humorística y paródica. Tono crítico es el de «El figón de la Damiana», donde remeda el lenguaje de los informes oficiales[96]. La función despoetizadora se observa en «Chico de Madrid»:

> Él prefirió siempre la alegría de sus cotos y el croar de las ranas cuando, panza arriba, contemplaba las estrellas en las noches de verano, luminoso y santificado por las luciérnagas y llevándole el sueño las libélulas, el sueño y los picores de los piojos que olvidaba[97].

Con la descripción consigue Aldecoa un ambiente poético, refinado y soñador. El comentario último rompe ese lirirsmo nocturno al señalar la realidad prosaica y sucia de los piojos.

Del mismo modo, en «Pájaros y espantapájaros» la ironía tiene también un valor despoetizador: con un tono lírico, sueña el afilador su infancia de niño apaleado, en busca del murciélago azul que le traería la felicidad. Y acaba:

> El que debió coger el murciélago azul, en Puebla o en cualquier otra parte, según creo yo, fue mi amigo. Y el murciélago azul bien puede que fuera una americana rica con la que se casó[98].

Excepcionalmente, la ironía es amarga y dolorosa, como la que encierra el título del cuento «A ti no te enterramos», que aplicada a un tuberculoso incurable es evidentemente una dramática afirmación. Pero lo habitual es que la ironía en los cuentos de Aldecoa suponga un chispazo de humor. Por ejemplo, a los rufianes de la holgazanería que aparecen en casa de doña Pompeya como espectadores curiosos de los ensayos teatrales, se les aplica el siguiente comentario:

> Los críticos coincidían en varias cosas: en llegar bebidos, en gritar serios y adormilados «Muy bueno, muy bueno», en pedirle algún que otro duro prestado y en comer como auténticos leones[99].

Por último, la ironía se utiliza como procedimiento clave para buscar la caricatura, la risa o el absurdo. «Ave del Paraíso» es el relato en el que esta actitud es más evidente; toda la narración se basa en este procedimiento. El cuento aparece rodeado de un ambiente épico, legendario. Crea la impre-

---

[96] Cfr. *Cuentos completos 1*, cit., pág. 216.
[97] «Chico de Madrid», *Ibíd.*, pág. 348.
[98] «Pájaros y espantapájaros», *Ibíd.*, pág. 339.
[99] «El teatro íntimo de doña Pom», *La Hora*, 1 de noviembre, 1950. «Los vecinos del callejón de Andín» ofrece abundantes ejemplos en este sentido; muchos de sus párrafos se construyen precisamente en torno a la ironía.

sión —especialmente en los primeros capítulos— de estar tratando un mundo de epopeya, de personajes nobles y realidades palaciegas. La realidad es que se trata de un grupo de jóvenes vacíos, de constante vida veraniega, que viven su aburrimiento en una isla turística.

Este recurso a lo mítico lo busca Aldecoa en este cuento en los nombres con los que designa a los personajes: Barón Samedi, Señor de los Cementerios y Jefe de la legión de los Muertos, el Prevaricador, el Maestro, el Gran Barbudo el Vizconde de la Riviére du Soleil, Gudrún, el Rey, el Marqués del Norte y el Marqués del Sur...

> —Abre Rey, que soy Constantino —dijo Barón Samedi, recreándose en su nombre de emperador[100].

Pero sobre todo refiriéndose a escenas vulgares con un lenguaje de alegoría épica. Sobre la sala donde se contonean los drogadictos comenta: «la música de jazz anegaba el *templo* y en todos los *fieles* había trance y desasimiento terrenal» (pág. 332). El grupo de jóvenes pobres en el viejo Reanult sin frenos es designado como una «pequeña corte» (pág. 337); el cabecilla, «el Rey», vive en un apartamento isleño y cuando lo prepara para el party de despedida, se lee, en una mezcla de realidad y ficción, epopeya y caricatura:

> El salón de Palacio tenía sus siete lámparas encendidas. Las alfombras habían sido recogidas por los activos gentilhombres. En la chimenea brincaban esbeltas llamas acompañadas por el silbido chistulari del Marqués del Norte, ensimismado en su invernada. El Vizconde de la Riviére y el Marqués del Sur untaban de foie-gras rebanadas de pan. Isabel, sobre la gran cama del Rey, movía la oreja policiaca atenta y ladina. El Rey se rasuraba, en el abierto cuarto de baño, cantando «Adiós, pampa mía» con poderoso pulmón (pág. 356).

Su perra Isabel es citada siempre como «la fiera» —«el Rey caminaba lenta e indolentemente, seguido de su fiera» (pág. 388)—; y hasta las cicatrices de las peleas tabernarias del Rey «cantaban romances de gesta en la cobriza piel de su cara y de sus manos» (pág. 338). Cuando el Rey se pelea de noche, cerca del puerto con los tres Hermanos Homicidas, «emisarios corrían los bares de la ciudad dando la mala nueva: el Rey se ha desmandado. Tiene una trompa de espanto» (pág. 359). La pelea parece el ataque de un ejército:

---

[100] «Ave del Paraíso», *Cuentos completos 2* cit., pág. 342. Esta inclinación de Aldecoa a designar a los personajes con nombres sonoros y burlescos era en la literatura un reflejo de su carácter burlón. Cada uno de sus amigos tenía un sobrenombre que él había inventado. Así lo recuerdan ellos mismos y así lo testimonia una carta fechada en Madrid el 18 de octubre de 1954, dirigida a Juan Cortázar y Elías Aguirrezábal, donde se lee: «Deben quedar saludados, puesto que yo escribo pocas veces y pocas veces los veo, en primer lugar el honesto del Campo, en segundo lugar el Trotsky del Carabanchel Iván Balugera, en tercero los tagalos homicidas, el Barón de Musitu, Levantini el Apóstata, Durana el rebelde, a la vanguardia social de Europa, etcétera.

Se trabó el combate. La caballería ligera de los Hermanos Homicidas atacaba por las alas escaramuceante. Las tropas de asalto del centro retrocedían ante el ímpetu de las legiones del Rey. Las tropas de asalto perdieron un diente incisivo. Las legiones del Rey se lesionaron un nudillo de la mano izquierda (pág. 360).

Y después, cuando los guardias les llevan a los cuatro al calabozo, «heraldos anunciaron la detención del Rey» (pág. 360).

Se crean así dos planos: uno el de ese mundo imaginativo, habitado por reyes, gentilhombres, emisarios, barones y marqueses... Y otro, el verdaderamente real al que se refieren esos eufemismos: una panda de vagos hippies, bebedores, lascivos, desleales. Es como si el relato fuera una caricatura del mundo de la nobleza, como si el cuento desnudase la hipocresía de sus nombres —quizá de todos los nombres—, que esconden vulgaridades. Como si la narración momificase la descomposición y el derrumbamiento de esa sociedad de formas y de apariencias hipócritas que encierran sólo caprichos vulgares [101].

El lenguaje supone una combinación de tonos épicos con las más vulgares expresiones y con matices refinadamente líricos. Todo se resuelve en una parodia, en una expresiva composición irónica y burlesca:

> Los ojos de Ifigenia eran azucenas apenas podridas todavía, y los dulces e inquietantes ojos de los cabritillos bastardos pringaban de melancólicos licores las manos extrañas y acariciantes de los *beatniks* (pág. 332).
> Las calles estaban desiertas, pálidas e inquietantes.
> Emisarios corrían los bares de la ciudad dando la mala nueva: el Rey se ha desmandado. Tiene una trompa de espanto. El Rey ataca.
> El Rey daba bandazos por el muelle, desmelenado y enloquecido. La bahía era nácar y el agua apenas se frotaba gatunamente contra los machones. El Rey contempló el mar.
> —No eres un mar —gritó—, Mediterráneo de mierda, mamarracho, mariquita (pág. 359).

Observaciones similares pueden hacerse sobre el tono de parodia que presenta el relato «Amadís». Burgués comodón y perezoso, que vive del trabajo de los demás, el caballero Amadís se ha instalado en una isla. Con él su amante Genoveva y su perro «Roldán», un auténtico sabueso de raza fenicia. La historia se sitúa en la época actual pero no deja de haber comentarios que la refieren irónicamente —estableciendo un contraste de sátira— a un contexto épico:

> —Buenos días —dijo alegremente, besando a Amadís y al joven—. ¿No tenéis hambre? Esperáis que lo haga todo yo. Vamos, holgazanes, a

---

[101] Esa dicotomía de planos trae resonancias de *Un hombre que se parecía a Orestes,* de Álvaro Cunqueiro (lo mismo que el tono y el ambiente de la narración) y, por la aplicación de un lenguaje épico a realidades vulgares, de *Tiempo de silencio,* de Luis Martín Santos.

la cocina —y gesticuló e hizo muecas y frunció los labios, tiránica y mimosa, y barbilleó a Amadís.

—Los caballeros deben trabajar para las princesas.

—Sólo las princesas encantadas por magos crueles sufren la condena de la cocina —dijo Amadís sentenciosamente—. Vayamos a la cocina[102].

En el bar, «el joven vikingo que servía en el mostrador componía las bebidas mesándose, distante y huraño, las largas barbas rubias. Los cuatro jinetes de la barra del mostrador conversaban lánguidamente más atentos a la música que a sus propias palabras» (pág. 372). Después, en la sala de fiestas, cuando Genoveva y el joven amigo de Amadís van a bailar, «Genoveva sonrió al caballero. Los jóvenes partieron al combate con la sonrisa en los labios y se taracearon primero en la masa y después se confundieron en ella» (página 379). Y cuando una joven mujer le aconseja que se quede con la amante de Amadís, lo hace también con un vocabulario épico:

> —Piénsatelo bien, chico. No vayas a seguir de escudero todo el invierno (pág. 373).

La ironía se condensa también en los subtítulos con los que inicia alguna secuencia: «En la gruta psicodélica» para designar un bar de ruido, oscuridad y luces tartamudeantes; «Aventura en la mar», relato simplemente de los escarceos amorosos del amigo de Amadís y su amante Genoveva; «El caballero desciende a los infiernos», que es la bajada de Amadís a un club de baile, bullanguero, ruidoso, en tinieblas, con «un tufo acre, espeso, tibio, de establo humano» (pág. 378).

4.6. *La deformación burlesca*

El tono de ironía en el que aparecen envueltos algunos relatos es concominante a veces con la crítica o la parodia, la sátira o la burla. Surge entonces una clara actitud deformadora de los personajes y de los ambientes en los que se encuentran, que contrasta con los calificativos de objetividad, conmiseración o lirismo, tantas veces aplicados a las narraciones de Aldecoa. Sólo algunos críticos han señalado esta característica de los cuentos. Gaspar Gómez de la Serna, desde un enfoque psicologista, encuentra el origen de esta actitud en el nihilismo ideológico de Aldecoa que caracteriza a toda su generación. Ese nihilismo deja en él «un poco de amargo desencanto, de desolación y de desprecio que busca como línea noble de salida, cuando remonta la sima del resentimiento, una actitud estoica que pronto se vuelve escéptica y a veces cínica»[103]. Su «autenticidad decepcionada» se

---

[102] «Amadís», *Cuentos completos 2*, cit., págs. 371-372.
[103] Gómez de la Serna, Gaspar, *Ensayos sobre literatura social*, Madrid, Guadarrama, 1971, pág. 95.

expresa en forma de burla. Marra-López habla de una mezcla en la obra de Aldecoa de lirismo y esperpento y del abandono de la influencia barojiana por la valleinclanesca. Señala como punto de referencia el último libro de relatos publicado, que se titula *Los pájaros de Baden-Baden*[104]. José Luis Suárez Granda, insistiendo en esta misma idea, vislumbra en esta obra «el comienzo de una nueva etapa» en la narrativa de Aldecoa, que quedaría truncada por la muerte del escritor cuatro años más tarde[105].

Sin embargo, hay que señalar que no es el último libro de relatos el inicio de una nueva etapa en la producción de Ignacio Aldecoa. Abundantes rasgos deformadores y burlescos pueden encontrarse desde sus primeros escritos. «La farándula de la media legua» es el primer cuento publicado por Aldecoa, en 1948. Ya apunta en él la tendencia a la deformación. Levemente, en el ambiente de jolgorio popular y borrachera. Con mayor claridad, en la presentación de alguno de los personajes, como el administrador de aquel sucedáneo de compañía teatral, «un carcamal de boca podrida por las palabrotas y por no lavarse los dientes».

De un modo más evidente aparece la deformación con tonos esperpénticos en el segundo relato, titulado «Cuento del hombre que nació para actor»[106]. Se refleja en los siguientes aspectos:

— En el ambiente nocherniego en una tasca, con olor a tren, a aceitazo y a dejo axilar. Hasta la misma noche aparece grotesca, sucia y deformada como los personajes que la habitan; y el amanecer «blanco y sucio como de leche pasada».

— En los personajes trasnochadores, borrachos, descritos negativamente; son «estudiantes troneras en compañía de unas pelanduscas».

Los recursos de los que se sirve el narrador para su finalidad deformadora en este cuento son dos fundamentalmente: la sufijación negativa y la animalización de los personajes. Los párrafos que describen el ambiente nocturno de la churrería basan la deformación y el rechazo sobre todo en los vocablos, seleccionados intencionalmente con la acumulación de sufijos despectivos: el «olor de tren con aceitazo» y la «luz mortecina» crean un ambiente «nocherniego». Y los personajes que pueblan ese mundo constituyen «la gentualla de última hora»: tres estudiantes «troneras» con unas «pelanduscas»; uno «jovencillo», otro «pálido y ojeroso»; y con ellos un «estudiantillo de cara aniñada»; en el mostrador, dos actores borrachos, la pareja policial tomando «el mojapán madruguero» y el hombre de los carnets, con «la faz angulosa y el pelo blandón y rubiaco». Las comparaciones con animales son constantes: a los dos actores entonados «la luz mortecina los

---

[104] Cfr. Marra-López, J. R., «Lirismo y esperpento en la obra de Ignacio Aldecoa», *Ínsula*, núm. 226, septiembre, 1965, pág. 5.

[105] Cfr. Suárez Granda, J. L., «Ignacio Aldecoa: de la misericordia al esperpento», en la obra de varios autores *Estudios ofrecidos a Emilio Alarcos Llorach 3*, Universidad de Oviedo, 1978, pág. 478.

[106] Apareció publicado en la revista *Juventud* el 8 de septiembre de 1949.

atrajo como a vagas mariposas», «la pareja de los mosquetes se clareó a un rincón, como los gatos», «el sultán estudiante se desperezó en el banquillo. Las gafas le hacían a sus ojos una prisión de peces abisales». Cuando apareció el sereno «como un fantasma», se habla del «remedo de chuzo con que el sereno se autorizaba en patacojeo por el empedrado de la calzada»; y el grito del churrero detrás del mostrador es «la voz de Lucifer»[107].

Estos mismos procedimientos seguirán siendo empleados por Aldecoa en todos sus cuentos primerizos y en alguno de los relatos de madurez. Así define a la anciana hermana de la Brígida, que se acerca por la carretera hacia el pueblo:

> Terca de paso, echó a andar, con algo de pajarraco, con algo, al mismo tiempo, de quemado muñón de árbol[108].

Y en «El teatro íntimo de doña Pom» los actores de la nueva compañía teatral recién fundada aparecen como «una serie de jóvenes más preocupados de sus acicalamientos que del teatro», que, entre frase y frase, «tonteaban con aire de pájaros bobos». Uno de los zánganos que ejercía de crítico está contemplado como «un muchacho desgarbadote, almibarado, con algo de camaleón». Y los personajes que escuchan a doña Pompeya forman un conjunto de «truhanes», «bellacos», «papanatas» y «mequetrefes», «morrongos» y «tragaldabas».

Es preciso por lo tanto seguir el proceso de publicación de los cuentos para estudiar la aparición o desaparición de rasgos deformadores[109]. Destaca entonces la abundancia de estos rasgos en los primeros cuentos escritos por Aldecoa, y especialmente en algunos de ellos: «Un artista llamado faisán», «El figón de la Damiana», «El libelista Benito», «Caballo de pica», «Los vecinos del callejón de Andín». Más tarde desaparece la actitud deformadora de los personajes, en torno a los años 50, y de un modo decidido desde la publicación de «El aprendiz de cobrador», que apareció en el *Correo Literario* el 15 de noviembre de 1951. Es la etapa en que los relatos

---

[107] La comparación de estos relatos con *Luces de bohemia*, revela múltiples afinidades con los procedimientos empleados por Valle-Inclán para la deformación.

[108] «La fantasma de Treviño», *La Hora*, 4 de junio de 1950.

[109] Hay que tener en cuenta el orden de publicación de los relatos en revistas de la época; después, esos relatos formarán parte de antologías preparadas por el propio autor, que mezclan cuentos aparecidos en fechas dispares, como ya quedó señalado en el capítulo II. El estudio de la evolución de los cuentos a través de los libros en los que están incluidos puede ser, por esto, desorientador y quizá sea la causa de algunos juicios poco acertados emitidos en este sentido. Ricardo Senabre, por ejemplo, habla de «la progresiva incorporación de fórmulas valleinclanescas. Aunque hay ecos perceptibles de Valle-Inclán desde muy pronto, es a partir de 1960, aproximadamente, cuando parece afianzarse este cambio de rumbo». Senabre, Ricardo, «La obra narrativa de Ignacio Aldecoa», *Papeles de Son Armadans*, núm. CLXVI, 1970, pág. 19. Y señala como ejemplo el relato «Caballo de pica», que da el título a la antología de cuentos publicada por Aldecoa en 1961. Sin embargo, «Caballo de pica» apareció editado por primera vez, diez años antes, en la revista *Juventud*, en septiembre de 1951, y es en realidad una de sus primera publicaciones.

se llenan de preocupaciones sociales y de una actitud realista. El autor mira a su alrededor para encontrar ahí los ambientes y los personajes de sus cuentos. La técnica narrativa se acerca al objetivismo. El mundo del trabajo se convierte en el eje central de sus narraciones. La actitud solidaria del autor hacia los personajes que se esfuerzan resignados en los más diversos oficios aleja el tono de burla de los cuentos anteriores.

Sin embargo, aisladamente, surge en esta etapa la vena deformadora en algunos comentarios dispersos que dejan ver al narrador crítico de ciertos personajes y de determinadas posturas. En «La despedida» se lee el siguiente párrafo:

> La mujer mayor desaprobó la sonrisa llevándose la mano derecha a su roja, casi cárdena, pechuga, y su papada se redondeó al mismo tiempo que sus labios se afinaban y entornaba los párpados de largas y pegoteadas pestañas[110].

Los procedimientos para la deformación son los mismos que empleaba anteriormente: la utilización de un léxico animalizador (papada, pechuga) y los sufijos con valor negativo (pegoteadas).

También en «Solar del Paraíso» hay alguna caricatura de personajes y deformación grotesca:

> Pío es bajo de estatura, combado de piernas, ancho de caderas y espaldas, largo de cuello y cabezón. El cuello, que debería ser corto, por ser largo y sostener el inmenso volumen de su cabeza, le da un aspecto grotesco[111].

Y su mirada está calificada como «apostólica y socarrona, de perro perdiguero y de loro guasón».

«En el km. 400», el tabernero Salvador aparece descrito del siguiente modo:

> Salvador nunca tenía buen humor. Era pequeño, flaquito, calvorota, con el ojo derecho regañado. Decía muchas palabras mal sonantes. Prestaba la misma sumisión a los camioneros que el perro suelto, que el perro cien padres al que le da el pan. A veces enseñaba los dientes y gruñía por bajo[112].

La degradación del personaje se acentúa más aún en el caso de su mujer:

> Salvador se había casado con su criada, que era un medio esperpento resignado, a la que galantemente llamaba «la yegua». Cuando la echaba para la cocina chasqueada la lengua: «Chac, chac, a la cuadra, maja, a la cuadra, yegua» (págs. 80-81).

---

[110] «La despedida», *Cuentos completos 1*, cit., pág. 414.
[111] «Solar del Paraíso», *Cuentos completos 2*, cit., pág. 232.

Por lo tanto, ni siquiera en estos primeros cuentos testimoniales, claramente realistas, hay una desaparición total del tono de burla y de la actitud deformadora de los personajes. Se mantiene latente en esta larga etapa del realismo —con alguna mínima aparición dispersa— y vuelve a resurgir en 1965, con la publicación de *Los pájaros de Baden-Baden*. Este libro no inicia una tendencia nueva. Lo que hace es reforzar con una intensidad mayor, procedimientos que ya quedaban claramente apuntados —como hemos visto— desde los primeros cuentos.

El rasgo más significativo de tres, de los cuatro relatos que componen esta obra, es precisamente éste: la deformación a la que están sometidos los protagonistas, con inclinaciones que recuerdan el esperpento[113]. Este es el cuadro que describe del café donde «un buitre ha hecho su nido»:

> Las cristaleras del café siempre estaban sucias y la luz de la glorieta, agria y escenográfica, se filtraba a través de ellas con matices de recuelo. El viejo camarero arterioesclerótico arrastraba la pierna mala como cosa ajena a su persona e iba de mesa en mesa, frágil, doméstico, temblante y arácnido. Bufaba la máquina exprés; cantiñeaba el aburrido cerillero; la señora de los servicios cultivaba sus emociones leyendo una novela de amor; el chicharreo de la llamada del teléfono no era atendido; esputaban en sus pañuelos, y por turno, los cinco viejos del friso de la tertulia de fondo; bajaba el cura jugador las escaleras de la timba; componía un melindre la pájara pinta timándose con un señor solitario y de mirada huidiza; el renegrido limpia tenía un vivaz sátiro bajo la roña, el betún y la piel, y no se perdía detalle, desde su ras, sacando lustre a los zapatos de una *vedette* del «Maravillas». En los grandes y mágicos espejos había salones hasta la angostura del infinito y la perspectiva de las lámparas reflejadas era una pesadilla surreal[114].

Este cuadro general de los personajes que constituyen el trasfondo de la historia es idéntico a los rasgos individualizadores de los protagonistas. También estos aparecen burlonamente deformados, para reformar un panorama más cercano al esperpento que a la crónica realista. El viejales aficionado al póker siempre es denominado como caballo percherón:

> El percherón entró en el café tascando su veguero. El párpado superior derecho se le derramaba sobre el ojo congestionado, la calva le brillaba de digestión y lociones y la ahíta panza turgente le tironeaba la bragueta de alta pretina (pág. 101).

---

[112] «En el Km. 400», *Cuentos completos 1*, cit., pág. 80.

[113] La única excepción es el cuento que da título al conjunto, «Los pájaros de Baden-Baden», donde se emplea la técnica del realismo para reflejar la soledad de Elisa. Sólo aisladamente aparece algún rasgo deformador disperso: uno de los camareros camina «como una oca», y el tabernero «tenía derramadas las mejillas sobre la quijada y parecía un perro, feo y enfermo». Cfr. *Cuentos completos 2*, cit., págs. 320 y 325.

[114] «Un buitre ha hecho su nido en el café», *Ibíd.*, pág. 99.

El detalle del párpado fláccido y el ojo viscoso reaparece continuamente como un rasgo significativo de caricatura burlona:

> El percherón perdía verdes, perdía puntería en los envidos y el ojo reventón, bajo la persiana del párpado, se le blandecía de humores (página 105).

En «El silbo de la lechuza» —el segundo cuento de los que integran este libro— la caricatura y la deformación grotesca de la realidad se expresan mediante detalles de comportamientos ridículos: la sociedad investigadora de las ancianas, el sometimiento de Cayetano, el noviazgo de éste e Isabelita, las chiquilladas de las fuerzas vivas de la ciudad. La tragedia —la locura de Juan Alegre— se mezcla con la comedia y lo grotesco con lo absurdo. Los personajes son caricaturas. A esta ridiculización contribuyen las metáforas degradatorias y la continua referencia animalizadora de los protagonistas: las tres ancianas forman un aquelarre de brujerío en sus reuniones de murmuración[115] y son denominadas como lechuzas por su actitud curiosona (págs. 113 y 114). Después en muchos comentarios los personajes aparecen emparentados con animales:

> Doña Lucía se puso en pie y su figura de mariscala, con los prismáticos en la mano, tenía algo de la atenta husma del podenco en el rastro (pág. 131).

> A las siete de la tarde novios nictálopes encontraban acomodo en las últimas filas de los cines, mientras en las primeras tosían y expectoraban sólidos burgueses en compañía de sus elefantas (pág. 115).

Don Asensio está descrito en una actitud cobarde, cuando se encoge en la tertulia *como una vulpeja* (pág. 124); ante su novio Tano, Isabelita sonríe «encantada, hipnotizada, moviendo la cabeza *como una cobra*» (pág. 138); y en el salón de billares don Luis Arriculea aparece «en chaleco escocés, con las mangas de la camisa ligeramente recogidas mostrando *el vello jabalino* de los brazos» (pág. 140).

Por último, «Ave del Paraíso» manifiesta también una decidida inclinación hacia lo grotesco. Así lo advierte el autor antes de iniciar el relato:

> Los personajes de esta historia nada tienen que ver con personas de la vida real. Pertenecen a un mundo alegre y siniestro, híbrido de opereta y guiñol. Lo que aquí se cuenta es solamente un disparate[116].

Después, en la presentación de cada uno de los personajes, se ensaña en destacar los rasgos más caricaturescos y en describir gestos y actitudes que animalizan a los protagonistas:

---

[115] Cfr. «El silbo de la lechuza», *Ibíd.*, págs. 115 y ss.
[116] «Ave del Paraíso», *Ibíd.*, pág. 330.

El Gran Barbudo movía la testa, como un asno de noria, llevando el ritmo. Sus grandes manos de cerámica estaban expuestas sobre el mostrador (pág. 332).

Para representar toda la barahúnda de drogadictos que bailan en la sala, Aldecoa los identifica con hormigas: «Babel había enmudecido y era una sucesión de lentos ademanes y ceremonias de hormigas mandarinas» (página 332).

Barón Samedi aparece descrito así:

> Tenía cabeza de mosca a miles de aumentos. Se atusó, coqueta e impertinentemente, el lacio bigote mongólico con los índices. La lividez de su piel parecía maquillaje. Con un leve tacto en el arco de los anteojos de verdosos cristales se dispuso a dictar el pedido. El belfo libador se le humedecía concupiscente. Chasqueó su voz de muñeco de ventrílocuo precisa, pedante y absurda (pág. 333).

No emplea sólo la comparación animalizadora; también la aplicación tajante de adjetivos claramente deformadores, que señalan cualidades negativas grotescas: más adelante se dirá de él que «sin gafas parecía un gorrión frito» (pág. 346).

El Rey aparece con «rostro de aguilota, de mascarón de barco» (página 338); el Prevaricador ríe «con la estulta risa de costumbre» (pág. 345); «el Vizconde de la Riviére asentía con su cabeza de chorlito minimizada por un sombrero tirolés» (pág. 349); la Barona Cokctail, en su afán por encontrar amantes, «movía sus ojos camaleónicos buscando mosquitas» (página 358); y en la sala de los drogadictos, «los dulces e inquietantes ojos de los cabritillos bastardos pringaban de melancólicos licores las manos extrañas y acariciantes de los *beatniks*» (pág. 332).

La degradación llega al máximo en la descripción de uno de los muchachos que aparecen en el cuento. Este es progresivamente asimilado a una escala inferior de los seres que existen, hasta asemejarlo a un mineral:

> Al Gran Barbudo le gustaba el muchacho de los andrajos, que tenía algo de pescador mendigo y algo de animalillo irremisiblemente perdido y un poco de enredoso arbusto y otro poco de mineral noble y ensuciado (pág. 332).

Como conclusión, cabe aventurar que Aldecoa, cuando la literatura realista iniciaba su declive en la novela de posguerra, es probable que se hubiera desviado hacia otros modos de narrar, si la muerte temprana no hubiera puesto fin a su carrera. En este sentido, *Los pájaros de Baden-Baden* supondría el inicio de esta tendencia, no como una absoluta novedad, sino como una intensificación de los rasgos quevedescos y esperpénticos que aparecían en sus primeras historias y que fueron después anulados por la actitud testimonial y objetiva del realismo.

4.6.1. La sátira de Aldecoa: entre la burla y el esperpento

En todos los cuentos que he citado en los que aparece una tendencia a la deformación de los personajes, está presente una actitud crítica. Pero esta crítica no alcanza los tonos punzantes de las sátiras quevedescas, autor al que Aldecoa admiraba y que sin duda influyó en su modo de narrar. Tampoco manifiesta los tonos de desgarro ni la radical deformación del esperpento de Valle-Inclán. La burla acaba imponiéndose por encima de todo.

El humor es, en este contexto, el elemento clave empleado por Aldecoa para atemperar la crítica, rebajar el tono satírico y convertir el esperpento en una burla socarrona. Esta visión burlesca con intenciones de comicidad podemos comprobarla en cualquiera de los ejemplos citados. Lo analizaré en dos ejemplos representativos: en el primero con la misión de eliminar acritud a la sátira; en el segundo para mitigar la tragedia existencial de los personajes.

La visión de las dos Españas aparece desdramatizada en la caricatura de «El libelista Benito». El tono de comicidad se impone desde los primeros párrafos mediante la enumeración caótica y la presentación grotesca de los personajes:

> Benito era áspero, borrachín y algo calvo. Su señora tenía buen talante y manías espiritistas. Ambos se lavaban muy de tarde en tarde, y por esto olían a cañería. (...) El loco Benito se levantó muy despacio, se desperezó como un gato y se sumergió por una puerta con cristales empapelados de colorines en el oscuro taller. Su mujer sonrió con su carota de ubre de vaca suiza[117].

Después se dirá de Benito que «se creía un hombre ilustrado; era de oficio más bien vago que impresor» (pág. 321); y la mujer «nalgeante, briosa, percherona» (pág. 324), aparece como «desgreñada y maternal» (pág. 328).

El humor se convierte en un elemento fundamental del relato. Está buscado en la deformación caricaturesca de los personajes. Pero también en otros recursos:

— En sus actividades ridículas:

> Se dedicaba al humorismo, recogiendo chistes, chascarrillos y acertijos, que luego titulaba «El libro de los mejores ratos» o «Los mil motivos que tiene el hombre para no casarse» o «El tesoro del piropeador», que era su obra principal (pág. 322).

— En las conversaciones con motivos de hilaridad:

---

[117] «El libelista Benito», *Cuentos completos 1,* cit., págs. 320 y 321.

—Matilde, que nos queman el templo de la Libertad.

—¿Qué dices?

—¡Que nos lo queman, Matilde! Habrá revolución; así no se puede seguir. ¡Cómo viene hoy el periódico! De horror, Matilde.

A Matilde le importaba el templo de la Libertad muy poco, lo que le interesaba de verdad era la comida, la chismorrería vecinal, la jaula de sus canarios tomando el sol en el ventanuco de las macetas y el ir algún día al teatro para reírse de lo lindo y tomarse un chocolatito con churros a la salida.

—Cállate, Benito, que a ti ni te va ni te viene.

—Pero esto es coartar al individuo. El individuo es sagrado. El individuo es lo primero.

—¡Menudo individuo estás tú hecho! Deja el periódico y vuelve al oráculo.

—Matilde, tú no eres liberal, tú eres de la Dictadura, tú y tus amigas no sois las mujeres del Dos de Mayo.

—¡Ni falta que nos hace, y a ver si dejas a mis amigas en paz o hay hule! (pág. 323).

—Y en las situaciones:

Benito entró dando bandazos y cantando la Marsellesa. De pronto se congeló. Su mujer repasaba calcetines, arrimada a la mesa camilla. Benito quiso pasar disimulado y se fue hacia la puerta del taller. Su mujer lo paró en seco.

—¿Qué tal la defensa del templo de la libertad, Benito?

La voz tenía un áspero retintín, que le daba calambres en el cogote.

—Muy bien, Matilde —balbuceó.

Matilde cabeceaba, afirmativa.

—De modo que muy bien, ¿eh?

Quiso recuperar la calma transformándose de pronto y sacando un horroroso vozarrón.

—Matilde, me voy a trabajar, déjame en paz. Tengo que arreglar el oráculo.

Benito perdió tantas fuerzas en este largo discurso, se quedó tan desinflado, que dio un bandazo y se fue contra el anaquel (pág. 327).

En cualquier caso, la triste situación española que se adivina en el cuento queda convertida en una burla festiva y el esperpento amargo se desdramatiza en situaciones de humor.

En «El figón de la Damiana», cuando el autor pretende definir a los personajes o consignar un rasgo de su figura o de su carácter, acude fundamentalmente a elementos animalizadores: los dos exsoldados borrachines, que viven a pupilo, «tenían miedo de acabar la juerga en los bancos públicos, con las costillas calientes y el *morro* frío»[118]. Cuando se habla de ellos aparecen como «tunantes», «picarones», «borrachines»; de «la Damiana» se

---

[118] «El figón de la Damiana», *Ibíd.*, pág. 214.

dice que «a veces se le inflaba la sotabarba como a una culebra» (pág. 214); pero en el fondo se enternecía ante ellos, porque «eran los dos únicos animales fieles que le quedaban» (pág. 217).

El ambiente deformado y grotesco de la tabernucha, donde viven entre alcohol unos hombres absurdos, tiene muchos rasgos esperpénticos. El sinsentido se resalta mediante la deformación de los personajes, el ambiente y las acciones. Cuando surge la tragedia, el expresionismo de lo tremendo adquiere modulaciones tremendistas:

> Aquella noche ahorcaron al gato. El ojo sano se le saltó de la órbita, los pelos del lomo se le erizaron y los del bigote, que mojara en sangre de mendigo, se le cayeron lacios, dándole un aspecto raro de chino mandarín (pág. 217).

El cuento se envuelve en un tono de romance trágico: por el predominio de la acción, por el ambiente y los personajes dramáticos, por el trasfondo de tragedia y por el asunto, mezcla de riñas, muerte, asesinato y borracheras. En este contexto, los comentarios de humor que cierran algunos párrafos contribuyen a restar aspereza a la cruda realidad descrita. La tragedia existencial de los personajes aparece humanizada con tonos compasivos para «los dos viejos exsoldados, quebrados, borrachines, y allá en el fondo, buenos» (pág. 217). La deformación no es radical; la sátira no se hace amarga; la protesta se sitúa entre la burla y el esperpento.

5. El lenguaje popular

En los epígrafes anteriores de este capítulo he analizado cómo se manifiesta en los cuentos de Aldecoa su actitud esteticista. Sin embargo, la preocupación por la retórica del lenguaje no desemboca en los cuentos en un esteticismo vacío, en una pura recreación en la palabra, en una artificiosa elaboración formal. La sensación de vida que transmiten las narraciones, lejos de toda apariencia ficticia, es una de sus características más importantes. Y en este sentido la recreación del lenguaje coloquial cobra un papel muy destacado. Se produce entonces en los cuentos de Aldecoa una síntesis entre el lenguaje de la expresión culta y retórica y el lenguaje popular. Hasta ahora he analizado los recursos que utiliza para aquél; en este capítulo estudiaré los aspectos del lenguaje hablado que entran a formar parte de los cuentos. En ellos los personajes se expresan con las fórmulas habituales del lenguaje coloquial. Todas las características de éste en los diversos niveles de la lengua pueden testimoniarse con abundantes ejemplos. Aquí me limitaré a constatar, esquematizada, una selección de estos fenómenos en el plano fonético, gramatical y léxico.

5.1. Por lo que se refiere a la reproducción de fenómenos fónicos incorrectos propios del habla coloquial, en los relatos de Aldecoa se encuentran sobre todo algunos ejemplos de la supresión de determinados sonidos. Especialmente la [d] intervocálica del participio de pasado:

> —El que ha sido *se ha largao* a los vagones (...) Está *acabao*.
> —Estoy roto, roto, *amolao*, bien *amolao*[119].

También puede encontrarse la supresión de algún otro sonido consonántico («El cojitranco éste que se pringaba en un *reló*[120]; la pronunciación relajada de ciertas formas, como el yeísmo: *«caya* que ustedes...»[121]; o la confusión de consonantes:

> —Un *cafelito*, niño —dijo la chica[122].

5. 2. Los fenómenos gramaticales son más abundantes y reflejan una mayor variedad de casos. Algunos de los empleados con más frecuencia en los cuentos son los siguientes:

— El femenino popular: El uso hablado tiende a dotar de moción femenina a formas que no la poseen o a emplear el femenino en un contexto que exige otro género:

> —Dejaros ahora de discusiones, que siempre hacéis *la misma*[123].

— Empleo abundante del diminitivo con valor afectivo, tanto en adjetivos, como en nombres propios y comunes:

> —*Pobrecito*, tan joven (...).
> —*Miguelito*, que te va a hacer daño (...).
> —Mi esposo y una servidora, que entonces era una *chiquilla*[124].

— Uso de los adverbios de lugar en las fórmulas de presentación:

> —*Aquí*, mi señora y yo, somos del teatro[125].

— Elipsis de un elemento gramatical básico en la oración (sintagma nominal o verbal), que se da por sobreentendido:

> —¿Hermanas gemelas? (...)
> —¿Tú por aquí?[126].

---

[119] *Ibíd.*, pág. 215; «En el Km. 400», *Ibíd.*, pág. 78.
[120] «Chico de Madrid», *Ibíd.*, pág. 351.
[121] «El loro antillano», *La Hora*, 30 de abril, 1950.
[122] «La chica de la glorieta», *Cuentos completos 1*, cit., pág. 289.
[123] «Los atentados del barrio de la Cal», *Ibíd.*, pág. 226.
[124] «Cuento del hombre que nació para actor», *Juventud*, 8 de septiembre, 1949.
[125] *Ibíd.*
[126] «La fantasma de Treviño», *La Hora*, 4 de junio, 1950.

— Abundancia de oraciones exclamativas:

> —¡Que vengas! (...).
> —Mamarracho, ¡a casa![127].

— Predominio de las construcciones paratácticas y de la yuxtaposición:

> —¡Que cosas tienes! ¿Cómo le voy a conocer? Siempre estás igual[128].

— Sintaxis, en conjunto, entrecortada, mediante anacolutos, frases sin acabar, elipsis, palabras que se sobreentienden por un gesto, una expresión o un signo:

> —¿Anís, yo...? —frunció los labios desdeñosamente—. A mí la bebida, nada... ¡Cuándo he bebido yo! ¿Me has visto tú...? Tienen que suceder muchas cosas para que yo tome licores...
> —Vayan cerrando —ordenó el dueño.
> — ... La Navidad pasada, a la Paquita y a mí, un señor nos regaló unas botellas... Ni por decir que lo había probado... A mí, la bebida, nada... La Paquita las liquidó con su novio... Lo que es yo... Ni al comer, fíjate... Menos que un gato... Aunque, eso sí, nunca me falta un bistec para almorzar y mi jamón para la noche... Aunque lo mismo me da: con una ensalada o un gazpacho estoy servida... Yo lo que necesito —dijo cargando de énfasis las palabras— es dinerito, niño; dinerito para mi hija y para mí, y que se hunda el mundo o le caiga una bomba de esas en la misma moña... A mí... mucho de esto[129]...

5. 3. Los aspectos léxicos son los más productivos para caracterizar el lenguaje diario con el que se expresan los personajes de los cuentos. Los recursos que utiliza Aldecoa en este sentido son muy variados:

— Empleo de verbos y sustantivos en su acepción familiar:

> —(...) Venga, menos historias y *arreando*.
> —Se lo gasta por ahí en... *francachelas*.
> —Un día nos vamos monte abajo con todo *el percal*[130].

— Hipocorismos de nombres propios y comunes:

> —Vosotros tenéis demasiada ventaja ¿Eh, *Alde*?
> —Coche, viajes a *San Sebas* y semanas grandes por aquí y por allá.
> —Peor para ti. Te ibas a ganar tres pesetas de *propi*[131].

---

[127] «El libelista Benito», *Cuentos completos 1*, cit., págs. 320 y 324.
[128] «Crónica de los novios del ferial», *Ibíd.*, pág. 108.
[129] «La chica de la glorieta», *Ibíd.*, págs. 289-290.
[130] «Los bienaventurados», *Ibíd.*, pág. 240; «Maese Zaragosí y Aldecoa, su huésped», *Ibíd.*, pág. 307; «Santa Olaja de acero», *Cuentos completos 2*, cit., pág. 16.
[131] «Aldecoa se burla», *Cuentos completos 1*, cit., pág. 362; «El silbo de la lechuza», *Cuentos completos 2*, cit., pág. 141; «Un buitre ha hecho su nido en el café», *Ibíd.*, pág. 105.

— Fórmulas de humildad en sustitución de pronombres personales:

—Mi esposo y *una servidora*[132].

— Reproches populares:

—¿No tendrá un cigarro?
—*Un cuerno*[133].

— Eufemismos: Tanto en fórmulas de insulto:

—El muy ladrón, *el hijo de...*
—¿Y quién ha sido el *c. ...* que te ha dicho eso?[134].

como en la designación de acciones ilícitas:

Una vez lo pillaron *distrayendo* fruta en el mercado[135].

estados de embriaguez:

Por las trazas ambos estaban *ajumados.*
—(...) Me han dicho que ayer tarde te mareaste —hacía un alto—.
¿Se dice *marearse* o *estar como una cuba*[136].

funciones fisiológicas:

Estaba prohibido, bajo multa de cinco pesetas, *hacer aguas.*
—*Me cisco y me recisco*[137].

o al nombrar la muerte:

El buen «Chico» *estaba en las últimas.*
La vida hay que gozarla, porque luego *se te para el reloj* y te entierran.
Te descuidas y te vas con una pulmonía al *cortijo de los callaos*[138].

— Uso de fórmulas populares expresivas:

—¿*Estiraste el zancajo* (refiriéndose a la muerte) *o tomaste distancia y te confundieron?*

---

[132] «Cuento del hombre que nació para actor», *Juventud,* 8 de septiembre, 1949.
[133] *Ibíd.*
[134] «El mercado», *Cuentos completos 2,* cit., págs. 199 y 207.
[135] «Los bienaventurados», *Cuentos completos 1,* cit., pág. 232.
[136] «Ave del Paríso», *Cuentos completos 2,* cit., pág. 334; «Los vecinos del callejón de Andín», *Ibíd.,* pág. 153.
[137] *Ibíd.,* pág. 149; «Rol del ocaso», *Cuentos completos 1,* cit., pág. 58.
[138] «Chico de Madrid», *Ibíd.,* pág. 353; «Los bienaventurados», *Ibíd.,* pág. 234; «Los vecinos del callejón de Andín», *Cuentos completos 2,* cit., pág. 169.

—Bueno, dinos de una vez lo que ha pasado, si sabes hablar, *que no estamos para ir de pesca.*
—A ése, mi teniente, *no le zurcen los médicos.* Está acabao.
—A la trena, y *los amansas si se sienten gallos*[139].

— Modismos:

—*Márchese con la música a otra parte.*
—Voy a acabar con sus estupideces y faltas de disciplina *en un santiamén.*
—*Está más visto que Carruca*[140].

— Refranes:

—A quien madruga, Dios le ayuda.
—Cuando el río suena agua lleva[141].

Lo normal es que los diversos procedimientos citados ordenadamente hasta aquí aparezcan entremezclados en la conversación de los personajes. El diálogo gana entonces en valores expresivos y en fuerza de realidad. La función que desempeñan en conjunto estas características fonéticas, gramaticales o léxicas es la caracterización adecuada de los protagonistas del cuento. Así se expresa, por ejemplo, «la Damiana», en un párrafo que acumula varios de los procedimientos citados hasta aquí:

> —Se le salió la mala ralea —decía— al demonio del Fulgencio. Estaban con la baraja y el otro iba ganado. Le mentó la madre en una sota y se armó el San Quintín. Ni me dieron tiempo. Se pusieron a mayores, antes de que se adivinase algo. Por bajo la mesa, sin decir oste ni moste, le dio de costadillo. Ya se largaba para cuando yo salté. En cuanto los dos más que estaban bebiendo se dieron cuenta, salieron de naja y me quedé con el finado y sin saber qué hacer. Luego que salí a buscar la pareja llegaron ésos —y señalaba la cocina— para estropearlo más[142].

5.4. Entre los rasgos del lenguaje coloquial que reproducen los cuentos es destacable la incidencia mínima de formas dialectales y de fórmulas pertenecientes a las jergas lingüísticas. Solamente algunos andalucismos pue-

---

[139] «La fantasma de Treviño», *La Hora,* 4 de junio, 1950; «El figón de la Damiana», *Cuentos completos 1,* cit., pág. 215; «Chico de Madrid», *Ibíd.,* pág. 351.

[140] «Solar del Paraíso», *Cuentos completos 2,* cit., pág. 253; «Patio de armas», *Ibíd.,* pág. 294; «Los vecinos del callejón de Andín», *Ibíd.,* pág. 156.

[141] «El diablo en el cuerpo», *Cuentos completos 1,* cit., pág. 187; «Fuera de juego», *Ibíd.,* página 174.

[142] «El figón de la Damiana», *Ibíd.,* pág. 216. Véase en este sentido la caracterización de los ferroviarios Higinio y Mendaña a través de sus conversaciones, en el estudio de Esteban Soler, Hipólito, «Estructura y sentido de Santa Olaja de acero», *Ignacio Aldecoa. A Collection of Critical Essays,* cit., pág. 88.

den registrarse con cierta frecuencia, la mayoría de los cuales están ya generalizados en el habla popular. «Caballo de pica», por ejemplo, es un relato que se basa fundamentalmente èn el diálogo y transcurre en un ambiente andaluz. Sin embargo apenas imita la conversación popular andaluza, mas que en algún rasgo aislado:

— Fonético: —*Manoliyo* (pág. 120).
— Gramatical: Aquí me *tenéis ustedes* (pág. 123).
— O léxico: —¿Qué sabes tú de eso y de cómo te parieron, lila? (página 120).
               —Medio *tupi* (pág. 121).
               —¡Olé el *rumbo*! (pág. 123).

El origen vasco del escritor explica la presencia de algunos términos procedentes del euskera. Por ejemplo, en la despedida de los camioneros que transportan pescado desde el Cantábrico hasta Madrid, se lee:

Martinicorena hizo un gesto con la cabeza.
—*Agur.*
—*Agur.*
Luisón y Anchorena comían en silencio[143].

En algún relato podemos encontrar también los términos «pelotari» o «chistulari»[144] y nada más.

Por lo que se refiere a lenguajes especiales, ya he señalado la exactitud técnica con la que Aldecoa designa los aparejos y las faenas de los diversos oficios. También ha quedado apuntado cómo la incidencia de este lenguaje profesional se refleja sobre todo en el plano léxico y la importancia fundamental en los cuentos de la terminología marinera[145].

El caló constituye también fuente léxica destacable en alguno de los cuentos, sin alcanzar nunca la importancia que este lenguaje cobra en su novela *Con el viento solano*. Incluso en alguna narración centrada en ambiente gitano, como «La humilde vida de Sebastián Zafra», los personajes no se expresan apenas con rasgos del habla caló. Emplean modos de decir populares, pero ni la fonética ni las construcciones gramaticales ni el vocabulario reflejan una conversación coloquial estrictamente gitana. De todos modos, los términos del caló registrados en los cuentos pertenecen en su mayoría al lenguaje popular; son por eso los más frecuentes y los menos originales:

---

[143] «En el Km. 400», *Cuentos completos 1*, cit., pág. 79.
[144] Cfr. *Ibíd.*, pág. 78; «Ave del Paraíso», *Cuentos completos 2*, cit., pág. 356.
[145] Cfr. el apartado 4.1. de este capítulo: «Precisión de vocabulario.» Téngase en cuenta también que este lenguaje marinero forma uno de los aspectos fundamentales de sus novelas *Gran Sol* y *Parte de una historia*.

—(...) beber has bebido; se te nota *albán* (aliento).
—Hoy no puedo, tengo al *bato* enfermo (padre).
—Dentro de dos semanas al *currelo* (trabajo).
Hicieron una redada y se llevaron a los hombres al *estaribel* (cárcel)[146].

Otros gitanismos de los cuentos son mucho más vulgares, quizá introducidos en el habla popular a través del andaluz: *gachó, gachí, chavea, chaval*[147].
5. 6. Hasta aquí he señalado la recreación del lenguaje coloquial en la conversación de los personajes y su función caracterizadora, realista y expresiva. Es preciso señalar también la existencia de fórmulas propias del lenguaje popular en los párrafos de la narración. Al principio esas fórmulas están utilizadas con menos tino y dan idea de falta de recursos expresivos, en el contexto en el que se encuentran:

> Y ahora *para colmo le había tocado en suerte un capitán sin freno,* capaz de ahorcar de una verga, por *un quitame allá esas pajas,* a cualquiera de sus subordinados. (...) El maestro carpintero que le dio forma era un buen hombre, pero *le había hecho la`pascua.* El hubiera preferido estar integrando una viga en una buena taberna del norte de Francia y oír las aventuras de las gentes, que *andar metido en aquellos trotes.* (...) El capitán que mandaba la nave era *un hombre de armas tomar,* como antes queda dicho, *no se andaba con chiquitas* y se metía en toda clase de negocios que le pudieran dar buen resultado económico[148].

El relato adquiere entonces tonos conversacionales que le acercan a la narración oral. Otros elementos pueden contribuir también a este acercamiento: la presencia del narrador, el interés fundamental y casi exclusivo de la historia que se narra, la sencillez del lenguaje en su conjunto[149].
Pero estas expresiones de uso ordinario utilizadas en la narración, no son exclusivas de sus primeros cuentos. En 1953, cuando Ignacio Aldecoa había publicado más de treinta relatos, podemos encontrar abundantes ejemplos de este estilo:

> El chamizo completa el paisaje. Es también *punto y aparte en cuestiones de construcción* (pág. 230).

> Un hombre que no va a la barbería el importante día en que hace los cincuenta y nueve y convida, no es *un hombre como Dios manda (y no es un decir)* (pág. 232).

---

[146] «La humilde vida de Sebastián Zafra», *Cuentos completos 2,* cit., pág. 265; «Vísperas del silencio», *Ibíd.,* pág. 72; «Los atentados del barrio de la Cal», *Cuentos completos 1,* cit., págs. 230 y 226.
[147] Cfr. «Crónica de los novios del ferial», *Cuentos completos 1,* cit., págs. 108 y 110; «El autobús de las 7,40», *Ibíd.,* pág. 251; «La urraca cruza la carretera», *Ibíd.,* pág. 71.
[148] «Biografía de un mascarón de proa», *Revista de pedagogía* (censurado), 9 de julio, 1951. El subrayado es mío.
[149] Véanse también estos rasgos en «Los atentados del barrio de la Cal» y «Los bisoñés de don Ramón».

Tales expresiones no están exentas de cierta ironía y de un tono divertido y burlón. Y en todos los casos contribuyen a dotar al texto de vivacidad expresiva:

> A las siete de la tarde comenzaban los pregones de los periodistas. El diario *carcunda* y el algo menos tenían controversia desde los principios de septiembre. La ciudad se divertía con la polémica, y en el Casino Militar y Mercantil se había dado el *escándalo hache* al ser abofeteado uno de sus brillantes actores por un empedernido jugador de póker que *era alguien* en la Audiencia. La controversia discurría por los barrocos y deshonestos cauces del *trapo sucio* flameante y la *zancadilla de tercera división,* que es la zancadilla de *descrismarse* para a continuación ser pateado, como los pámpanos en el lagar, *hasta el acabóse* (pág. 114).

6. Conclusión

La preocupación por el lenguaje en los cuentos de Aldecoa se manifiesta en un doble sentido: en la búsqueda de la exactitud verbal y en el esfuerzo por destacar los valores expresivos de la lengua. En los relatos importa mucho más este segundo aspecto, de acuerdo con lo que el propio Aldecoa se proponía: «Fundamentalmente lo que me interesa del idioma es su expresividad. También su exactitud. Pero sacrificaría la exactitud a la expresividad»[150]. Esta se manifiesta sobre todo a través de los recursos retóricos, la tendencia a la deformación y la reproducción exacta del lenguaje coloquial.

Los recursos retóricos aparecen en todos los planos de la lengua. En el plano fónico (onomatopeyas y construcciones rítmicas), morfosintáctico (anáforas, paralelismos y demás recursos basados en la reiteración) y léxico (metáforas, personificaciones, perífrasis... y especialmente imágenes simbólicas, que destacan como uno de los recursos fundamentales de su prosa).

Los procedimientos empleados en los relatos para la deformación burlesca son fundamentalmente dos: la animalización de los personajes y la abundancia de sufijos despectivos para resaltar lo grotesco. De este modo la derivación se convierte en uno de los medios más productivos para la creación de nuevas voces. La deformación nunca llega hasta el esperpento deshumanizado o la sátira amarga; el humor y la ironía amable moderan la crítica y la convierten en una burla socarrona.

El lenguaje popular, que aparece reproducido con exactitud en los diálogos, destaca el realismo de la escena y la vivacidad expresiva del texto.

Los recursos retóricos y las fórmulas burlescas manifiestan una clara actitud subjetiva del escritor ante la materia narrativa, que contrasta con el objetivismo de los diálogos. Se produce así una basculación constante en los relatos entre el objetivismo y la subjetividad.

Por último, hay que señalar la existencia de un proceso evolutivo en la expresión lingüística de Aldecoa. Esta se inicia con una clara actitud retórica, con abundancia de rasgos subjetivos, cercanos a la burla quevedesca. En la etapa de la literatura realista, predomina el objetivismo y la concisión; la tendencia deformadora es sustituida por la conmiseración hacia los personajes. Finalmente, cuando la literatura realista inicia su declive, Aldecoa —que no evoluciona hacia el experimentalismo del lenguaje— intensifica los rasgos subjetivos y deformadores que aparecían en las primeras narraciones. Esta trayectoria fue interrumpida por la muerte, cuando Aldecoa tenía tan sólo cuarenta y cuatro años.

---

[150] Roig, Rosendo, «Diálogo con Ignacio Aldecoa», *Las Provincias,* Valencia, 10 de noviembre, 1968.

Conclusiones

Ignacio Aldecoa es uno de los autores más destacados del neorrealismo. Su carácter, que supone una mezcla de vitalismo y fatalidad, los presupuestos nihilistas y escépticos de su ideología, el ambiente desamparado de la posguerra y las corrientes existencialistas dominantes, favorecieron el *predominio de los temas existenciales* en sus relatos.

De este modo, *el desvalimiento del hombre* se convierte en el núcleo temático de los cuentos de Aldecoa. La vida en todos ellos aparece dura y esforzada; el hombre, incapaz de superar sus condicionamientos (la enfermedad, la pobreza, el destino o la muerte). La actitud fundamental de los personajes es entonces *la resignación.* Los cuentos manifiestan en la mayoría de los casos un trasfondo de estoicismo resignado y doliente.

El desamparo de la vida humana se manifiesta fundamentalmente a través de los siguientes temas: la soledad, la espera y la muerte. *La soledad* no adquiere valores de romanticismo poético sino de drama personal. *La espera,* desprovista de contenido, sin angustia ni rebeldía, se convierte en una paciente y escéptica aceptación del final. *La muerte,* una de las obsesiones de Aldecoa, aparece como un puro azar cerrado a toda trascendencia, ante el que no cabe otra actitud que la resignación.

Esta postura elimina de los cuentos la angustia y cualquier grito de rebeldía, y los aleja de la literatura del absurdo. Cuando éste aparece es sobre todo con una función jocosa. No es, por lo tanto, el de Aldecoa un existencialismo angustioso, sino más bien un *estoicismo resignado.*

El fondo existencial de los cuentos no tiene un carácter cerrado, sino que está abierto a la sociedad. Las condiciones socio-políticas del momento y las preocupaciones dominantes en el ambiente literario por el entorno impulsaron *una literatura decididamente testimonial.* Los cuentos de Aldecoa se convirtieron en su conjunto en un testimonio de la época que vivió.

En este contexto, Ignacio Aldecoa se sitúa *en la vanguardia de la literatura social* entendida como testimonio, sin dependencia política alguna. Algunos de sus cuentos se adelantaron con el behaviorismo a novelas que son citadas habitualmente como iniciadoras de este movimiento en la literatura española de posguerra.

El mundo del trabajo se convierte entonces en la fuente de inspiración más importante de los relatos. En ellos aparecen reflejados todos los oficios del entramado social, con las servidumbres que conllevan y el riesgo de injusticias que suponen. Sin embargo no hay rebeldía en los hombres trabajadores de los cuentos. Están contemplados como individuos más que como representantes de una clase social y añaden a su propia resignación *la solidaridad* con los otros.

Hay que señalar los cambios de escenario que se produjeron en los cuentos de Aldecoa: al principio eran los estratos más pobres de la sociedad, los bajos fondos de las ciudades, los lugares más frecuentes de las narraciones; después se impuso absolutamente el mundo del trabajo; por último, aparecen cada vez más los personajes burgueses, sobre todo en la década de los 60. La actitud frente a ellos es en cada caso distinta: evoluciona *desde la compasión por los desposeídos hacia la crítica de las gentes ociosas* de vida acomodada.

Pero en todos los casos están presentes matices existenciales. En unos, referidos al abandono del hombre, a su esfuerzo inútil o a su condena al fracaso; en otros, destacando la frustración, el desencanto o el hastío. De tal manera que esta *conjunción de factores sociales y aspectos existenciales* es una de las características más destacadas de los cuentos.

Todos los demás planos estructurales de las narraciones están relacionados con este trasfondo temático. Y así, los personajes que más protagonizan los cuentos son *los niños y los ancianos,* porque mejor reflejan las preocupaciones existenciales del autor. Aparecen como símbolos de la condición humana en el mundo, por su desvalimiento, que les hace estar sometidos al ambiente y a los caprichos del azar.

Los personajes son individuales; *no hay protagonistas colectivos en los cuentos de Aldecoa,* sino excepcionalmente. Y habitualmente están descritos con medidas humanas, contemplados desde una perspectiva de igualdad.

Como consecuencia también del trasfondo temático de las historias, *predominan los cuentos de situación* y escasean *las tragedias;* la comprensión de las desgracias, la resignación y la paciencia evitan los finales desgarrados.

El afán testimonial impone *el diálogo* como *el elemento más importante de muchos cuentos.* Esta característica va unida a la reducción temporal, a la condensación al mínimo de la acción y a la estructura abierta de la historia. El diálogo refuerza el realismo y contribuye a destacar la actitud objetiva del narrador.

La *tendencia al narrador objetivo* está favorecida por la utilización de recursos de cámara cinematográfica.

Sin embargo no hay en los cuentos una renuncia a la subjetividad del autor; éste actúa a través del selectivismo y de las efusiones líricas, mediante la búsqueda de valores connotativos y sugerentes, en el empleo del estilo directo e indirecto libre, y sobre todo por medio de una decidida actitud estética. Hay, por lo tanto, una *basculación permanente en los cuentos de Aldecoa entre la objetividad y el subjetivismo.*

En correspondencia con esa basculación aparecen las dos cualidades básicas del estilo de Aldecoa: la *exactitud* y la *expresividad,* con una mayor importancia de este segundo aspecto.

La *preocupación por el estilo* para resaltar ambas cualidades —uno de los rasgos más definitorios de los cuentos— se refleja en todos los planos del lenguaje. Destacan en este sentido la búsqueda del ritmo, basado fundamentalmente en la repetición de estructuras morfosintácticas, el proceso de depuración en las construcciones gramaticales que se observa en los relatos y sobre todo los valores léxicos de la prosa: la precisión del vocabulario, la vitalidad de la sufijación, la belleza de las imágenes (especialmente las metáforas), el recurso a la ironía o a la deformación burlesca de los personajes. Esta deformación, en los cuentos en los que aparece, nunca llega al esperpento deshumanizado ni a la sátira amarga; el humor y la ironía amable moderan la crítica y la convierten en una burla socarrona.

Un lugar importante adquieren en los cuentos las *imágenes simbólicas.* A veces toda la narración se convierte en alegoría; otras veces destaca el simbolismo de una escena, del título, del nombre de los personajes o de alguno de los objetos que aparecen en el relato.

La preocupación formal nunca se debe a una actitud experimentadora, sino básicamente *esteticista: no existe experimentación estructural, técnica ni estilística en los cuentos de Aldecoa.* La utilización del tiempo o de las perspectivas de la narración, la ordenación de la trama, el empleo de elementos descriptivos o de cualquier otro recurso técnico se hace siempre según los paradigmas tradicionales.

Finalmente, hay que señalar la *existencia de un proceso evolutivo en los cuentos de Aldecoa.* Este no se da en los temas existenciales, que permanecen inalterados a lo largo de toda su producción, pero sí en el modo de narrar y en los ambientes sociales en los que se centran las historias. Al principio los escenarios de los cuentos eran fundamentalmente los estratos menos favorecidos de la sociedad, después el mundo de los trabajadores (en la década de los 50) y finalmente los ambientes ociosos de la gente acomodada (sobre todo en los años 60). A cada uno de estos escenarios le corresponde una actitud del narrador, que va desde la burla socarrona a la conmiseración hasta la crítica deformante. Las técnicas literarias empleadas en cada caso son también distintas y se resumen en una mayor o menor presencia del narrador y en las formas de estilo adoptadas. La actitud retórica inicial y la abundancia de rasgos subjetivos quedan desplazados, a partir de «El aprendiz de cobrador» (1951), por el objetivismo y la concisión. Aquellos rasgos son anulados por la actitud testimonial y objetiva del realismo, que se concreta en el empleo de la técnica behaviorista: desaparición del narrador, predominio del diálogo, preferencia por las técnicas magnetofónicas y cinematográficas. Cuando la literatura realista inicia su declive, Aldecoa intensifica los rasgos subjetivos y deformadores que aparecían en las primeras narraciones. La sufijación y otros recursos de estilo vuelven a cobrar ahora mayor importancia. *Los pájaros de Baden-Baden* (1965) puede considerarse como punto de referencia de esta nueva etapa, que no supone una absoluta novedad en la producción de Aldecoa, sino la intensificación de los rasgos deformadores que aparecían en las primeras historias, hasta convertirlos en el motivo básico de la narración. Cabe aventurar que, a partir de aquí, Aldecoa se habría desviado hacia otros modos de narrar, si la muerte temprana no hubiera puesto fin a su camino.

Bibliografía

Actualmente hay editados dos elencos bibliográficos sobre la obra de Ignacio Aldecoa:

GOICOECHEA TABAR, María Jesús, «Bibliografía crítica de Ignacio Aldecoa», *Boletín Sancho el Sabio,* año XVII, Vitoria, 1973, págs. 333-347.
MARTÍNEZ DOMENE, P. G., «Bibliografía de Ignacio Aldecoa», *Letras de Deusto,* número 23, enero-junio, 1982, págs. 191-207.

Ambos habrá que tenerlos presentes para un conocimiento exhaustivo de todas las reseñas, notas y artículos publicados que se refieren a Ignacio Aldecoa. En esta bibliografía queda al margen ese afán totalizador para recoger sólo aquellos estudios utilizados que tienen una relación directa con el tema tratado.

I. OBRAS DE IGNACIO ALDECOA

1. POESÍA

Todavía la vida, Madrid, Talleres Gráficos Argos, 1947.
Libro de las algas, Madrid, Gredos, 1949.

Ambos libros de poesía han sido reeditados por la Diputación Foral de Álava, en Vitoria, 1981.

2. NOVELA

El fulgor y la sangre, Barcelona, Planeta, 1954.
Con el viento solano, Barcelona, Planeta, 1956.
Gran Sol, Barcelona, Noguer, 1957.
Parte de una historia, Barcelona, Noguer, 1967.

3. RELATOS

Espera de tercera clase, Madrid, Puerta del Sol, 1955.
Vísperas del silencio, Madrid, Taurus, 1955.
El corazón y otros frutos amargos, Madrid, Arión, 1959.

Caballo de pica, Madrid, Taurus, 1961.
Arqueología, Barcelona, Rocas, 1961.
Pájaros y espantapájaros, Madrid, Bullón, 1963.
Los pájaros de Baden-Baden, Madrid, Cid, 1965.

   Estos siete libros fueron preparados por Ignacio Aldecoa y la mayoría de los cuentos que los integran habían aparecido previamente en revistas. Sin embargo, once de los primeros cuentos que publicó Aldecoa no aparecen en ninguna de estas antologías. Son las siguientes:

«La farándula de la media legua», *La Hora,* 24 de diciembre, 1948.
«Cuento del hombre que nació para actor», *Juventud,* 8 de septiembre, 1949.
«El loro antillano», *La Hora,* 30 de abril, 1950.
«El teatro íntimo de doña Pom», *La Hora,* 1 de noviembre, 1950.
«Función de aficionados», *La Hora,* noviembre, 1950.
«La sombra del marinero que estuvo en Singapur», *Bengala,* febrero, 1951.
«El herbolario y las golondrinas», *Juventud,* 22 de febrero, 1951.
«La muerte de un curandero meteorólogo»», *Correo literario,* 1 de marzo, 1951
«Biografía de un mascarón de proa», *Revista de pedagogía* (censurado, devuelto en pruebas), 9 de julio, 1951.
«El ahogado», *Revista de pedagogía,* 1951.

   Posteriormente se han editado otras antologías que seleccionan algunos de los cuentos que formaban parte de los siete libros anteriores. Estas son cronológicamente las más significativas.

Santa Olaja de acero y otras historias, Madrid, Alianza Editorial, 1968.
La tierra de nadie y otros relatos, Barcelona, Salvat, 1970 (añade dos cuentos póstumos: «Un corazón humilde y fatigado» y «La noche de los grandes peces»).
Cuentos completos I y II, Madrid, Alianza Editorial, 1973 (añade dos cuentos póstumos: «Party» y «Amadís»).
Cuentos, Madrid, Magisterio Español, 1976.
Cuentos, Madrid, Cátedra, 1977.

4. OTROS TEXTOS

Un mar de historias, Madrid, Oficema, 1961.
Cuaderno de godo, Madrid, Arión, 1961.
Neutral Corner, Barcelona, Lumen, 1962.
El País Vasco, Barcelona, Noguer, 1962.

II. ESTUDIOS SOBRE IGNACIO ALDECOA

1. MONOGRAFÍAS

BORAU, Pablo, *El existencialismo en la novela de Ignacio Aldecoa,* Zaragoza, La Editorial, 1974.
CARLISLE, Charles Richard, *Ecos del viento, silencios del mar: La novelística de Ignacio Aldecoa,* Madrid, Playor, 1976.

FIDDIAN, Robin, *Ignacio Aldecoa*, Boston, Twayne Publishers, 1979.
GARCÍA VIÑÓ, Manuel, *Ignacio Aldecoa*, Madrid, E.P.E.S.A. 1972.
LASAGABÁSTER, Jesús María, *La novela de Ignacio Aldecoa. De la mimesis al símbolo*, Madrid, Sociedad General Española de Librería, 1978.
LYTRA, Drosoula, *Soledad y convivencia en la obra de Aldecoa*, Madrid, Fundación Universitaria Española, 1979.
Varios autores, *Ignacio Aldecoa. A Collection of Critical Essays*, University of Wyoming, 1977.
— *Aproximación crítica a Ignacio Aldecoa*, Madrid, Espasa Calpe, 1984.

2. ARTÍCULOS, ENTREVISTAS, RESEÑAS

Anónimo, «La técnica, la imagen, la palabra», *Griffith*, diciembre, 1965, págs. 4-10.
— «Preguntas a Ignacio Aldecoa», *Índice de Artes y letras*, núm. 132, diciembre, 1959, pág. 4.
ARCE ROBLEDO, Carlos, «Cuentos de Ignacio Aldecoa», *Virtud y Letras*, XVII, Bogotá, 1958, págs. 105-113.
ARROJO, Fernando, «Exactitud, economía y expresividad en la narrativa de Ignacio Aldecoa», *Explicación de textos literarios*, núm. 1, 1976, págs. 3-11.
— «La sensibilidad literaria de Ignacio Aldecoa», Prólogo a *Gran Sol*, Barcelona, 1982, págs. 5-38.
BERASATEGUI, Blanca, «Ignacio Aldecoa en el recuerdo de Josefina Rodríguez», *ABC*, 16 de noviembre, 1979, pág. 25.
BLEIBERG, Alicia, Prólogo al tomo I de los *Cuentos completos* de Ignacio Aldecoa, Madrid, Alianza Editorial, 1973.
CANO, J. L., «Ignacio Aldecoa. *Caballo de pica*», *Ínsula*, núm. 176-177, julio-agosto, 1971, págs. 12-13.
CAÑEDO, Jesús, «Primera novela: *El fulgor y la sangre*», *La Nueva España*, Oviedo, 17 de abril, 1955.
— «*El fulgor y la sangre:* una novela pesimista», *La Nueva España*, Oviedo, 13 de noviembre, 1955.
— «La segunda novela de Ignacio Aldecoa», *La Nueva España*, Oviedo, 3 de junio, 1956.
CLEMENTE, José Carlos, «Al habla con Ignacio Aldecoa», *Nuevo Diario*, 16 de febrero, 1968.
CONTE, Rafael, «El regreso de Aldecoa», *Informaciones*, 22 de julio, 1967.
— *Informaciones*, 29 de agosto, 1968.
CORBALÁN, Pablo, *Informaciones*, 16 de febrero, 1960.
DEL ARCO, «Entrevista con Ignacio Aldecoa», *La Vanguardia*, 6 de noviembre de 1954.
DOMINGO, José, «Ignacio Aldecoa: *Santa Olaja de acero y otras historias*», *Ínsula*, número 267, febrero de 1969, pág. 5.
— «Narrativa española: Carmen Martín Gaite-Ignacio Aldecoa-Lauro Olmo», *Ínsula*, núm. 267, febrero, 1969.
— «Entrevista con Ignacio Aldecoa», *Diario de la tarde*, Sevilla, 12 de noviembre, 1960.
— *Diario SP*, 5 de junio, 1968.
— *Nueva Rioja*, Logroño, 30 de junio, 1968.
— *Valencia*, 10 de noviembre, 1968.
— *La Nación*, Buenos Aires, 20 de abril, 1969.

Espadas, Elizabeth, «Técnica literaria y fondo social del cuento "A ti no te enterramos"», *Papeles de Son Armadans*, núms. 245-6, agosto-septiembre, 1976, págs. 163-173.

Esteban Soler, Hipólito, «Narradores españoles del Medio Siglo», *Miscellanea di Studi Hispanici*, Universidad de Pisa, 1971-73, págs. 217-370.

Fernández Braso, M., «Ignacio Aldecoa levanta acta de los años de crisálida», *Índice*, octubre, 1968.

Fernández Cuenca, Carlos, «Entrevista con Ignacio Aldecoa», *Ya*, 25 de noviembre, 1956.

Fernández Santos, Jesús, «Ignacio y yo», *Ínsula*, marzo, 1970, pág. 11.

García Luengo, Eusebio, «Una tarde con Ignacio Aldecoa», *El Urogallo*, núm. 0, diciembre, 1969, págs. 20-22.

García Pavón, Francisco, «Ignacio Aldecoa, novelista, cuentista», *Índice*, núm. 146, 1961.

— «Responso particular por Ignacio Aldecoa», *ABC*, 16 de noviembre, 1969, página 58.

García Viñó, Manuel, «Ignacio Aldecoa y la expresión novelística», *Reseña*, número 26, febrero, 1969, págs. 3-11.

— «Ignacio Aldecoa, al margen del realismo», *Nuestro tiempo*, núm. 187, enero, 1970, págs. 32-46.

Garciasol, R. de, *Ínsula*, núm. 115, 15 de julio, 1955, págs. 6-7.

Gómez Santos, Mario, «Entrevista con Ignacio Aldecoa», diario *Madrid*, 18 de enero, 1955.

González López, Emilio, «La novela existencial de temática social: las novelas de Aldecoa: soledad y solidaridad», Symposium sobre la novela española contemporánea, Universidad de Nueva York, noviembre, 1971.

— «Las novelas de Ignacio Aldecoa, *Revista Hispánica Moderna*, XXVI, 1960, página 112.

González Ruano, C., «Una tarde con Ana María Matute», *Correo Literario*, noviembre de 1954, pág. 8.

Gray, «Ignacio Aldecoa, quince años sin presentarse a premio», *Informaciones*, 5 de abril, 1969.

Hernández, Antonio, «El escritor al día: Ignacio Aldecoa», *La Estafeta Literaria*, núm. 421, 1 de julio, 1969, págs. 10 y 11.

Iglesias Laguna, Antonio, «El escritor Ignacio Aldecoa», *La Estafeta Literaria*, 1 de diciembre, 1969.

Izquierdo, Luis, *El Ciervo*, junio, 1973.

— *Destino*, 7 de septiembre, 1968.

Linares Rivas, Álvaro, «Ignacio Aldecoa», *Crítica*, 4 de enero, 1958.

Mariñez, Pablo A., «Autores del siglo xx: Ignacio Aldecoa», *¡Ahora!*, Santo Domingo, 4 de marzo, 1968.

Marra-López, José Ramón, *El corazón y otros frutos amargos*, *Ínsula*, núm. 156, noviembre, 1959, pág. 5.

— «Lirismo y esperpento en la obra de Ignacio Aldecoa», *Ínsula*, septiembre, 1965, pág. 5.

Martín Gaite, Carmen, «Un aviso: Ha muerto Ignacio Aldecoa», *La Estafeta Literaria*, diciembre, 1969.

— *El Norte de Castilla*, 10 de mayo, 1973.

Martínez Cachero, José María, «Ignacio Aldecoa: Seguir de pobres», *El comentario de textos 2*, Madrid, Castalia, 1974.

MARTÍNEZ DE LA ROSA, Julio, «Notas para un estudio sobre Ignacio Aldecoa», *Cuadernos Hispanoamericanos,* núm. 241, enero, 1970, págs. 188-196.

MARTÍNEZ RUIZ, Florencio, «Nueva lectura de Ignacio Aldecoa», *ABC,* 4 de diciembre, 1973.

MATUTE, Ana María, Prólogo a *La tierra de nadie y otros relatos,* Madrid, Salvat, 1970.

MOLINA, A., «Entrevista con Ignacio Aldecoa», *Diario de Baleares,* 21 de enero de 1968.

MONTERO, Isaac, «La realidad crea forma (o la lección de Ignacio Aldecoa)», *Camp de l'arpa,* núm. 9, enero, 1974.

MORALES, Manuel, «Un novelista de la generación intermedia: Ignacio Aldecoa», *Juventud,* 10 de agosto, 1957.

NARVIÓN, Pilar, «Entrevista con Ignacio Aldecoa», *El Ateneo,* 1 de noviembre de 1954.

PERLADO, José Julio, *El corazón y otros frutos amargos, La Estafeta Literaria,* núm. 172, julio, 1959.

— «Ignacio Aldecoa escribe *Parte de una historia*», *El Alcázar,* 3 de marzo, 1967.

RIDRUEJO, Dionisio, «Presencia de Ignacio Aldecoa», *Destino,* núm. 184, 14 de abril, 1973, pág. 41.

RODRÍGUEZ, Josefina, Prólogo a los *Cuentos* de Aldecoa, Madrid, Castalia, 1977.

— «Algunos datos sobre Ignacio», *El Español,* 20-26 de marzo, 1955.

— Prólogo a *Los niños de la guerra,* Salamanca, Anaya, 1983.

ROIG, Rosendo, «Carta abierta a Ignacio Aldecoa», *La Hora,* 8 de febrero, 1958.

— «Diálogo con Ignacio Aldecoa sobre novela actual española», *Las Provincias,* Valencia, 10 de noviembre, 1968.

RUIZ VILLALOBOS, M.ª del Carmen, «Ignacio Aldecoa ha nacido para vivir la vida y para escribirla», *El Español,* 20-26 de marzo, 1955, págs. 45-48.

SÁINZ DE ROBLES, Carlos, *Panorama Literario,* 1956.

SALCEDO, Emilio, *El Norte de Castilla,* 20 de agosto, 1968.

SÁNCHEZ COBOS, M., «Entrevista con Ignacio Aldecoa», *Madrid,* 12 de marzo, 1954.

SÁNCHEZ PAREDES, Pedro, *Jano,* 27 de julio, 1973.

SANTIAGO, M.ª Jesús, «Ignacio Aldecoa: una historia partida. Entrevista con Josefina Rodríguez», *La Estafeta Literaria,* 15 de diciembre, 1975, págs. 7-9.

SANTOS, Dámaso, «Ignacio Aldecoa», *Arriba,* 16 de noviembre, 1969.

— «La honradez y riqueza de Ignacio Aldecoa, *Generaciones Juntas,* Madrid, Bullón, 1962, págs. 16-20.

SASTRE, Luis, «La vuelta de Ignacio Aldecoa», *La Estafeta Literaria,* núm. 169, 15 de mayo, 1959.

SENABRE, Ricardo, «La obra narrativa de Ignacio Aldecoa», *Papeles de Son Armadans,* núm. CLXVI, 1970, págs. 5-27.

SUÁREZ ALBA, Alberto, «Con Ignacio Aldecoa en Vitoria», *El Pensamiento Alavés,* 3 de agosto, 1959.

— «Ignacio Aldecoa, escritor en primera línea», *La Gaceta del Norte,* 10 de mayo de 1968.

SUÁREZ GRANDA, José Luis, «Ignacio Aldecoa: de la misericordia al esperpento», en *Estudios ofrecidos a Emilio Alarcos Llorach 3,* Universidad de Oviedo, 1978.

TORRES, Raúl, «Entrevista con Ignacio Aldecoa», *Tiempo Nuevo,* 2 de marzo, 1967.

TOVAR, Antonio, «Mi cuento de Ignacio Aldecoa», *Gaceta Ilustrada,* 6 de mayo, 1973.

Trenas, Julio, «Entrevista con Ignacio Aldecoa», *Pueblo,* 6 de octubre, 1956.

— «Así trabaja Ignacio Aldecoa», *Pueblo,* 5 de octubre, 1957.

Tudela, Mariano, «Reflexión ante dos libros de narraciones», *Cuadernos Hispanoamericanos,* núm. 70, 1955, págs. 114-116.

Umbral, Francisco, «Las letras y la gente», *Ya,* 9 de febrero, 1968.

— «Ignacio Aldecoa gran escritor», *La Estafeta Literaria,* núm. 433, 1 de diciembre, 1969, pág. 12.

Urrutia, Jorge, «Análisis de un cuento de Ignacio Aldecoa», *Boletín de la AEPE,* año VIII, núm. 14, marzo, 1976.

Valencia , Antonio, «Libros», *Arriba,* 29 de diciembre, 1957.

— «El testimonio a la vista», *Arriba,* 7 de julio, 1961.

— *Arriba,* 1 de abril, 1973.

Vázquez Zamora, R., «Ignacio Aldecoa programa para largo», *Destino,* 3 de diciembre, 1955.

Vilumara, Martín, «Los cuentos completos de Ignacio Aldecoa», *Triunfo,* núm. 554, mayo, 1973, pág. 55.

Viteri, M.ª Nieves, «Técnica novelística en Ignacio Aldecoa», *Boletín Sancho el Sabio,* tomo XX, Vitoria, 1976, págs. 137-220.

III. ESTUDIOS SOBRE EL CUENTO

Aguiar e Silva, Víctor Manuel de, *Teoría de la literatura,* Madrid, Gredos, 1972.

Anderson Imbert, Enrique, *Teoría y técnica del cuento,* Buenos Aires, Marymar, 1979.

— *El cuento español,* Buenos Aires, Columba, 1959.

Baquero Goyanes, Mariano, *Qué es el cuento,* Buenos Aires, Columba, 1967.

— *El cuento español en el siglo XIX,* Madrid, CSIC, 1949.

Barthes, Roland, *Análisis estructural del relato,* Buenos Aires, Tiempo Contemporáneo, 1970.

Brandenberger, Erna, *Estudios sobre el cuento español contemporáneo,* Madrid, Editora Nacional, 1973.

Bremond, Claude, *Logique du récit,* París, Seuil, 1973.

Castagnino, Raúl H., *Cuento-artefacto y artificios del cuento,* Buenos Aires, Editorial Nova, 1977.

Garasa, D. L., *Los géneros literarios,* Buenos Aires, Columba, 1979.

Hills, Rust, *Writing in General and Short Story in Particular,* Boston, 1977.

Kayser, Wolfgang, *Interpretación y análisis de la obra literaria,* Madrid, Gredos, 1958.

Lancelotti, Mario A., *Teoría del cuento,* Buenos Aires, Ediciones Culturales Argentinas, 1973.

Magalhães, R., *A arte do conto,* Río de Janeiro, Bloch, 1972.

Matas, Julio, *La cuestión del género literario,* Madrid, Gredos, 1979.

Omil, A., *El cuento y sus claves,* Buenos Aires, Nova, 1969.

Perera San Martín, Nicasio, «Elementos teóricos para la distinción entre cuento y relato», *Nueva Estafeta,* agosto-septiembre, 1980.

Propp, Vladimir, *Morfología del cuento,* Madrid, Fundamentos, 1971.

Serra, Edelweis, *Tipología del cuento literario,* Madrid, Cupsa, 1978.

STAIGER, Emile, *Conceptos fundamentales de poética*, Madrid, Rialp, 1966.
TORRE, Guillermo de, *Problemática de la literatura*, 3.ª ed., Buenos Aires, Losada, 1966.
WELLEK, R. y WARREN, A., *Teoría literaria*, 4.ª ed., Madrid, Gredos, 1966.

IV. OBRAS GENERALES

ABELLÁN, Manuel L., *Censura y creación literaria en España (1939-1967)*, Barcelona, Península, 1980.
ALBORG, Juan Luis, *Hora actual de la novela española*, Madrid, Taurus, 1958.
ALEMANY BOLUFER, J., *Tratado de la formación de las palabras en la lengua castellana*, Madrid, 1920.
AMORÓS, Andrés, *Introducción a la novela contemporánea*, Salamanca, Anaya, 1971.
BAQUERO GOYANES, Mariano, *Estructuras de la novela actual*, Barcelona, Planeta, 1970.
— «Tiempo y tempo en la novela», en GULLÓN, G., *Teoría de la novela*, Madrid, Taurus, 1974.
BENEYTO, Antonio, *Censura de los escritores españoles*, Barcelona, Euros, 1975.
BLACKHAM, H. S., *Seis pensadores existencialistas*, Madrid, Oikos-Tau, 1967.
BOURNEUF, R. y OUELLET, R., *La novela*, Barcelona, Ariel, 1975.
BRANDENBERGER, Erna, *Estudios sobre el cuento español contemporáneo*, Madrid, Editora Nacional, 1973.
BRASO, Enrique, *Carlos Saura*, Madrid, Taller de Ed. J. B., 1974.
BUCKLEY, Ramón, *Problemas formales en la novela española contemporánea*, Barcelona, Península, 1968.
— «Del realismo social al realismo dialéctico», *Ínsula*, núm. 326, enero, 1974.
BUSTOS TOVAR, E. de, «Algunas observaciones sobre la palabra compuesta», *R.F.E.*, XLIX, 1966.
CASTELLET, José María, *La hora del lector*, Barcelona, Seix-Barral, 1957.
— *Notas sobre la literatura española contemporánea*, Barcelona, Laye, 1955.
CIRLOT, E., *Diccionario de los ismos*, Barcelona, Argos Vergara, 1965.
— *Diccionario de los símbolos*, Barcelona, Labor, 1978.
CONTE, Rafael, «Valle Inclán y la realidad», *Cuadernos Hispanoamericanos*, 199-200, Madrid, julio-agosto, 1966.
CORRALES EGEA, José, *La novela española actual*, Madrid, Edicusa, 1971.
CORREA CALDERÓN, Evaristo, «El costumbrismo de la literatura actual», *Cuadernos de Literatura*, núms. 10, 11, 12, CSIC, julio-diciembre, 1948.
DÍAZ PLAJA, Guillermo, *La creación literaria en España*, Madrid, Aguilar, 1968.
DOMINGO, J., *La novela española del siglo XX*, vol. II, Barcelona, Labor, 1973.
DUQUE, Aquilino, «Realismo de ciudad y realismo de campo», *Ínsula*, núm. 175, junio, 1961.
FERNÁNDEZ MONTESINOS, J., *Costumbrismo y realismo*, Madrid, Castalia, 1960.
FERRERAS, Juan Ignacio, «Novela y costumbrismo», *Cuadernos Hispanoamericanos*, núm. 242.
GARCÍA VIÑÓ, Manuel, *Novela española actual*, Madrid, Guadarrama, 1967.
GENETTE, Gérad, *Figures III*, París, Seuil, 1972.
GIL CASADO, Pablo, *La novela social española*, Barcelona, Seix Barral, 1968.

GÓMEZ DE LA SERNA, Gaspar, *Ensayos sobre literatura social,* Madrid, Guadarrama, 1971.

GOYTISOLO, Juan, *Problemas de la novela,* Barcelona, Seix Barral, 1959.

GRANDE, Félix, «Narrativa, realidad y España actuales. Historia de un amor difícil», *Cuadernos Hispanoamericanos,* núm. 299, mayo, 1975.

GULLÓN, G., *Teoría de la novela,* Madrid, Taurus, 1974.

HERTAS VÁZQUEZ, Eduardo, «Realismo: perspectiva general», *Cuadernos Hispanoamericanos,* núm. 241, enero, 1970.

IGLESIAS LAGUNA, A., *Treinta años de novela española. 1938-68,* Madrid, Prensa Española, 1969.

JOLIVET, Regis, *Las doctrinas existencialistas,* Madrid, Gredos, 1970.

LÁZARO CARRETER, Fernando, «El realismo como concepto crítico-literario», *Cuadernos Hispanoamericanos,* núms. 238-240, octubre-diciembre, 1969.

— «Breves puntualizaciones sobre el artículo del señor Rey Álvarez», *Cuadernos Hispanoamericanos,* núms. 248-249, agosto-septiembre, 1970.

LUCKAS, G., *Significación actual del realismo crítico,* México, Era, 1967.

— *Ensayos sobre el realismo,* Buenos Aires, Siglo XX, 1965.

MARCO, Joaquín, «Ignacio Aldecoa y la novela ambiente», *Ejercicios literarios,* Barcelona, Taber, 1969.

MARTÍNEZ CACHERO, José María, *Historia de la novela española entre 1936-1975,* Madrid, Castalia, 1979.

NAVALES, Ana María, *Cuatro novelistas españoles,* Madrid, Fundamentos, 1974.

NAVARRO TOMÁS, Tomás, *Manual de pronunciación española,* Madrid, CSIC, 1953.

— *Manual de entonación española,* Nueva York, Hispanic Institute, 1948.

NORA, Eugenio G. de, *La novela española contemporánea (1939-1967),* Madrid, Gredos, 1973.

PALOMO, María del Pilar, «La novela española en lengua castellana (1939-1965)», *Historia General de las Literaturas Hispánicas,* VI, Barcelona, 1973.

PARAÍSO DE LEAL, Isabel, *Teoría del ritmo de la prosa,* Barcelona, Planeta, 1976.

PEREDA, Rosa María, «Los días de escritura: charlas y observaciones de Isaac Montero. Del mono realista a la literatura del futuro», *Camp de l'arpa,* núm. 11, abril de 1975.

PÉREZ GALLEGO, Cándido, *Morfonovelística,* Madrid, Fundamentos, 1973.

PÉREZ MINK, Domingo, *Entrada y salida de viajeros,* Tenerife, Nuestro Arte, 1969.

PIZARRO, Narciso, *Análisis estructural de la novela,* Madrid, Siglo XXI, 1970.

PREADO, Ángeles, *Literatura y casticismo,* Madrid, Moneda y Crédito, 1973.

QUILIS, Antonio, *Curso de fonética y fonología española,* Madrid, CSIC, 1966.

REY ÁLVAREZ, Alfonso, «En torno al realismo como concepto crítico-literario, *Cuadernos Hispanoamericanos,* núm. 248-249, agosto-septiembre, 1970.

ROBERTS, Gemma, *Temas existenciales en la novela española de postguerra,* Madrid, Gredos, 1973.

RODRÍGUEZ PADRÓN, Jorge, *Narrativa de Jesús Fernández Santos* (tesis doctoral), Universidad de La Laguna, 1977.

SÁBATO, Ernesto, «Realidad y realismo en la literatura de nuestro tiempo», *Cuadernos Hispanoamericanos,* núm. 178, octubre, 1964.

SÁINZ DE ROBLES, F. C., *La novela española en el siglo XX,* Madrid, 1957.

SANZ VILLANUEVA, Santos, *Tendencias de la novela española actual,* Madrid, Edicusa, 1972.

SASTRE, Alfonso, *Anatomía del realismo*, Barcelona, Seix Barral, 1964.

SOBEJANO, Gonzalo, *Novela española de nuestro tiempo*, Madrid, Prensa Española, 1975.

SOUVAGE, Jacques, *Introducción al estudio de la novela*, Barcelona, Laia, 1982.

TACCA, Óscar, *Las voces de la novela*, Madrid, Gredos, 1973.

TIJERAS, Eduardo, *Últimos rumbos del cuento español*, Buenos Aires, Columba, 1969.

TORRENTE BALLESTER, Gonzalo, *Panorama de la literatura española contemporánea*, Madrid, Guadarrama, 1965.

UNAMUNO, Miguel de, *Tres novelas ejemplares y un prólogo*, Madrid, Magisterio Español, 1967.

Varios autores, *El realismo y la novela actual*, Universidad de Sevilla, 1963.

YNDURÁIN, Domingo, «Teoría de la novela de Baroja», *Cuadernos Hispanoamericanos*, mayo, 1969.